グローバル・スタディーズの挑戦

クリティカルに、ラディカルに

Challenges of Global Studies: Critically and Radically

足羽 與志子／ジョナサン・ルイス 編著
Yoshiko Ashiwa
Jonathan Lewis

彩流社

はじめに

急激なグローバル化のなかで、私たちの生活を取りまく社会、科学技術、自然環境等は加速的変化のなかにある。この状況は未知の可能性と前例のない深刻な問題を生んでいる。

二〇世紀末にグローバル・スタディーズという場が、現代社会を把握し理解するための新しい議論のスペースとして生まれてからすでに三〇年近い。その間、世界の大学や研究機関にグローバル・スタディーズの教育・研究組織やプログラムなどが百以上も作られてきた。それも欧米だけでなく、ニュージーランド、南アフリカ、メキシコ、日本、韓国、香港などの地理的にも西洋から遠い周縁的な地域において熱心に作られている。一九九七年、一橋大学でも社会学研究科に独立専攻の大学院としては世界初の地球社会研究専攻が新設された。今や卒業生は大学や社会のさまざまな場で活動している。グローバル・スタディーズは再生産の時代に入っている。

しかし、単なる再生産としては簡単には位置付けられない問題がある。それはグローバル・スタディーズ自体が、学説を整え学術的な権威を整えていく方向、つまり学術的な構造化と制度化に向かう学問分野とは、本質的に異なるからである。グローバル・スタディーズであるためには、常にクリティカルで、ラディカルであること、これが存在理由ともいうべき命題であり、命脈である。グローバル・スタディーズは、グローバル化とともに、姿を変える現象を把握し、理解すべく、思索を継続して今日に至っている。再生産とは、特定の理論や方法論の確立ではなく、ラディカルでクリティカルな挑戦を独自に展開するという意においてのみ、有意な表現であるといえよう。

本書は、一橋大学大学院社会学研究科で二〇一七年四月から二〇二〇年三月まで開設した「先端課題研究17　社会科学とグローバル研究の可能性と課題」の成果の一部を同研究科出版助成により出版するものである。そこでは、理論と実践の幅広い文脈において、グローバル・スタディーズと社会科学の接合点を求めつつ、グローバル・スタディーズの本質、目的、そして一人の研究者、教育者として、既存の枠を自ら脱していく経験と意味といった多くの問題について、ときには原点の思想に立ち返り、真剣な議論が交わされた。

本書の執筆者は博士論文執筆中の大学院生から世界的に著名な研究者まで幅広い。執筆者のグローバル・スタディーズとの関わりについて、簡単に紹介したい。本書巻末の執筆者者紹介で研究領域も紹介しているように、多くの執筆者は、既存分野のカテゴリーでは収まりにくい、多彩な研究、教育、実践的な社会活動を行なっている。一四名のうち八名の執筆者は、全員が地球社会研究専攻修了者か博士論文執筆中の大学院生である。大学でグローバル・スタディーズを教える環境で教壇に立つ方もいるが、政治学やアート、歴史学や地域研究など、複数の学問分野に身をおき、その環境を生かして大学で職を得たり、社会で独自のキャリアを積み重ねる方もいる。皆、超領域的な博士論文を端緒として、他の分野の研究者とのコラボレーションを積極的に行ない、独自の研究領域を果敢に開拓している。教育でも、分野を超える教育方法を工夫し、学生から新たな可能性を引き出すなど、その活躍は創造的である。皆は学問分野の違いを超えて共通問題を追求する力があり、コミュニケーション能力と創造性が際立っている。大学院教育においてグローバル・スタディーズを修養し、自身の研究テーマの必要性に応じて複数の分野の知見を重ね、独自の視座と方法論の追求が当然だったことで得た力が発揮されていると想像している。また博士論文執筆中の数名の論考は、試論の段階ではあるが、紆余曲折を経験しながら、確実に独自の思考を深めていく、真摯で独立した研究者の姿を写し出している。一方、編者の二人を含めた六名の執筆者は皆、グローバル・スタディーズの教育を受けていない。一九九〇年代に、専門分野で博士号を取得し、その後、グローバル・スタディーズに関連する研究教育組織等で職を得て、グローバル・スタディーズの成長とともに教育との研究の歩みを進めてきた。うち四名は以前に同研究科の客員教授として専攻の学生に当たった方である。ソイサルは、計量社会学からグローバル化のシステムを分析したグローバル・スタディーズの先駆者ジョン・マイヤーの理論に新展開を示した社会学者である。林（イム）は東ヨーロッパ研究で得た視座から西洋史学に転換を迫る議論を起こし、また独創的なメモリー・スタディーズによりクリティカル・グローバル・スタディーズを創起した。オルスタインは中世のスペイン研究からグローバル・ヒストリーへ、ワンクは中国を中心とする経済社会学から、グローバル・スタディーズへ、そして編者の一人、ルイスは地球社会研究専攻で教育に携わりながら、日本研究と政治学から情報のグローバル化に関連する研究に進み、独自の方法論を展開している。私自身も同専攻の設立時に職を得て、文化人類学研究に、暴力、宗教、文化、政治を中心としたグローバル・スタディーズを重ねていった。本書の執筆者は皆、独自の領域の先駆者であり、グローバル・スタディーズの前線にいる。

本書は一四の論考を三部に配置した構成からなる。

第一部「グローバル・スタディーズの思想と挑戦」は、グローバル・スタディーズの成り立ち、思想、特質、目的と意義等について概説と議論からなる。執筆者の独自の研究展開と教育実践に言及しながらの論考は、グローバル・スタディーズの実践を明らかにする。

第一章の足羽論考は、グローバル・スタディーズの研究と教育について、先の地球社会研究専攻を例として、記述と分析、そして特に脱西洋中心主義の思想と実践の交差を明らかにする。

第二章のワンク論考は、最新のグローバル・スタディーズのアンソロジーである、八〇〇頁にもおよぶ『オックスフォード・グローバル・スタディーズ・ハンドブック』から四つの論文を取り上げ、グローバル・スタディーズの歴史的展開と展望について簡潔に整理していてわかりやすい。ワンクは上智大学のグローバル・スタディーズ研究科の創設者の一人である。

第三章の伊藤論考は、グローバル化を推進する主体と抵抗する主体を研究対象とする研究を、クリティカル・グローバル・スタディーズと位置付ける。グローバル・スタディーズから研究者の道を始め、人間社会と自然環境の相互作用の研究に至った、方法論と思索の過程を記述する。加えて現在のグローバル・スタディーズの教育現場での抱負を述べている。

第四章の中村論考は、ローカルな現象の観察と分析によりグローバルな状況に直結する示唆や含意を見出す。グローバルな問題として立ち上がる研究実験をアートの領域にも広げ、研究と教育のデザインが暴力に対峙する手法になると指摘する。多様な実践と思索を重ねた思想性の強い論考である。

第二部「グローバル・スタディーズへの交差」では、分野研究とグローバル・スタディーズが交差し、グローバル・スタディーズへと向かう新たな展開のモメントを理論と実証で示す論考を集めた。

第五章のオルスタイン論考は、中世ヨーロッパの研究から始めた著者が、歴史学の方法論と問題設定を変容させ、歴史の転換のモメントからグローバル・ヒストリーを構想する過程を論じる。

第六章の林(イム)論考は、記憶の地形、いわゆる mnemoscape がグローバル化で変化する様子の分析をグローバル・スタディーズとの交差に求める。ナショナルな記憶とパーソナルな記憶が、記憶の活動家によってグローバルな記憶空間へと解放されると、記憶の脱領土化と再領土化、連帯と争いのあいだで記憶が揺れ動きながらも、和解への一歩になると論じる。

第七章のルイス論考は、匿名性のメディア界での記憶構築に注目する。論争を呼ぶ問題についてウィキペディアで項目の書き込まれ方の過程を詳細に分析し、記憶空間の合意が形成されるメカニズムを抽出する。

第八章のソイサル論考は、システムのグローバル化と意識変化について、中国の大学留学経験者を対象にした統計調査の分析により、グローバル化がナショナリズムを強めるという逆説的な結果を導く。高い実証性、明快な論理性が特徴の論考である。

第三部「グローバル・スタディーズの実践と展開」は、特定の現象に焦点を当て、複数の専門分野の研究の検証の上により大きな視座から改めて独自の問題として立ち上げ、緻密に実証するという、まさにグローバル・スタディーズの豊かな鉱脈を指し示す六つの章からなる。

第九章の沢辺論考は、江戸時代末期から近代までの養蚕、蚕糸とその周辺現象を対象とし、近代的産業化と民俗的想像力の相互関係に着目する。養蚕の技術、身体感覚、女性、民間信仰、経験と科学知等を軸として多様な問題群が入り組む現象を論じるには、既存の学問分野では限界があることを指摘し、独自の超領域的研究と方法論を練り上げて提示する。

第一〇章の本橋論考は、現代世界で活躍する日本のファッション・デザイナーの共通特徴が、脱西洋中心的な創造へのエネルギーであるとし、田中千代の活動と思想を分析する。日本の敗戦と占領による精神的荒廃からの彼女の転換は、西洋追従ではなく、民俗衣装を中核とした脱西洋中心のグローバルなファッションにあったという指摘は、クリティカルなグローバル・スタディーズに通じる。

第一一章の根本論考は、日本の原爆投下について内外の展示やイベントでの表象のされ方を検討し、原爆投下が記号化され脱文脈化や新たな文脈との接合により、相対化への展開を遂げる姿を導きだす。根本は原爆投下のグローバル流通という課題をより多面的に追究した結果、脱西洋中心的という、グローバル・スタディーズの視点に行き着いたと結論する。

第一二章の山﨑論考は、東日本大震災直後からの被災地でのボランティア活動の経験から、〈災害（ディザスター）〉スタディーズとグローバル・スタディーズの形成過程と問題意識が重なることを指摘する。そして後者の一部として前者を位置付け、災害自体と災害支援システムのグローバル化と課題、さらに支援からこぼれ落ちる被災者の実態を明らかにする。

第一三章の小野塚論考は、オーストラリアの小さな町で難民の就労移住により地域産業や観光業が発展した事例分析をもとに、人口減少、高齢者問題を抱える日本の観光産業に難民認定者を組みこむ政策を提案する。既存の研究分野では別々の文脈で論じる難民認定者の就労と観光の問題を接合させ、具体的な解決策、想定される問題の防止策を提言する。

第一四章の加納論考は、オペラが非ヨーロッパ各国の文化政策と関連して広がった例として、ベトナムに注目し、社会主義政府が主導する新生オペラを分析する。脱西洋の文脈で、国家威信と文化成熟を世界に示すグローバルな文化記号となったオペラに、グローバル化、政治、ナショナリズムの重層性を論じる。

出版までの限られた厳しい時間のなか、執筆に応じてくれた方々には感謝の意を尽くすことができない。また四本の英文論考の翻訳も、「先端課題研究17」に参加した大学院生二人の集中的な努力によるものであり、また翻訳の丁寧な校正や原文との照合について、同大学院生の林知香さん、大瀧芽衣さんの熱心な助力を得たことは本当にありがたく思う。またリサーチ・アシスタントを務めた市村有樹子さんと山﨑真帆さんの配慮の行き届いた支援を感謝したい。これらの学生もグローバル・スタディーズに新たなページを加える博士論文を準備中である。地球社会研究専攻の宮地尚子教授、太田美幸教授、福富満久教授には折に触れ本活動にご協力をいただき、感謝している。本書は、結果として「先端課題研17」での報告者に限った執筆となった。諸事情があったとはいえ、広く執筆を依頼できなかったことは編者として残念であり、ご容赦いただきたい。

また先端課題研究では社会科学の専門分野を研究する同僚の方々が温かく見守っていただいたことに深く感謝している。最後に、厳しい時間のなかで熱心に丁寧な編集をいただいた彩流社の真鍋知子さん、出版助成の手続きでお世話になった外田恵子社会学研究科事務長、学生や私たちのさまざまな活動をしっかりと支えてくれた小林みゆき助手に心からお礼を伝えたい。

本専攻の創設時からの先達や同僚、海外の客員教員の方々には、研究分野から果敢に踏み出し、グローバル・スタディーズの形成に多大な尽力と寄与をいただいた（赤嶺 二〇一七、伊豫谷 二〇〇二、落合 二〇一四、児玉谷 二〇〇四、関・太田 二〇〇九、多田 二〇〇八、内藤 二〇〇四、福富 二〇一一、宮地 二〇〇七）。加えてこれまでの四五〇人以上の学生の研究蓄積こそがグローバル・スタディーズという挑戦の資本である。最後に、本書は、非常に限られた時間のなかで、執筆者と編集者の方の献身的協力によりまとめ得た限りの、本専攻の軌跡の一部であることを、改めて記しておきたい。本書はまさに現在のモメントで示しうる、グローバル・スタディーズの断面である。

足羽 與志子

◉参考文献

赤嶺淳、二〇一七、『鯨を生きる——鯨人の個人史・鯨食の同時代史』吉川弘文館。

伊豫谷登志翁、二〇〇二、『グローバリゼーションとは何か——液状化する世界を読み解く』平凡社。

落合一泰、二〇一四、『トランス・アトランティック物語——旅するアステカ工芸品』山川出版社。

児玉谷史朗、二〇〇四、「農村社会の変容」北川勝彦・高橋基樹編著『アフリカ経済論』ミネルヴァ書房。

コンラート、セバスティアン、二〇二一、『グローバル・ヒストリー——批判的歴史叙述のために』小田原琳訳、岩波書店。

関啓子・太田美幸編、二〇〇九、『ヨーロッパ近代教育の葛藤 地球社会の求める教育システムへ』東信堂。

多田治、二〇〇八、『沖縄イメージを旅する——柳田國男から移住ブームまで』中央公論新社。

内藤正典、二〇〇四、『ヨーロッパとイスラーム——共生は可能か』岩波書店。

福富満久、二〇一一、『中東・北アフリカの体制崩壊と民主化——MENA市民革命のゆくえ』岩波書店。

宮地尚子、二〇〇七、『環状島＝トラウマの地政学』みすず書房。

目次　グローバル・スタディーズの挑戦――クリティカルに、ラディカルに

第一部　グローバル・スタディーズの思想と挑戦

第一章　グローバル・スタディーズという挑戦
――制度、実践、思想の間で

足羽與志子

1　多極化する現代とグローバル・スタディーズ

私たちは、急激なグローバル化というもう後戻りはできない加速的変化のなかで生きている。グローバル化現象は現代社会のあらゆる分野に見られ、私たちの生活の隅々にまでに浸透している。人やモノ、マネー、情報、技術や知識の拡散と移動はもとより、それらの移動を可能にするシステムそのもの、たとえば金融市場や安全保障網などが地球に張り巡らされている。気候変動や地球温暖化、自然破壊などのグローバルな現象はすでに人や生物の命をも脅かしている。世界が多極化に向かう様相を見れば、もはや従来の北と南、資本主義と共産主義、民主主義と独裁主義のような単純な二項対立は無効だろう。貧富の格差増大への抵抗は、反グローバル化の運動を引き起こしているが、それ自体も世界各地域との連携を図るなど、グローバル化の効用を運動の重要な戦略的推進力としている。

二〇一九年末からの新型コロナウイルスによるパンデミックの背景にボーダレスな大量の人の移動がある。またパンデミックへの対応は各国の政治体制とイデオロギー、文化や価値観の違いが明確に現われ、またワクチン製造と配布は、石油などの資源をめぐる世界の勢力図を新たに書き換えている。パンデミックはグローバル化の所産であり、人と人を媒介する自然であるウイルスは「モノ」の流通とはまったく別次元の、新たなグローバル化時代の到来を予兆している。

世界の人々は安定を求め、人道主義、平和、人権、平等、環境保全、安全保障の意識と運動が高まる一方、それとは反対の方向、すなわち暴力、格差、分断、人権侵害、環境破壊、独裁、生命危機の場面が激増し、これら二つのベクトルは一つの現象においても絡み合っている。この混沌を前に、今ほどグローバル・スタディーズが必要とされ、重要な役目を担っているときはないだろう。

一九九〇年代にグローバル化現象の認識から始まった研究は、とりわけ速度を上げてきたグローバル化とともに、二〇〇〇年に入ると徐々にグローバル・スタディーズとして制度的な形成がなされた。グローバル・スタディーズは多様である。既存の学問分野の一つのように定義すること自体がグローバル・スタディーズの本質ではない。ここでは、グローバル・スタディーズが何を問題として、何を追求してきたのか、どのような方法論により、何に対して挑んできたか、そしてグローバル・スタディーズとは何か、どのような実践、アクションなのか、という問いかけをしてみたい。こうした問いかけには、少なくとも次の三つの方法から答えを探ることができよう。

第一は、グローバル・スタディーズが研究対象とする現象と問題群を詳細に捉え、そこからグローバル・スタディーズの射程と視座を知ることである。冒頭でも書いたようにグローバル・スタディーズには、私たちの生活のあらゆる部分にグローバリゼーションが影響を及ぼしているという認識があり、そこで認識されるあらゆる現象が対象である。ただしそこで強調されなければならない絶対的条件は、社会、経済、政治、教育、文化、科学などの社会通念が分類する既存のカテゴリーおよびそれに応じた社会学、経済学、政治学、教育学、文学、文化人類学、歴史学、科学史学などの既存の学問分野がその現象を認知し分析する認識体系や概念を無条件に用いないことだ。グローバル・スタディーズは、研究者の独自の眼で現象のありのままの姿を捉えること、それを不断に要求するのである。

第二は、グローバル・スタディーズの業績である。グローバル・スタディーズの思考の軌跡、常に通過点でもある研究成果をもって、その形を示す答えとすることである。この成果の初期は、たとえば、社会学者のサスキア・サッセンによるグローバル都市や移民研究、ジョン・トムリンソンによるグローバル化と文化の研究など、すでに特定研究分野で十分な業績がある研究者がグローバル化現象を対象に行なった研究に代表される（サッセン 一九九九、二〇〇四、トムリンソン 二〇〇〇）。次の世代は、専門分野の学位取得後、分野研究とグローバル・スタディーズの両方、あるいはその交差において研究と実践活動を重ねてきた。その多くがグローバル・スタディーズの研究教育組織に携わりながら成果を上げつつある。この研究はグローバル・スタディーズの特質を追求し、分野研究に対しては理解しながらもその過度な専門化と社会からの乖離には批判的であり、概念を根本から問いかける傾向が強い。そして、現在はグローバル・スタディーズの教育組織で最初から学び、グローバル・スタディーズの本質を最大限に生かした博士論文に取り組む第三世代が生まれている。この世代はグローバル・スタディーズという、いまだそれほど確かなものでないにせよ、一定の制度的保障のもとで、分野を超えた研究を推奨され、独自の方法論と問題意識を持つ独創的な研究および実践的成果を着々と生み出し、グローバル・スタディーズを作り上げている。

第三には、グローバル・スタディーズに関連する教育組織での教育プログラムに焦点を当てる方法である。時代に応じた新しい制度的試みである研究教育組織については設置目的、教育内容、および組織的課題があり、学術研究とは別の分析が必要である。次に、この第三の諸相の例として、一橋大学社会学研究科地球社会研究専攻を取り上げ、検証してみよう。

2 一橋大学大学院社会学研究科地球社会研究専攻の設立

グローバル・スタディーズと呼ばれるアカデミックな試みが、世界の各地の研究者や大学、また研究機関で始まった一方では、最近では、たとえば社会学、政治学、地域研究や歴史学などの学問分野においても射程にグロール化現象を捉えた研究が始まっている。しかし両者にはいまだ超え難い本質的な違いがある。一九九〇年代から現在までのおおよそ三〇年近いグローバル・スタディーズの研究内容の変遷と組織的な制度化の展開については、第二章のワンク論考が簡潔的確な整理を行なっている。ここでは、一九九七年、一橋大学社会学研究科に創設された、グローバル・スタディーズを専門とする大学院専攻、地球社会研究専攻の約二五年にわたる実験的試みの概観を述べたい。

同専攻は、今から振り返れば、設立自体が世界的なアカデミズムの先端にあった。設立時には、当時の長島信弘研究科長はじめ設立チームの誰も知らなかったのだが、グローバル研究に特化した独立専攻としての大学院プログラム（修士課程、博士後期課程）は、日本だけでなく、世界の大学でも初めてのことだった。このことはカリフォルニア州立大学のマーク・ユルゲンスマイヤーが設立した、世界のグローバル研究組織および研究者のネットワークである、グローバル・スタディーズ・コンソーシアムに同専攻が加入した際に明らかになった（Juergensmeyer 2018: 28）。当時は、グローバル・スタディーズのプログラムを持つ大学が欧米に徐々に現われてきていたが、それらは独立した研究組織単位ではなく、複数の組織の研究者が兼任し、副専攻として履修する教育プログラムや、グローバル・スタディーズ関係の科目を提供する教育センター的組織にとどまっていた。五名の専任教員を準備し、独立した専攻としてグローバル研究専攻は、一橋大学が初めてだったのである。当時は修士課程の学生一七人、博士後期課程の学生九名を定員としていた[1]。

創設時の一九九七年までの一〇年ほどの間に、世界ではグローバル化を象徴する事件が矢継ぎ早に起きていた。まず金融市場が想像以上に全世界の隅々まで支配していることを人々が改めて確認したのは、一九八七年一〇月一九日月曜日に香港を発端に始まった世界的金融恐慌、いわゆるのブラックマンデーである。一九八九年にはヨーロッパでベルリンの壁が壊れ、それの連鎖反応により冷戦体制が終結を迎えた。同年、中国では天安門事件が起こり、共産党政府は民主化の阻止と市場経済導入への舵切りを明確にした。翌年には湾岸戦争が勃発、続いて一九九一年にはソ連の崩壊、そして東欧紛争に続き一九九四年にはルワンダのジェノサイド、一九九七年にはアジア通貨危機、そして気候変動に関する国際連合枠組条約の京都議定書が採択された。このように、あらゆる面での世界の連帯、連鎖、分断を明確にする状況がグローバルに生じ、人々は危機感を増していった。この危機感を調査現場でいち早く感知した研究者が、既存の社会科学の教育方法ではない新規なアプローチの必要性と教育機関を強く求め、一橋大学社会学研究科に地球社会研究専攻を新設するに至ったのである。

本専攻は、当初、グローバル・スタディーズという言葉を使わず、常に「グローバルな諸問題（Global Issues）」の研究であると強調していた。その理由の一つは、グローバル・スタディーズという新たな専門分野を作り、既存の専門分野に連なることが目的ではないことを明確に示すことにあった。当時はグローバル・スタディーズという研究に対して一般的には懐疑的な印象が強かったことも一因だろう。また、たとえば、ジョージ・リッツァのマクドナルド化の研究のように、グローバル化とはつまりは世界がアメリカ化すること、アメリカ文化が他の地域に輸出され、単一的なアメリカ文化が多様な文化を圧倒していくことと同義であるとの認識が根強く、グローバル・スタディーズは、アメリカの覇権主義を推進するための研究であるという意識もあった。この状況は、二〇一〇年代に入ってアメリカの世界的地域が徐々に相対化されるにつれ、大きく変わっていった。

その後、グローバル・スタディーズが徐々に学術的市民権を得てきた一方、「グローバル」という言葉が新規性を持つ流行にもなった。たとえば「グローバル社会科学」のように既存の学問分野に「グローバル」を冠し、あるいは「グローバル」人材養成を設置目的の主眼として、学部新設や名称変更した大学も少なくない。日本では八〇年代に一時期、「国際」、「総合」、「人間科学」の冠を新設学部や大学につけることが人気をえたが、それが「グローバル」や「地球」に入れ替わったようだ。しかし英語による講義や海外語学研修等が必ずしもグローバル人材養成ではないことと同じく、グローバルを冠すれば新しい学問分野が生まれるわけでもない。カリキュラムやアドミッションポリシーにグローバル・スタディーズとしての具体的な思想と考えぬかれた科目構成が必要になる。

3　三つの思想的支柱とカリキュラム

グローバル・スタディーズは多様ではあるが、そこには共通した認識がある。たとえば、ユルゲンスマイヤーの提唱によるグローバル・スタディーズ・コンソーシアムの創設会議が二〇〇八年に上智大学で開催されたが、そこでは国家の境を超えたグローバルな視座、既存の学問分野を超える学際性、時代区分などの時間性からの解放、批判的な視点が、主要な四つの基本特徴とされた。

地球社会研究専攻では、設立当初からその学びの最も重要な思想的な支柱、いわゆる基本原則として次の三つを掲げている。第一は、問題に焦点を当てること（Issue Focused）である。すなわちグローバル化やそれがもたらす現象について、独立した学問分野の理論的、方法論的蓄積の上に、そこからの発想で議論を組み立て、分析するのではなく、具体的な問題に焦点を当てることから研究を始めるという基本原則である。最も重要なことは、専門分野から状況を理解するのではなく、人々が置かれた状況の問題点を見極め、人々の視点から問題を立ち上げること、そして、その理解に必要であれば分野研究の交差軸の上に新たな観察と思考を加え、そこに正しく問題を立体化することである。問題に焦点を当てる、この基本原則の追求は必然的に分野を超えた思考と方法論を導き出す。分野に分岐したアカデミズムを再活性化する学際、あるいは超領域研究のダイナミズムを作り出すのである。

たとえば、グローバルな共通問題としての民族紛争という問題群は一つの専門分野で説明はできない。国際関係学、文化人類学、政治学、政治学、経済学、歴史学、民族学、社会学、心理学、宗教学、地域研究、言語学、哲学、文学、精神分析学、さらには教育学、人間行動学、平和学、ジェンダー研究など、あらゆる分野の問題が含まれている。人間や社会が専門分野で分断されない複合的な存在であることと同じく、社会に共通する民族紛争という問題群の正確な把握のためには、複数の専門分野から必要な知見を引き出し、専門分野を超え複合的な分析を練り上げる作業が必要である。グローバルに展開するイスラム原理主義運動を考えるには、宗教学や政治学、歴史学、また人間の他者認識や情動、感覚、身体性の研究を交差させ、あるいは移民研究と文化表象や心理学など、通常は異質と思われる領域をも重ね合わせることで、問題がより正確に理解できるのである。問題に焦点を当てるアプローチが結果として超領域、学際研究を生み出すことになる。

第二は、解決を志向すること（Solution Oriented）の原則である。グローバル・スタディーズは学術研究だけではなく、何らかの問題解決に向けた実践的な方法や提案、場合によっては行動もとることを志すというものである。ただし解決とは具体的な解決だけでなく、問題を正確に捉え分析し、その本質を見極めることも解決への一つの形でもある。問い続けることも一つの解である。この志向は解決や和解の意味についての深い思考と検証を導く。現実を見極め、解決に導くための方法の提言、実践は研究者の責任でもある。こうした経験がより深い現状理解の研究を導きもする。グローバル・スタディーズはアカデミズムが誰のためにあるのかを常に問い続ける。

第三は、欧米中心の思想からの脱却、すなわち脱西洋中心主義（de-Eurocentric Thinking）である。[2] この原則は当初から本専攻の思想的核心であり、欧米のグローバル・スタディーズからもその先駆性が注目され、論議を呼んできた。特に現在では、脱西洋中心主義の思想は、グローバル・スタディーズに限らず、欧米の学術界でも近い将来の世界の構想と構築の要になる思想として、真剣な議論が始まりつつある。これについては第五節で改めて述べることとする。

さて、次にカリキュラムについて見てみよう。教育理念はカリキュラム構造に映されなければならない。一九九七年の設立当時から今日まで、全体は基幹講義群と実践科目群の二つからなる。前者では課題別に問題の基礎を学び、後者では研究に必要な実践的な技術や知見を学ぶ。後者は連携関係にあるシンクタンクや学外組織から高度職能者を客員教授として招いての科目からなっている。

設立時の基幹講義群には九つの科目群があった。「地球共生論」、「相関文明論」、「越境移動論」、「平和社会論」、「地球情報論」、「地球市民論」、「国際協力論」、「地球環境論」、「地球社会特論」である。たとえば「社会学概論」、「アメリカ史」のように学問分野を明示した従来の科目名とは随分と異なる、ハイブリッド的な科目群名であり、そこには当時のグローバル化現象と問題を見極めようとする意欲が見える。二〇世紀末の当時は、まさにグローバル化の波が世界を覆い尽くす勢いの時代であり、それらが引き起こす近未来の問題および、それらを巡る意識の焦点と所在を表わすキーワードとして、共生、平和、市民社会、越境、環境、情報、文化・文明の対立などが、強く意識され始めていた。二〇世紀の歴史的出来事を通じて世界の変化を総決算し、アカデミズムの潮流を振り返ることが盛んに行なわれるなか、二一世紀に急激な展開が予想される問題群をこのカリキュラムで提示したことになる。

その後も世界情勢は厳しく変化した。設立四年後、世界を震撼させた9・11に端をなし、アフガニスタン、イラク戦争がイスラム圏と西洋の亀裂を増幅させ、金融市場の急激なグローバル化や増加する一方の国境を超えた人の移動など、世界が緊張を孕み混迷状況が増していった。同専攻でもこうした状況下において、設立から一〇年余りが経過した二〇〇九年に科目群の再編とカリキュラムの見直しを決めた。創設時の中心的存在だった複数の教員が定年や移籍により離れ、一方では別の専門性を持つ新たな教員が参加したことが、科目群の整理を必要とした直接の原因の一つだが、世界の動きも研究の対象や方法論の再検討を促した。設立時は九つの科目群を「論」とし、議論に求心性を持たせることを意図したが、テーマの細分化を招き、さらに「論」というには教員の研究も教育技法も十分ではなく、実効性において現状にそぐわないという反省もあった。

新カリキュラムでは、まず関心事を集約し、問題群を厳選し、科目群を九つから六つに再編した。

たのである。「文化」、「越境」、「平和」、「メディア」、「環境」、そしてそれらを繋ぎ、グローバル・スタディーズを論じる「地球社会研究」を加えたのである。なかでも「環境」と「メディア」では、理科系やIT関連の教員の協力があり、専攻が人文社会科学の文系と理系の融合も意図することを改めて示した。他の科目群においても、たとえば、科目群「平和」の枠には、講義科目の「平和の思想」「国際正義論」「戦争と社会」「トラウマと地球社会」「平和とジェンダー」「地球市民とジェンダー」を置き、それぞれ、文化人類学、国際関係学、政治学、歴史学、ジェンダー研究を背景とする専攻の教員が主として担当した。学生はその科目履修によって、平和への多様なアプローチを学ぶことになる。また教員全員によるオムニバス形式の講義「地球社会研究1」を設置し必須科目とした。ここでは教員が各自の研究が捉えるグローバル・スタディーズについて講義し、学生と複数教員による討論も加え、そのの基本と研究の幅について広い理解を促した。この講義では意見交換や対談を通じて教員間の相互理解にも役立つものだった。また合わせて科目「地球社会研究2」を置き、グローバル・スタディーズの諸理論と研究事例を総合的に論じる内容とした。この二つの科目により学生はグローバル・スタディーズの議論と多様性についての基盤を作り、さらにそれぞれのテーマにあわせた科目の履修組み合わせと個人指導のゼミナールによって、独自の視点と方法論を養い、学位論文に集約する仕組みとした。また卒業に必要な単位全体の過半数をこの専攻以外の科目履修で取得することも組み込み、学生のより自由な選択を可能にした。

　最後に実践科目群について触れておこう。同専攻は当初より外部機関と協定を締結し、客員教員を組織から招聘しての科目を設置している。現在は、三菱総合研究所、独立行政法人国際交流基金、独立行政法人国際協力機構の三組織が連携先である。その他、調査手法としての映像技術と倫理規定、またメディア・リテラシー、統計学等の科目もある。これらは単なる技術の習得ではなく、データサイエンスやメディアの諸問題、新たな創造の可能性を実践とともに考える目的がある。

以上のカリキュラムはおもに修士課程が対象である。博士後期課程では修了要件単位はほぼゼミナールの参加で獲得できるので、教員の指導下で独自の調査や博士論文作成に集中できる。カリキュラムはグローバル・スタディーズが目指す理念を科目という教育実践に反映したものである。しかし履修する主体は学生であり、その学生がそこから引き出した成果を測る一つの指標は学位論文である。次に学位論文の共通特徴と科目を教える側の問題について述べることとする。

4 博士論文の共通特徴とグローバル・スタディーズの問題

同専攻では二〇二〇年までに四一名の博士学位取得者、三六〇余名の修士学位取得者を輩出している。修士論文は、本人の関心に沿った自由な主題と方法論によるものが多い。研究者養成の成果、つまり学問としてのグローバル・スタディーズの再生産という観点からは博士論文は重要な指標である。博士号の題名を見ると、その多様さが大きな特徴だ。なかでも人の移動や越境、教育、民族紛争や暴力、文化表象、貧困、宗教、アート、セクシュアリティ、平和と記憶、宗教、トラウマ研究、大衆文化、都市景観等の内容が多い。対象地域も大変に幅広い。一つの地域を対象としていても、複数の地域や国との繋がりが必ず主要な議論や文脈にあることも特徴である。

また題名や副題には、たとえば「人類学的考察」や「教育学的アプローチ」などの専門分野を示す言葉はなく、その理由は同専攻が専門分野の研究ではないことからして明らかである。その一方ではタイトルに「グローバル」や「グローバル・スタディーズ」の言葉もほとんどない。それは、グローバル・スタディーズが多様な姿を呈しながらの実験的思考実験を展開する過程にあり、特定の理論やモデルに博士論文が完全に依拠できない状況にあることが理由と考えられる。とはいえ、多くの博士論文は各テーマに沿って、グローバル化の先駆的研究者、たとえば、ジョン・マイヤー、サスキヤ・サッセン、アルジュン・アパデュライ、マンフレッド・スティーガー、ジョン・トムリンソン、ジョナサン・サヴィア・インダ、テッド・レウェレン等の研究を参考にもしている（Meyer 2006, アパデュライ 二〇〇四、Appadurai 2002, スティーガー 二〇〇五、Inda 2002, Lewellen 2002）。

博士論文作成において現実的な問題は、専門分野を超えた問題意識および方法論と議論を推奨する一方では、いくつかの既存分野と深く関係して議論を展開することが必須であるという、博士論文にある種の両義性が要求されることだ。議論を展開させる上で、先行研究があり説得力を持つ複数の専門分野を戦略的に選び、架橋させながらオリジナルな議論を展開させる手法が有効で一般的である。またグローバル・スタディーズ自体が形成過程であり、学術界での安定した権威的空間の構築には至っていない。そのためグローバル・スタディーズを選択して研究を進める学生や若手研究者が学会発表や論文の学術誌掲載、また職を得る場として、特定の専門分野に自分の研究の一部を位置付ける必要もある。とりわけ、これまでの博士論文を見ると文化人類学、国際関係学、政治学、社会学、教育学、歴史学、地域研究などが連携可能な研究分野として親和性が高い傾向がある。こうした博士論文作成にあたっては、それぞれ独自の道を歩みつつ、また関連する専門分野もよく知る必要があり、自分の研究を編み出す粘り強い努力と勇気が必要となる。専門分野の学会発表では「君の報告は〇〇学なのか」という厳しいコメントを受けることも稀にある。しかしこうした研究姿勢は専門分野においても斬新でラディカルな視点と議論を示すことにもなり、非常に高い評価を得ることも少なくない。

その一部の例を挙げれば、博士論文「M・K・ガーンディーの「宗教政治」思想——セクシュアリティ認識の変容とナショナリズム運動の展開」(二〇一七)を上梓した間永次郎は、ガーンディーの宗教思想と南アジア地域研究、宗教研究、セクシュアリティ研究、平和研究、政治思想研究など複数の分野で、各専門の学術文法をトークンとして使用しながら研究成果を表わし、各分野で斬新な視点を高く評価され学会賞等の受賞なども含めて、すでに世界的な成果を表わし始めている。また博士論文「オトは流れてヒトは往く——戦後日本の米軍基地と音楽 1945–58」(二〇〇九)を執筆した青木深は、問題意識および記述と分析方法において独自の世界を広げ、文化人類学、アメリカ研究、音楽研究、占領軍研究、ポストコロニアル研究等にまたがる研究領域を開拓した。博士論文をまとめた著書はサントリー学芸賞を得た。最近博士論文を元に出版した澤辺満智子、寺崎陽子、また博士論文提出間近の山﨑真帆、加納遥香、本橋弥生の研究は自信を持って超領域性を貫いている。

課題の一つは科目を担当する教員側にある。教員は地球社会研究専攻に所属するまでは、創設時のメンバーも含めて全員が特定専門分野の学位を取得し、研究者として歩んできている。グローバル・スタディーズとしての研究歴や教育歴はないが、従来の分野別の枠を超えた業績が評価されて同専攻に移籍、あるいは採用された。その時点では、無論、誰もが専攻趣旨に共感し、専攻へ貢献する意欲があった。しかし実際に前例がないグローバル・スタディーズの科目講義や学生指導には相当の労力が必要であり、たとえば「地球社会文化論」や「地球市民論」といった既存の科目名とは異なる講義は、テキスト一つとっても蓄積がなく、教育手法や内容、資料まで独自に作り上げなければならない。専任教員はまだしも、既存の分野別の専攻との両方に所属している教員は一層の困難を強いられる。また全科目のうち二割は他の専攻の教員の協力によるものだった。そうした教員の場合は教える内容も方法も、分野別の科目とグローバル・スタディーズの科目とでは異なることを要求されるが、現実的には不可能に近い。同一教員の科目で分野別の学生と地球社会研究専攻の学生の両方を教えざるをえない場合が生じ、その場こそが分野別の教育とグローバル・スタディーズの教育の接合現場になるとも理屈では言えるが、実際には非常に難しく、専攻の趣旨を生かしきれないという問題がある。また教員も自身の研究をグローバル・スタディーズの文脈で位置づけなおし、研究の方向もグローバル・スタディーズに、あるいはその三つの原則に近づけるような変更も必要になる。すでに既存分野で一定の業績も評価もある教員には新しい挑戦への余裕があっても、これからキャリアを積む若手、中堅教員には容易ではない独自の道の開拓が要求される。専門分野以外の研究発表の場は限られており、研究助成等の応募枠は専門分野単位が主流で、そこで評価されなければ、研究資金獲得も難しい。畢竟、教員も専門分野とグローバル・スタディーズの二足の草鞋を履いて歩むことになる。

さらにもう一つ要求されるところは、社会との実践的な関わりである。同専攻の教員には政府やNGOとの共同企画や助言、国際支援の補助などの依頼があり、また教員側からもアクション・リサーチ型の企画を学外機関と立ち上げることも稀ではない[3]。こうした活動を通じて現場から得る学びは非常に貴重だが、一方では学術研究に向けることができたはずの膨大な時間が費やされることも否めない。しかし学生に問題解決を要求する以上は、学術面での研究活動だけでなく、教員が行動で示すことは不可欠であろう。つまり三足目の草鞋を履くことになる。学術研究と教育、社会活動のバランスの工夫は各教員が負っていくことになる。

これらは、教員にとって研究者生命をかけた、また時間とエネルギーが必要な挑戦である。グローバル・スタディーズに自ら望んで職を得た教員は学生にグローバル・スタディーズについて言葉で論じるだけでなく、学生への要求を教員自らも実践することが求められることを常に意識している。教員としても、研究者としてもすべてが初めての経験であり、暗中模索のうちに執行錯誤を繰り返し歩むしかない。いろいろな見方もあろうが、一般的にはこうした挑戦は、緻密な専門性を評価する専門分野において、一定の評価や認知はあまり期待できず、研者として周辺におかれる傾向は否めない。この環境を一つの挑戦として積極的に捉え、学生が在学する一定期間の伴走を繰り返し、クリティカルであり、ラディカルであることを信条とし独自の努力を重ねて歩む意外にはない。この意識においてグローバル・スタディーズに関係する研究者が連帯しているともいえよう。グローバル・スタディーズで大学院教育を受けた研究者が成長し、グローバル・スタディーズの組織で教えるという再生産が達成されるまでは、時には立ち止まりつつも、こうした不断の努力と周囲からの理解が必要である。努力を止めればカリキュラムは形骸化し、学生の努力だけに頼らざるをえなくなり、畢竟、研究教育組織としての惰性と停滞から逃れられないだろう(4)。

5　クリティカル・グローバル・スタディーズと脱西洋中心主義

グローバル・スタディーズを広く捉えれば、近年、目覚ましい学問的展開を遂げているグローバル・ヒストリーもその一つである(5)(コンラート　二〇二一)。また国際関係学とグローバル・スタディーズの組織併合もそれほど珍しいことではない(6)。しかし、グローバル・ヒストリーが西洋中心の世界史から脱却し、非西洋の視点も入れた多極的視点から書き換える転換の試みであるのに対して、国単位の外交、政治、軍事、経済の力関係が基本の国際関係学において、グローバル・スタディーズとの接合が思考基盤にラディカルな転換を生むことは現状では容易ではない。

一方、グローバル・スタディーズにおいても強調される特徴に変遷がある。初期はグローバル化現象を捉えることがもっぱらだったが、その後はグローバル・スタディーズという独自の思想的特徴に関心が広がっている。その一つが、近年注目されつつある、クリティカル・グローバル・スタディーズという立ち位置である。ここではその特徴について触れておきたい。グローバル・スタディーズに「クリティカル」をあえて付ける理由は、いくつかの問題にあえて批判的である姿勢を強調する意図がある。その一つは、まず国家やグローバル企業、国際機関が展開する上からのグローバル化を新自由主義が主導するグローバル化であると捉え、それに対して、下からのグローバル化を推進させ、その現象や運動を検証する学問が、クリティカル・グローバル・スタディーズであると位置付ける立場である。本書に寄稿している林志弦(イムジヒョン)も、以前からこのコンセプトを提唱している(Lim 2019)。グローバル企業が圧倒的な力でローカルな経済活動を吸収、合併、あるいは破壊し、コミュニティに打撃を与えてきた状況下で、九〇年代後半から、グローバル主義への批判や抵抗が生まれた。いわゆる反グローバル運動である。環境汚染反対や貧困層問題の告発など、多極的な運動が地域から生じ、各地に連鎖を引き起こし、グローバルな運動へと拡大した。クリティカル・グローバル・スタディーズとは、その運動に注視し、思想的に運動にも関与し、洗練させ、その一方ではその現象の研究を行なう。イムはクリティカル・グローバル・スタディーズを「グローバル化現象の民主化」と呼ぶ。彼はグローバルな連鎖には記憶の連鎖があることを指摘し、それを詳細に同定する研究を展開している。そこには、集団記憶を形成する、雨傘、三本の指を立てた握り拳、レインボーフラッグ等のサイン、またマザー・テレサやマララ・ユスフザイといった人物などのイメージが著しい喚起力を持つことも指摘できよう。クリティカル・グローバル・スタディーズは研究自体が一つの社会運動ともなりうることを示す。人類学者のグレーバーの一連の研究と活動は最も鮮烈な光を放つクリティカル・グローバル・スタディーズとも言えよう[7]（グレーバー 二〇二〇）。

第二の「クリティカル」の立ち位置は、グローバル・スタディーズが、学問分野の学説や理論に対して、常に批判的、超分野的である姿勢を強調して、あえて形容詞の「クリティカル」を附したところにある。分野を離れ、超えることにより、使用する概念や専門用語、分析の方法、さらには問題そのものの再検討を求め、そして従来の既存の分野で伝統的な学説から問題として見ていたものが、本当に実際の問題であるのか、そうでなければ、改めて、今何が、誰にとっての、どのような問題なのかを、分野が準備する基盤からではなく、問題と当事者の根本に立ち戻って徹底的に検証するのである。クリティカル・グローバル・スタディーズは「ラディカル」な転換を導く。

第三のクリティカル・グローバル・スタディーズの「クリティカル」とは、脱西洋中心主義にある。これは地球社会研究専攻の三つの柱の一つでもある。西洋中心主義は近代社会のシステムとしても、また社会科学の思考の枠組みとしても絶対的前提であり、概念と理論の基準となっている。グローバル・スタディーズの思想の真髄の一つは、西洋中心主義を無条件に受け入れることを停止し、根底から批判的に捉えることにある。西洋中心主義からの脱却である。ヨーロッパは近代を作り上げ、その大部分がヨーロッパ植民地であった非ヨーロッパの地域に近代システムを押し広げてきた。なかでもアジア、とりわけ日本は近代化＝西洋化を迎えて以来、植民地化を回避し、自らが西洋の基準と技術を身につけることに全力を注いできた。日本は欧米外でそれに成功した稀有な国である。

昨今の世界の力の均衡の急激な変化および西洋に噴出する人種や移民、貧困、環境等の問題に伴い、西洋の内部からも西洋が近代であるという認識に疑義が芽生えてきた。西洋合理性、つまりは西洋が体現する理性と個の観念は完成された人間に普遍的な特質である、という理解は、もしかしたら一面的にすぎるのではないか、という疑問が生まれている。しかしながら、グレーバーはこうしたゆらぎは表面的なことにとどまり、実際には今もってなお「西洋が存在し、それは古代ギリシアに起源を持つ学問的伝統としても、今日の西ヨーロッパと北アメリカの住民たちの共通感覚をなす文化としても扱うことができるという発想を、誰も疑おうとしないのである。〔中略〕全ては議論の土台として単に自明なものとみなされているのだ」といい、西洋的伝統なるものの前提に疑問を投げかける政治思想家、哲学思想家、社会思想家はほとんど見出すことができない、と断言する（グレーバー二〇二〇：三〇）。果たして西洋は根底から自己を相対化することを試みているのだろうか。あるいは西洋自身のための表面的疑義だけなのだろうか。

ヨーロッパは「近代」であるという認識を根底から覆す、ブルーノ・ラトゥールの「虚構の『近代』」が一九九一年にフランスで出版されると、「いまだ（西洋は）近代ではない」という彼の挑発的な議論は衝撃を持って迎えられた[8]（ラトゥール 二〇〇九）。彼は、ヨーロッパが一九八九年に二重の崩壊、すなわちベルリンの壁に象徴される社会主義の崩壊と、地球環境の包括的な初めての国際会議の開催に象徴される環境崩壊を迎え、この二つが同年に生じたことで、近代への疑いを実感したという[9]。そして現代の西洋とは、実は近代と未近代、あるいは非近代とのハイブリッド状態だと論じた。しかし彼が著書で「私たち」「主体」「私」というとき、彼と同一集団の西洋の人々を指すことは自明である。そこには現代に生きる非西洋の人々の影もない。本性は徹頭徹尾、西洋により、西洋に向けて、西洋のために、西洋の生存をかけた、西洋への処方箋である。彼には、一世紀をかけてグローバルに拡散した近代の断片が浮遊する現代世界を共通概念で語る意識も関心もない。西洋にとっての他者は西洋との対比の上に西洋の領域外に存在し、西洋とともに生きて相互に絡み合い照射し合う他者は、最初から存在していないのである。西洋の他者認識の誤謬が生む世界の分断の指摘は、ブルガリア出身の思想家ツヴェタン・トドロフが生涯をかけて行なってきた（トドロフ 二〇一〇）。トドロフは十分に認識していたが、ラトゥールが指摘する二重の崩壊があった一九八九年には、もう一つの極めて重要な事件があった。それは中国の若い世代に芽生え、労働者や農民、軍にまで波及し、全土に広がった民主化要求を共産党支配の国家が暴力で徹底的に押さえ込み、その一方では国家主導の経済解放政策に大きく舵を切るきっかけとなった、天安門事件である。ラトゥールの理論には天安門事件の一九八九年は存在せず、意義もなく、不要であったのだろう。

そもそもヨーロッパ以外の他者や異文化には関心がないラトゥールを批判し、不満に思うことは勝手な要求ゆえなのかもしれない。しかし非西洋社会に、純化された制度、組織、価値、科学、合理性等が存在しないと誰が断言できるのだろうか。モダニティ論を近代西洋のイデオロギー的支配から切り離して論じる、イスラム研究の人類学者タラル・アサドは、モダニティを西洋が非西洋との接触で形成した上からの無数のプロジェクトのセットであり、このセットが他の地域に移植されていったことを近代化と呼ぶ（アサド 二〇〇六）。しかし、彼ですら非西洋に拡散したモダニティのシステムや概念のセットは西洋近代の複製であることを前提としている。中国、日本、インドのように独自の文化や社会システムを熟成させてきた国には内発的な合理性が存在し、それらが西洋からの別のタイプの合理性と融合したことでモダニティが形成されたことは、それほど彼には重要ではないようである。

グローバル・スタディーズについて詳しいヤン・ネーデルフェーン・ピーテルスによれば、グローバル・スタディーズは、西洋中心主義とオリエンタリズムを批判し、イマジネーションの非植民地化を導くという（Pieterse and Parekh, 1995）。すなわち、西洋の解体とモダニティへの多様な疑義である。彼は「グローバル・スタディーズは、グローバルな問題を複数の中心から見るべきである。ニューヨーク、ロンドン、パリ、東京からだけでなく、ニューデリー、サンパウロ、北京、ナイロビからの視点である。グローバル・スタディーズはグローバルな問題を、多様で、複数の中心から眺め、それにしたがって国際関係を再定義していく」「グローバル・スタディーズは、個別の研究分野からのアプローチよりも、多極的な世界に相応しく、現代のダイナミズムをより的確に捉えることができる」というう（Pieterse 2013: 508）。彼は、多様性を推奨し、脱西洋中心主義の代替的イメージとして、ニューデリーからナイロビまで（それにしてもなぜ首都だけなのだろう。そしてなぜ東京はロンドンと並んで置かれるのだろう）を羅列する。しかし、西洋中心主義が複数の中心を認めていく方向を、グローバル・スタディーズとして想定するとはいえ、北京からナイロビまでの視点をいくつ集めたところで、何がわかるというのだろうか。こうした理解の脱西洋中心主義は、単なる言葉だけの理想としての相対化や多様性、そして多軸、多極性に停まり、かえって空々しい。

異文化を専門にし、他者の問題に敏感で、書き手の主体性まで危うくすることが得意な文化人類学は、西洋近代の外に主体性や中心を見出しているのだろうか。従来の文化人類学それ自体が、実は西洋で成立した、他者を通じて自己を知る西洋のための学問であり、どのように繊細に内省したところで、その事実から逃れきれない枠組みであることは、素直に認めたほうが良いだろう。人類学的知見に頼って人間に共通の属性を探ろうとする他分野の試みが同じ過ちに陥るのも無理はない[10]。一九九〇年の後半に激しく展開されたマーシャル・サーリンズとガナナート・オベエセーケレの論争は、人類学では一般的に、相対主義の擁護者のサーリンズと、人間共通な考え方としての合理性の普遍主義の信奉者オベーセーカラの対立として整理されており、クリフォード・ギアツが呻吟の上、サーリンズの勝利宣言をした。当時、スリランカで激しさをます民族紛争の只中で、西洋側の紛争解決タイプのNGOが示す処方箋に強い違和感を感じながら調査をしていた私にはショックな結果だった。

この論争をこのように単純化すると、オベーセーカラが西洋知を尊奉する非西洋知識人との安直な誤解を招く危険も恐れずに示した、文化の違いに関係なく人間が備えている共通の認識能力についての推論を曖昧に隠してしまうことになる。キャプテン・クックがハワイ島で殺されたのは先住民の信仰が原因であるというサーリンズに対して、スリランカ出身のオベーセーカラは、サーリンズが文化相対主義を前提にして先住民が我々とは異なるゆえの行動であるとの説明は、白人特有の解釈であると批判した。そして先住民は正確にクックの暴力を予想し、合理的にそれを予防するために殺害したのだと主張した。ネイティヴ人類学・社会学者のオベーセーカラが、先住民であっても西洋人と同様に人間として共通する思考はあり、それを検証しないで先住民を「文化相対主義」の檻に閉じ込めることの、つまり文化相対主義に潜む差別性を訴えたのである。その後彼は生涯をかけて、輪廻転生の思想がインドやアジアだけでなく、西洋にもあることを示すなど、東西文化の共有する思想や信仰について研究を継続している（Obeyesekere 2001, 2012）。この例から、本論に戻れば、クリティカル・グローバル・スタディーズが真髄とする脱西洋中心主義とは、ピーテルスのいうように複数の中心や多極的世界の存在を示すことだけではまったく不十分であるということを指摘したい。複数の中心や相対主義を認めた上で、そこに必ず共通する属性を見出す試みがされるべきであろう。どの学問分野よりも他者や異文化の問題に敏感で、通常は非西洋の「声なき人」の代弁者となろうと努める文化人類学ですら、文化相対主義が招く誤謬に陥りやすいことを鑑みれば、クリティカル・グローバル・スタディーズが脱西洋中心主義を論じるとき、細心の注意を払うべき課題は明らかであろう。

しかし、微細な意識の差異や西洋の自己相対化の言説の危うさなどナイーヴなことばかりは言っていられない。学問や思想は思索の微細なヒダに入り込み精緻に組み立てる、偏屈な好事家の作業から発生する営みだけではなく、強力な国家指導により一瞬のうちに作り変えられることも現実として生じうる。たとえば、近年、急激にあらゆる意味で世界に台頭してきた中国を見てみよう。英国のシンクタンク、経済ビジネスリサーチセンター（CEBR）は、昨年末、中国が新型コロナウイルスの抑えこみの成功によって、これまでの予想を早め、二〇二八年には、あらゆる面でアメリカを追い越し、世界一の経済大国になると報告した。中国の台頭は学術界にも影響を及ぼす。二〇〇〇年代のはじめは中国研究者の誰しもが深く感動したほどの中国学術界がオープンで自由闊達な学術交流があったが、わずか数年後、その扉は突然閉じられてしまった。現在は、自然科学、社会科学、政治哲学、人文社会等、あらゆる学術分野で西洋中心主義の学問の複製と模倣は中止し、主体を西洋から中国に移して書き換え、組み換える「中国化」が猛烈な勢いで始まっている（Garcia 2014）。

欧米のアカデミズムが中国をはじめとする非西洋の台頭を、西洋中心主義の構図において理解しようとしても、自ずと限界がある。これまでの研究を見ても、西洋中心主義の写しでもあるような中国脅威論か、中国から最大の経済的利益を引き出すための経済功利主義論のいずれかに集約され、中国が「異質な存在」であることには変わりがない。新型コロナ ウイルスのパンデミック一つ取り上げても、今や中国との関係を抜きにしては、環境問題からＡＩ問題まで、世界はどのような問題も語ることはできない。現在、グローバル・スタディーズで喫緊の課題は、まずは中国がどのように自国と自国以外の世界を位置付けて行こうとしているのかを正確に捉えることだと考える。私は中国の厦門大学で教鞭をとっていた時に起きた一九八九年の天安門事件の年から、グローバル・スタディーズの展開とともに、中国の姿を急激に変容する中国の仏教をつうじて捉えようと研究を行なってきた。

まず、中国という新たなセンターを考える前に、近代との関係において西洋の深刻な自己喪失感について触れておきたい。確かにヨーロッパでは、西洋中心主義が極めて厳しい攻撃にあうことを予感していたように思う。ウンベルト・エーコの「巨人」と「小人」の例えは意味深い。二〇〇一年の夏、おそらく9・11の直前にミラノで行なったエーコの連続講義の第一回が『世界文明講義』の巻頭「巨人の肩に乗って」として収録されている。いわゆる現代の欧米の新時代の文化が価値や技術の変革によって歴史的に大きく転換してきた経緯を例えて、前時代の巨大な蓄積という巨人の肩に乗った新時代の小人が、力は小さくともより遠くまで見通せる能力を持って巨人を支配してきた結果だと捉える。小人とは新しい時代の知と力を身につけた少数の特権的人々を指している。然るに、二〇〇一年のG8に対してシアトルはじめ、世界の多くの場所で起きた反グローバル化の事件を、彼は全く新しい形の政治闘争、つまり、ニューエコノミーの強力な上昇志向を持つ三〇歳とコミュニティ志向の三〇歳がそれぞれの脇に六〇歳の老人を抱えて戦い、分裂に向かう姿を捉える。

現代がその肩に乗ってきた巨人とは彼は「全ての価値の諸説混合的共存」でもあるという。彼は新時代に生まれた小人を息子に、新時代の創設者を父親にも例える。全ての価値の諸説混合的共存は、実は新時代の父親たちが息子たちに準備した多彩な疎外空間に他ならず、父親が息子たちを貪り食っている可能性も指摘する（エーコ 二〇一八：二五―二六）。その上で、エーコは「きっと日の当たらないところでは、すでに巨人たちが徘徊しているのかもしれない。わたしたちはそれを見ないふりをしているけれど、巨人たちはいつでもわたしたち小人の肩に乗る用意ができている」と締めくくる（エーコ 二〇一八：二七）。この徘徊する巨人とは潜在的に今も小人と一体化して連続して存在する非近代の巨人なのか、あるいは西洋も非西洋もない世界の「全ての価値の諸説混合的共存」としての巨人なのか、またはグローバル・スタディーズが想定する、脱西欧中心主義がもたらす複数の中心が存在する世界において、新たに共通の世界を見通す小人を肩に乗せて立ちあがる巨人をいうのか、その答えがわかるのはこれからであろう。

エーコの洞察は深淵に思えるが、ミラノの聴衆が受けただろう震えるような身体的感覚までは、西洋に生きていない私には感じ取れない。そこで、改めて、偶然にも一九八九年から中国の廈門（アモイ）で天安門事件と同時に開始した私の仏教調査において、少しなりとも身近に思える、仏教の「中国化」とグローバル化について知り得た小さな例を挙げて、本章を終わりたい。二〇一五年、中国の仏教の全国組織である中国仏教協会の会長（当時）の僧、學誠は第九次中国仏教協会代表会議の席上で数千人の参加者を前にして演説を行なった。彼は習近平主席の主要政策である東西交易の「一帯一路」は仏教交流の道と重なり、中国の仏教は総力をあげて海外の仏教と交流を深める義務があると述べた後、以下のように話を締め括った。「中国の仏教は国際的影響力を強めなければならない。中国仏教は今こそ外に出でよ。そして中国の戦略的構想である、一帯一路の政策の実施に貢献しよう」（學誠 二〇一五）。中国共産党政府は二〇年ほど前から、インド起源の仏教ではあるが、今や中国が独自に長い歴史をかけて育んだ中国仏教であり、中国仏教は中国文化の中核であると、仏教を国家政策に位置付けてきた。かつて西洋化とキリスト教が世界を席巻したように、中国の文化として中国仏教をグローバルに普及させることを国是としたのだ。もちろん共産党以外の組織を政府に組み入れるための統一戦線部に属する、中国仏教協会はこの国是を全面的に賛同する。脱西洋中心主義を明確に意識した中国の国家戦略は、西洋から人権問題を批判されるたびに中国が反論として主張する独自の民主主義や人権の解釈や定義だけではなく、独自の仏教の新たな形成へと急速に向かっている。中国は古くて新しいグローバル・センターの強力な一つを形成し、確実に着実に脱西洋中心主義を実践に移しているのである。私自身は一九八九年から継続してきた中国の仏教と政治、さらに仏教の中国化とグローバル展開についての研究は、宗教学や政治学、地域研究に限定されるものではなく、脱西洋中心主義を実践する対象の研究、すなわちグローバル・スタディーズの一端であると考えている（Ashiwa 2005, 2009, 2021）。

グローバル化とともに、世界が予感し、あるいはその一部がすでに起きていると認めつつある世界の多極化においては、その根底には従来の世界地図の基盤をゆるがし、地殻変動も余儀なくさせるかもしれない「脱西洋中心主義」が密やかに進行している。中国仏教の世界展開への国家戦略はその一つであろう。グローバル・スタディーズの脱西洋中心主義の実践的思想は、そのような現実世界に私たちは生きていることを、目を逸らさずに直視するよう、強く仕向けるのである。

「グローバル化現象は専門分野でも研究を行なうので、グローバル・スタディーズは必要がない」というコメントをときおり耳にする。それほどグローバル化が生活の一部に浸透したということなのだろう。しかし本章で示してきたように、グローバル化についての専門分野研究と、グローバル・スタディーズとは根本的に異なる。しかし専門分野が分野の蓄積である概念や理論、学説を批判、検証し、時には放棄し、枠組みを組み替え、破り、広げ、そして新たな思想と方法論の模索に踏み出すならば、グローバル・スタディーズとの親和性は高まり、豊かな実りのアカデミズムを創造できよう。
グローバル・スタディーズには次の世代のアカデミズムを牽引する役割があり、仮に通過点であったとしても、端緒についたばかりである。グローバル・スタディーズはすべての解を用意できる新しい万能薬ではない。その存在意義として、学問としての分野化を拒否するところには、新しいものを生み出す豊かな混沌があるともいえよう。現代の社会科学は十九世紀、二〇世紀の急激なヨーロッパ社会の変化の只中で、その変化を自ら概念化、理論化する未分化の試みの中から生まれてきた。創始者達は従来の言語では捉えきれない激変する社会を前に、新たな概念や思想を生む挑戦を繰り返していたが、その場は現代の専門分野に分化する以前の、未分化で豊穣な思索と概念の混沌だっただろう。二一世紀の今、急激な世界の変化において、豊かな混沌をあえて求めるクリティカルでラディカルなグローバル・スタディーズが今こそ必要とされる。そしてグローバル・スタディーズはその真価を問われているのである。

◉注

(1) 二〇一九年に修士課程二〇名、博士後期課程六名に定員を変更した。

(2) Eurocentric の和訳は「西欧中心主義」、「欧米中心主義」、「西洋中心主義」などがある。一九世紀末からの諸科学の知的枠組みが主に西ヨーロッパで形成されたことを鑑みれば「西欧中心主義」が適当であり、また世界支配の力のヘジェモニーを鑑みれば「欧米中心主義」が妥当だろう。本章では支配的な思想、価値的影響力を強調して「西洋中心主義」を使用する。ただし、東洋に対する西洋ではなく、西洋以外の無数の知性が西洋にとって総合的な「他者」であったこと、さらに西洋も均質的単体ではないことの認識が本章での「西洋中心主義」には含意されている。

(3) 私の例では、スリランカ研究を生かし、同国の民族紛争に関する社会活動を継続した。日本政府派遣の選挙監視、反政府グループと交渉の立ち会い、現地NGOの協力を得た平和的解決への啓蒙活動、国際交流基金による和解の文化支援企画と実行、現地状況を伝え解説する日本での広報活動に時間を割いた。激しい暴力状態が続く紛争の現場での経験は貴重だった。

（4）このほかにも、使用言語の問題もある。年々留学生の比率が大きくなり、日本語補助と英語での講義や論文指導の要求が高まった。使用言語をめぐる留学生対応が遅れたことも課題である。

（5）先駆的な米国のピッツバーグ大学をはじめとして、ハイデルベルグ大学、フンボルト大学、リーズ大学などグローバル・ヒストリーの教育組織を置く大学は今は特にヨーロッパに多い。

（6）米国のノースイースタン大学、テキサス大学、ブランダイス大学、オーストラリアのシドニー大学、ポーランドのラクロー大学、国内では上智大学グローバル・スタディーズ研究科、立命館大学国際関係学部グローバル・スタディーズ専攻など。

（7）ピッツァー大学のクリティカル・グローバル・スタディーズや韓国の西江大学のクリティカル・グローバル・スタディーズ研究センターがこの立ち位置にある。

（8）日本の読者が彼の問題提起をどの立場で受け取ったのか。彼の「我々」に同化し近代を論じる議論への問いである（久保 二〇一九）。もし西洋の文脈から離れた思考がハイブリディティの自覚的位置づけと合わせて展開できているならば、グローバル・スタディーズの思考に非常に有効である。

（9）一九八九年、オランダのハーグで地球温暖化に対する国際的取り組みのあり方を論議するための首脳会議が開催され、「ハーグ宣言」を採択した。

（10）ハンス・ベルティングは人類学的研究蓄積に依拠して西洋美術史批判を行うが、結果として陥った自己同着については、書評で指摘をした（ベルティング 二〇一四、足羽 二〇一五）。

◉参考文献

アサド、タラル、二〇〇六、『世俗の形成――キリスト教、イスラム、近代』中村圭志訳、みすず書房。

足羽與志子、二〇一五、「イメージを巡る比較と始原の探究について」国立新美術館紀要二、二四〇―二六三。

アパデュライ、アルジュン、二〇〇四、『さまよえる近代――グローバル化の文化研究』門田健一訳、平凡社。

エーコ、ウンベルト、『ウンベルト・エーコの世界文明講義』和田忠彦監訳、河合出書房新社。

學誠、二〇一五、「愛國愛教正信正行推動佛教事業健康全面發展為實現中華民族偉大復興的中國夢貢獻力量」、在中國佛教協會第九次全國代表會議上的報告。
久保明教、二〇一九、『ブルーノ・ラトゥールの取説――アクターネットワーク論から存在様態探求へ』月曜社。
グレーバー、デヴィッド、二〇二〇、『民主主義の非西洋起源について――「あいだ」の空間の民主主義』片岡大右訳、以文社。
コンラート、セバスティアン、二〇二一、『グローバル・ヒストリー――批判的歴史叙述のために』小田原琳訳、岩波書店。
サッセン、サスキア、一九九九、『グローバリゼーションの時代――国家主権のゆくえ』伊豫谷登志翁訳、平凡社。
――、二〇〇四、『グローバル空間の政治経済学――都市・移民・情報化』田淵太一・原田太津男・尹春志訳、岩波書店。
スティーガー、マンフレッド、二〇〇五、『グローバリゼーション』櫻井公人・櫻井純理・高嶋正晴訳、岩波書店。
トドロフ、ツヴェタン、二〇二〇、『野蛮への恐怖、文明への怨念――「文明の衝突」論を超えて「文化の出会い」を考える』大谷尚文・小野潤訳、新評論。
トムリンソン、ジョン、二〇〇〇、『グローバリゼーション――文化帝国主義を超えて』片岡信訳、青土社。
ベルティング、ハンス、二〇一四、『イメージ人類学』仲間裕子訳、平凡社。
ラトゥール、ブルーノ、二〇〇九、『虚構の「近代」――科学人類学は警告する』川村久美子訳・解題、新評論。
Appadurai, Arjun (ed.). 2002. *Globalization*. Durham & London: Duke University Press.
Ashiwa, Yoshiko. 2005. "The Globalization of Chinese Buddhism: Clergy and Devotee Networks in the Twentieth Century", co-authored with David L. Wank, *International Journal of Asian Studies* 2, 2, p. 217–237.
――. 2009. *Making Religion, Making the States*. co-ed and authored with David L. Wank, Stanford: Stanford University Press.
――. 2021. *The Space of Religion: Temple, State, and Buddhist Communities in Modern China*. co-authored with David L. Wank, New York: Columbia University Press, forthcoming.
Garcia, Manuel Perez. 2014. "From Eurocentrism to Sinocentrism: The New Challenges in Global History", *European Journal of Scientific Research*. 119,3, p.337–352.
Inda, Jonathan Xavier, Rosaldo, Renato (eds.). 2002. *The Anthropology of Globalization: A Reader*. London: Blackwell.
Juergensmeyer, Mark. 2018. "The Evolution of Global Studies", *The Oxford Handbook of Global Studies* edited with Mark Juergensmeyer, Saskia Sassen, Victor Fassel. Oxford: Oxford University Press.

Juergensmeyer, Marck, Saskia Sassen, Victor Fassel. 2018. *The Oxford Handbook of Global Studies*. Oxford: Oxford University Press.

Lewellen, Ted C. 2002. *The Anthropology of Globalization: Cultural Anthropology Enters the 21st century*. Westport and London: Bergin & Garvey.

Lim, Jie-Hyun. 2019. "Mnemonic Solidarity in the Global Memory Space", *Global-e* 12, 4, January.

Meyer, John. 2006. *Globalization and Organizations*, ed. with Gili S. Drori and Hokyu Hwang, Oxford:Oxford University Press.

Pieterse, Jan Nederveen. 2013. "What is Global Studies?" *Globalizations*, 10,4, p.499–514.

Pieterse, Jan Nederveen and Parekh, B. (eds). 1995. *The Decolonization of Imagination*. London: Zed.

Obeyesekere, Gananath. 2002. *Imagining Karma: Ethicak Transformation of Amerindian, Buddhist, and Greek Rebirth*. University of California Press.

——. 2012. *The Awakened Ones: Phenomenology of Visional Experience*. Columbia University Press.

Sassen, Saskia. 1998. *Globalization and Its Discontents*. New York: The New Press.

第二章　グローバル・スタディーズの創生、展開、展望(1)

デヴィット・L・ワンク
吉濵 健一郎訳

一九九〇年代のグローバル・スタディーズの台頭は、共産主義の崩壊、新自由主義的な「国境開放」政策の影響の深化、またインターネットならびにコンテナ輸送、コンピュータ制御といったイノベーションにより促進された連結性（コネクティヴィティ）によって、突如引き起こされたものであった。これらの現象が同時に発生したことで、世界を国民国家によって構成されるものとして認識する社会科学における典型的な捉え方よりも、世界を一つの社会的実態として認識することがより妥当であるように思われるようになった。自らのディシプリンによって身についた方法論的ナショナリズムを超克しようとする多くの学者たちによる取り組みは、グローバル化についての研究を生み出し、やがてグローバル・スタディーズという分野の制度化をもたらした。二〇二〇年までに、研究所、専門誌および学会だけでなく、数百もの学部プログラムや数十もの大学院プログラムが、グローバル・スタディーズという名の下で、グローバル化についての調査や研究を行なっている。

グローバル・スタディーズという分野の台頭は、この分野の知識を記録し整理しようとこれまで努めてきたグローバル・スタディーズについての知識を集約した概説書――教本、専門事典、そしてハンドブック――のなかに見ることができる。グローバル・スタディーズに関する最初期の概説書は、二〇〇〇年前後に出版された複数の論集である。当時グローバル・スタディーズという用語はまだ広く使用されていなかったため、これらの論集は「グローバリゼーション」という単語をタイトルにもつ研究論文や書籍の抄録により構成されている（Lechner and Boli 2000, Beynon and Dunkerly 2001）。それから一〇年後、タイトルに「グローバル・スタディーズ」と記された概説書が世に出始めた。なかでも、『グローバル・スタディーズ事典』は六〇〇以上の項目を網羅する、極めて重要なものである（Anheier and Juergensmeyer 2012）。「グローバル・スタディーズ」という用語が使用され、その概説書が出版されるようになったこれらの傾向は、当時この分野が広範囲にわたり台頭しつつあったことを明確に示している。ごく最近では、『オックスフォード・グローバル・スタディーズ・ハンドブック』（*The Oxford Handbook of Global Studies*）〔以下、『ＯＨＧＳ』〕（Juergensmeyer, Sassen, and Steger 2019）が出版されている。このハンドブックには、当時編集者らがグローバル・スタディーズの分野に含まれるものとみなした広範な問題、テーマ、そしてアプローチを示す四五本の寄稿論文が掲載されている。

本章では、『ＯＨＧＳ』がグローバル・スタディーズという分野をどのように説明しているのかを理解し、またそこで議論されていない側面を明らかにすることを目的として、同書を批判的に考察してみたい。すべての概説書は、特定の知識体系の整理を権威あるものとし、その知識体系を正当化し、普及させるべく、特定の内容を取り上げ、その他については除外するという一般的特徴がある

（Featherstone and Venn 2006）。したがって、本章では、一九九〇年から二〇二〇年までのグローバル・スタディーズという分野の展開について論じるだけでなく、この分野の限界と将来への展望についても考察する。

◉新たな研究分野の創生——一九九〇年代〜二〇二〇年

『ＯＨＧＳ』の第一部では、二〇世紀後半に既存のディシプリンの周縁で奮闘する学者によって行なわれたグローバル化に関する個別の研究が、三〇年間という時を経ていかにグローバル・スタディーズという分野として創生したのかについて考察している。四つの章は、二〇一〇年代後半という視点からこの分野を大局的にみることで、その発展過程について多様な見方（パースペクティヴ）を提示している。第一章と第二章では、マンフレッド・B・スティーガーとマーク・ユルゲンスマイヤーがそれぞれ制度的な発展に焦点を当てながら論じており、第三章と第四章では、ローランド・ロバートソンとポール・ジェームスがそれぞれ概念上の発展を中心に論じている。これらの執筆者はグローバル・スタディーズという分野の立ち上げと発展において重要な役割を果たしてきた研究者であり、各章で提示される洞察はとりわけ貴重なものである。各章を関連させて読むと、四つの章はグローバル・スタディーズの将来に関する実存的な問いを発している。それは斬新（ざんしん）な探求に由来する知的事業というものが、一つの分野として制度化されながらも、どのようにその斬新な探究というダイナミズムを維持できるのか、という問いである。

第一章は、マンフレッド・スティーガーによる「グローバル・スタディーズとは何か」である。彼はグローバル・スタディーズという分野は、「大局的な見地」を求めて「ディシプリンのたこつぼ」

というマインドセットから外れてうろつく「一匹狼」の学者たちによって作り上げられたと考えている。そのような学者たちはこれまで、人間の状態と世界の現象に関する新たな知識を発展させるような、グローバルでマルチレヴェルな見方と分析を展開してきた。こうした結果、学者間で新たな交流が促進され、この分野をめぐる団体、会議、あらゆる形式の出版物、学位授与プログラムといった世界中に広がる学術界のエコシステムが生み出されてきた。スティーガーは、こうした広範囲にわたる取り組みには、制度的な「柱」となる一貫した四つの「概念枠組み」があると考えている。その第一の枠組みはこの分野における探究の主題である「グローバル化」である。第二は「分野を超越した学際性（transdisciplinarity）」であり、この枠組みは、グローバル化を包括的に説明するために既存のディシプリンを包含したコンセプトや手法にはっきりと表われている。第三の枠組みは空間と時間に関する新しい枠組みであり、これはグローバル都市や脱領土化に見られるように、グローバル化の分析と説明において、国民国家をその中心に据えないという特徴を持つ。そして第四は批判的思考（クリティカル・シンキング）であり、これは「均衡のとれた論理的思考」という従来の思考様式を乗り越えて、より公正なグローバル社会へと導くための社会的闘争を研究関心の中心に据え、それに自らが関与していく思考である。

スティーガーは、論文の結論部で、グローバル・スタディーズへこれまでに向けられた主要な批判を取り上げている。その一つは、「グローバル・スタディーズに寄せられる溢れんばかりの期待と、この分野の粗末な設計および実践のあいだにある驚くべき食い違い」（Steger 2019: 15）という批判である。つまり、世界中の大学で行なわれているグローバル・スタディーズの教育や研究は、プログラムの内容にはほとんど注意が向けられず、ただ戦略的に「グローバル」というラベルが使用されているに留まる、という指摘である。この原因は、グローバル・スタディーズの責任というよりは、各大学の執行部にある程度の責任を見出すことができるだろう。しかしスティーガーは、グローバル・スタディーズへのこの告発を大袈裟であるとして、おおむね退けている。これまでグローバル・スタディーズの学者たちは知識の構築に多大なる貢献をしてきたが、一方でこの分野自体はいまだ発展途上なのである。もう一つの批判はポストコロニアリズムの学者たちから寄せられたものであり、グローバル・スタディーズは偏狭な分野であり、英語で論文を書き、「西洋のものの見方と認識の仕方」を強調する学者の知識を好んでいる、というものである。スティーガーはこのような批判を部分的には認めはするものの、同時にグローバル・スタディーズは、グローバル・ノース／グローバル・サウスという世界の二分法によって示される新自由主義がもたらす不平等に、より焦点をあてた研究を率先して鼓舞してきたことを強調している。

スティーガーの議論の最も興味深い――筆者には不安さえ感じさせるような――側面は、この分野における批判的思考についてである。彼は、グローバル化について多くのことを発表してきた研究者のほとんどが、「実証主義のドグマ」と「客観的」だとされる事実の主張に対して方法論上の疑念を抱いていると述べている。これらの研究者は「『均衡のとれた客観性』と『価値判断に基づかない研究』という科学的な理想を超越した考えを採用しており、そのために現代の支配的な社会配分についての記述に取り組み、同時に／もしくは、解放へと導く社会変化を推進する」（Steger 2019: 14）のだという。このような従来の方法論に対する疑念や、社会に積極的に関与するような姿勢がグローバル・スタディーズの分野では特に優勢であると決め付けられてしまうと、筆者はこの分野の理解に偏向を生むのではないかと疑問を抱かざるをえない。つまり、研究の客観性に対する懐疑的な態度は、研究者が収集したデータとその表象を直接観察するようなローカルな質的研究の諸手法に、バイアスをかけることにならないだろうか。また、新自由主義的政策もしくは豊かなグローバル・ノース／貧しいグローバル・サウスという構造に起因する不平等を前提としない研究は、グローバル・スタディーズにおいて本流から外れた重要でないものと見なされることにならないだろうか。これらの点に対して少なからずの懸念を表わしておきたい。

第二章は、マーク・ユルゲンスマイヤーによる、「グローバル・スタディーズの発展」である。この章も、前の章とおおよそ同じ領域を扱うが、強調するポイントは異なっている。最初の節である「新たな学問分野の創生」では、グローバル・スタディーズの主要な四つの特徴、つまり、国家の枠を超えた地球規模の視座（transnationality）、分野を横断した学際性（interdisciplinarity）、超越的な時間性（transtemporality）ならびに批判的視点（critical perspective）について説明される。これら四つは、二〇〇八年に東京の上智大学で開催されたグローバル・スタディーズ・コンソーシアムの創設会議にてグローバル・スタディーズの特徴として合意されたものであるが、先述したスティーガーの四つの柱とその大部分が一致している。しかしながら、ユルゲンスマイヤーはグローバル・スタディーズにおける批判的思考に関して、微妙に異なる見解を示している。第一に、ユルゲンスマイヤーは、学者がグローバル・スタディーズと共鳴するような行為をとることがすでに、批判的視点になると主張する。なぜなら、グローバル・スタディーズは学問の本流から外れるものだからである。第二に、学者は「世界の異なる地域や、あるいは同じ地域内にある異なる人種的、ジェンダー的、社会経済的立場から見た場合、グローバル化、およびグローバルな問題や活動、傾向は、それぞれ異なって認識されうる、ということを理解している」（Juergensmeyer 2019: 24）という。そのため、学者たちは「多くのグローバル化（many globalizations）」や「グローバル・スタディーズの多様な見方」について論じている。第三に、「批判的視点」をめぐり学者のあいだで議論が白熱しているという。そこでは、「グローバル化を批判的に」捉える人々はビジネスに敵対的な左翼的な意図を持っているとの批判をうけ、他方でグローバル化に批判的でない人々は不公平な現状を支持していると見られてしまう。さらにこの議論は「〈グローバル・サウス〉対〈体制側の西洋〉」という政治的含意を帯びることすらあるという（Juergensmeyer 2019: 34）。

続くそれぞれの節では、グローバル・スタディーズについての学術誌、研究所、学部・大学院プログラムがエコシステムを形成し、この分野が世界的に広がり続ける様子が示される。グローバル・スタディーズの最初の研究所は一九九二年にイェール大学に、また最初の学部プログラムは一九九五年にカリフォルニア州立大学モントレーベイ校にて、そして最初の大学院プログラムは一九九七年に一橋大学にそれぞれ設立された。二〇一〇年ごろまでに、大学内のプログラム数は、六〇の大学院プログラムを含む相当な数にのぼり、それらは主にアメリカ、ヨーロッパ、東アジアならびにエジプトとインドで展開されている。多くの学部プログラムは、外国語教育および地域研究の文化と、グローバルな不平等、環境に対する懸念、国境を越える移動、そしてその他のグローバルな問題というテーマ別の問題を合併したかたちをとっている。大学院プログラムには、学生が国際的な非営利の人道支援団体ならびに社会事業団体で働くための準備をするキャリア志向のものと、研究志向のものがある。二〇〇六年の上智大学での設置を皮切りに、「グローバル・スタディーズ」を冠する博士号を授与するプログラムも誕生している。

結論部では、この分野の三つの制度的な傾向と緊張関係について検討がなされている。まず、「研究および学問上のテーマとしてのグローバルと組織上の最大の関心事としてのグローバルの間の対立」である。これは、大学のカリキュラムと研究者や教員の雇用をめぐって、既存のディシプリンからの要求とグローバル・スタディーズからの要求の間に見られる緊張関係を指す。次に、「グローバルな理論とグローバルな実践との間の対立」である。グローバルな理論とは、グローバル化に対する理論的、概念的、そして歴史的アプローチを重視するプログラムのことである。グローバルな実践とは、グローバルな問題を解決できるよう、国際組織のなかでリーダーシップをとれるような学生の教育を目指すプログラムの特徴を指す。もちろん実際には、多くのプログラムはこの二つの形式を組み合わせている。そして第三の緊張関係は、「アカデミアのなかで活躍するグローバルな学者とアカデミアの外で活躍するグローバルな学者の対立」である。グローバル・スタディーズが大学の執行部や既存のディシプリンから「大学内の他のディシプリンと足並みを揃えた一般的な分野」にならなくてはいけないという圧力に直面するにつれ、「学界の支配体制の片隅で口うるさく批判的な問題を提起する」というグローバル・スタディーズ研究者の本来の立場は、ますます危ぶまれるようになる（Juergensmeyer 2019: 33）。このディレンマはこの分野の批判的な立場をめぐる論争に関連しており、またユルゲンスマイヤーが指摘するように、ジェンダー研究やエスニック研究など新たに設立されたすべての分野が直面してきたものである。

第三章「この学問分野の歴史的前例」は、「グローバリゼーション」という用語をグローバル・スタディーズに導入したことで高い評価を受けた学者、ローランド・ロバートソン本人による、空間と時間についての批判的考察となる（Robertson 2019）。ロバートソンは、国家単位にしばられない空間と時間に向けられたグローバル・スタディーズの関心について、一九世紀の歴史学者と人類学者の取り組みにまで遡りながら考察する。ユーラシアというカテゴリーの考案、ならびにヒトの移動の研究、その研究内の発想に表われているように、シルクロードに関する歴史的研究によって、非国家的な空間性をめぐる議論が始まった。ロバートソンは空間と時間の一般的なカテゴリーをゆさぶりつづける現代の学問を称賛している。その一例として彼は、ベンガル湾を単に複数の国に囲まれただけの水域ということではなく、独自の文化的および社会的条件をもった歴史的な超領域として考察したスニル・アムリスによる研究を引き合いに出している（Amrith 2013）。

そのうえでロバートソンは、現代のグローバル・スタディーズに見られる「連結性のフェティシズム（connectivity fetishism）」と彼が称するものについて批判を展開する。これは、歴史を説明するさいに、場所、国、地域間のネットワークと移動を何よりも重視する態度のことを指す。彼はこの態度について複数の問題点を指摘する。第一に、複数の場所と結びついた移動は、世界のなかを移動するという意識を人々のなかに作り出すことにもなる。第二に、じっと動かない人々もまた、自分がより大きな世界にいるという意識を抱いているのである。この点について彼は、アナ・チンの周縁性についての研究（Tsing 1993）を例として引用している。ロバートソンは、連結性のフェティシズムへの批判をさらに展開するため、宗教のような、世界の異なる複数の場所でおよそ同時に発生した出来事の普遍史を続けて考察する。そして彼は、世界の各地でほぼ同時に発生する諸発明は、連結性のフェティシズムに従って地域間での相互作用によるものであると推測するのではなく、むしろそれはローカルな歴史から独自に生じていると主張する。したがって、外部からの相互作用が最も重要であると直感的に推測せずに、普遍史は複数の場所のあいだの接続だけでなく、ローカルな歴史についても考察すべきだとされている。

ロバートソンは、非国家的な仮想のグローバル空間というものが、シルクロードによって生じたヨーロッパと中国間の歴史的相互作用に関する研究、つまり東／西の世界分類にもとづいて作られてきたということを、私たちに思い出させてくれる。この気づきは、次の二つの重要な論点を提起する。第一に、グローバル・ノース／グローバル・サウスという世界分類を前提とすることは、この認識上の共同体の存在に「合意」していることを意味している。グローバル・ノース／グローバル・サウスという想像上の共同体は、スティーガーの章で描写されるように、アメリカとヨーロッパの学者と、英語圏の旧植民地のポストコロニアリズムの理論家との相互作用のなかで作り上げられたものである。この北／南に位置する学者間の対話により、世界がグローバル・ノース／グローバル・サウスに分類され、それによって新自由主義の不平等が強調されているのである。ここに、東／西の世界分類を前提とするグローバル・スタディーズによって、オルタナティヴな認識上の共同体の存在を指摘することの有益性がある。今日の中国にはそのような共同体があり、それは、一帯一路構想、つまりかつて中国とヨーロッパをつないでいた陸路と海路を再活発化させるというグローバルな国家事業を中心とするものである（Yang and Wen 2017）。またロシアでは、グローバリスティック・グローバル・スタディーズという研究分野が立ち上がり、「ソビエト・グローバル・スタディーズ」と「西洋グローバル・スタディーズ」を区別している（Mazour et al. 2003: 201–217）。グローバル・スタディーズに共感する学者は、これらの中国やロシアによる共同体はイデオロギー上の国家事業であると捉えるかもしれないが、一方で中国やロシアの学者も欧米に対して似たような懸念を抱いているのである。もう一つの論点は、今日支配的なグローバル・ノース／グローバル・サウスによる世界の分類は、「グローバル・イースト（Global East）」と呼ばれうるものを見落としているのではないか、という点である。グローバル・ノース／グローバル・サウスの分類は、中国とロシアでの共産主義の歴史、ならびに両国が新自由主義的政策を導入したのちの急速な経済発展を中心とした変革を無視している。両国の国家としての今の状態は、グローバル・ノース／グローバル・サウスという単純な二項対立の分類の限界を浮き彫りにしている。ロシアは「グローバル・サウス」となるにはあまりに豊かで、強力な国であるが、しかし「グローバル・ノース」となるには不十分である。また現代中国は、資本と権力をめぐる従来の世界地図を間違いなく、日々、書き換えているのである。

第四章は、ポール・ジェームスによる「グローバル・スタディーズ分野における重要人物」であり、グローバル・スタディーズにおける概念生成と変化するグローバル状況および学問的潮流との関連性が、説得的に示されている。二つの世界大戦と戦後の急速な経済成長がもたらした環境問題を経験した学者たちは、二〇世紀半ばにおける自らの存在意義と向き合わざるをえなくなった。一九五〇年代および一九六〇年代には、第二次世界大戦後の「大変動」を伝えるために、ポール・メドウズ（Paul Meadows）とジョージ・モデルスキーが「グローバリゼーション」という用語を使用した。一九九〇年代には、新たに誕生しつつあった学者グループが、通信技術や企業のグローバル化と大衆文化によってかつてないほどに緊密に接続された世界を描写すべく、この用語を使用している。ポール・マッコイとローランド・ロバートソンなどの学者は、グローバルな意識を論じるために、グローバル化という用語を使用しており、一方でアルジュン・アパデュライとマンフレッド・スティーガーはグローバル化を複数の流れ（フロー）と複数の層（レイヤー）として見ている。

ジェームスによれば、この新たに誕生した学者のグループがこの分野の研究上の問いについての特有な様式（モード）を確立したという。この特有の様式は、グローバル化をめぐる抽象的な理論を避けながら、グローバル化を特定のプロセスとして分析し理解することを重要視し、促す。ジェームスは、「大理論（Grand Theories）」の価値の低下に見られるように、この問いの様式は理論を一般化することに対する二〇世紀後半の疑念を反映しているという。彼は、そのうえで、この分野の概念的発展に貢献したと考えられる主要な学者を、彼らの研究上の問いの様式によって、二つのグループに分けている。第一のグループは、「初期の主要人物」であり、ここにはアルジュン・アパデュライ、サスキア・サッセン、ジャン・アート・ショルト（Jan Aart Scholte）、マンフレッド・スティーガーそしてジョン・トムリンソンが含まれる。これらの学者は、「グローバリゼーション」という用語を使用しながら、今日この分野で広く利用されてはいるものの、グローバル化の一般的理論には至っていない特定の概念を生み出してきた。第二のグループは「理論の体系化に取り組む学者」であり、ウルリッヒ・ベック、ピエール・ブルデュー、マニュエル・カステル、アンソニー・ギデンズ、デヴィッド・ハーヴェイ、そしてイマニュエル・ウォーラーステインが名を連ねる。これらの学者は、グローバル化に関する包括的な理論を構築したが、「グローバリゼーション」という用語自体はめったに使用せず、また他の学者によって行なわれた研究とは接点を持たなかった。

ジェームスは、グローバル・スタディーズにおける「理解の主要な欠点」は、学者たちが、グローバル化があらゆるものに影響を与えているとみなしているにもかかわらず、その理論を持ち合わせていないことであると考える。この欠点は、「グローバル化とグローバル・スタディーズがかかえる根本的な逆説（パラドックス）に帰結する。つまり、つながりを一般化するカテゴリーの重要性が表面化すると、同時に理論を一般化することへの嫌悪感が立ち現われてしまうのである。グローバル化とは、社会的つながりを世界中に拡張するプロセスを生み出す母体（マトリックス）に与えられたただの名前に過ぎないかもしれないが、しかし人々がそのつながりのなかで生きるさまは信じられないほど複雑で、変化に富み、そして説明が困難である」(James 2019: 67–68)。したがって、グローバル・スタディーズの学者は「わたしたちが変化や継続のパターンを概念化することを可能にしながらも、経験的な複雑性に注意を払うことのできる方法論(唯一の大理論でなく)を一般化しようとしている。そのような方法論を確立できたなら、この章を含めた理論の一般化にむけた課題の問いの本質を概念化し、説明することも可能となるであろう」(James 2019: 68)。

このような分析を知ると、それでは方法論の一般化は一体どこに見出すことができるのか、という疑問を抱くかもしれない。おそらくそれは、ロバートソンの章が示すように、私たちのすぐ背後であろう。現代のグローバル・スタディーズにみられる諸傾向をその本質を見抜きながら鋭く批判することで、ロバートソンが三〇年前に初めて提案した空間性と時間性の概念に再び活力を与えることができる(Robertson 1990)。しかし、そのような回想は、スティーガーとユルゲンスマイヤーが描き出したように、社会正義の批判的思考および方法論をめぐる疑念が優勢となるにつれて、ますます非現実的なものとなるかもしれない。この点を、世界システム研究者であり、イマニュエル・ウォーラーステインと同時代の研究者であるジョン・W・マイヤー(John W. Meyer)を参照しながら、例証させてほしい。

周知のように、マイヤーは一九八〇年代に、国家レベルのデータの回帰分析と内容分析を組み合わせて、グローバル文化を研究するうえでの革新的な方法論を作り上げた。マイヤーの制度論的アプローチはウォーラーステインのマルクス主義的構造主義より個別的であり、それはジェームスがグローバル・スタディーズの未来にとって重要であると考えている、まさに一般化された方法論であるようにみえる。しかし、ジェームスが書いた第四章のなかには、マイヤーについての記述はひとつもない。ついでに言えば、『OHGS』のどこにもない。これとは対照的に、ウォーラーステインはジェームスの論考で取り上げられているだけでなく、『OHGS』全体をとおして頻繁に引用されている。これ以前の概説書では、マイヤーとウォーラーステインの両者とも繰り返し引用されてきたという事実からすれば大きな変化である。この内容にみられる変化は、マイヤーはグローバル・スタディーズという分野にとってはあまりに保守的であったという合意が形成されつつあることを示しているのかもしれない。彼は「同型化（isomorphism）」や「拡大（diffusion）」などの機能語を使用し、エリートによるプロジェクトという制度化（上からのグローバル化）を重点的に考察した一方で、「脱連結（decoupling）」の概念を使うことによってそのようなプロジェクトの影響（下からのグローバル化）の分析は避けているようにも見えた。さらに、グローバルな組織文化についての彼の考えは、現代のグローバル・スタディーズの分野で広く受け入れられているグローバル・ノース／グローバル・サウスという不平等な区分に則したものではなかったのである。

まとめると、『OHGS』の第一部におさめられている四つの章は、グローバル・スタディーズの創生についての非常に優れた概要を提示している。同時に、この分野の将来を展望するさいに有益な、この分野の欠落やギャップの存在を明らかにしているのである。

●グローバル・スタディーズ分野の将来の展望

『OHGS』は、グローバル・スタディーズという分野の三〇年間にわたる成熟の過程を明らかにしている。それと同時に、この分厚く網羅的な概説書は、妥当性と必要性という観点から、この分野の将来についても考えさせる。新たな歴史的な節目やポピュリズム政策、そして新型コロナウイルス感染症の大流行により、国民国家の統制が再び重要視され、また国境を越える移動が停止されることで、グローバル化の時代は終わりを迎えたと主張する者もいる。グローバル・スタディーズの妥当性をも否定するであろうこうした短視的な見方について、その誤りを指摘するのは容易なことである。ポピュリズム政策の台頭はそれ自体グローバル化の産物であり、またパンデミックはいうまでもなくグローバルな規模で起きていることだ。したがって、たとえば今後ますます権力と存在感を強めていく中国というような、新たに世界を形成する勢力を明確に認めざるをえない現代世界において、さらに歴史的な分岐点にある今こそ、グローバル・スタディーズの妥当性はよりいっそう強調されるべきであろう。

しかし、もう一つの課題がある。すなわち、グローバル・スタディーズの必要性への問いに答えることは、そう容易ではない。学問においてその外縁に位置していたグローバル化の研究は、三〇年のあいだに、その多くが既存のディシプリンの圧力により、そのなかで陳腐化した教育や研究へと移行していった。この事実は、グローバル・スタディーズが、それ自身のプログラムと研究所をもつ独立した存在として存続する必要性があるのかという問いを提起する。この分野で研究や教育にあたる学者にしてみれば、グローバル・スタディーズには研究の大きな自由があることは明らかである。これは、二〇〇八年に上智大学で開催されたグローバル・スタディーズ・コンソーシアム創設会議内で行なわれた、グローバル・スタディーズを学ぶ大学院生の公開討論会のなかで言い表わされている。グローバル・スタディーズの博士後期課程に所属するある学生が、個別のディシプリンでではなく、グローバル・スタディーズの分野で博士号を取ろうと決めたことについて会場から回答を求められた。彼は、ディシプリンによる議論は、特定の理論を擁護することを中心として組み立てられるが、それは研究と議論の焦点を狭めてしまうことになると答えた。対照的に、グローバル・スタディーズは、より広い視野からデータを集め、洞察を得ることを奨励する。これによって彼は、データや洞察が導くままに議論を展開させることができると感じていた。この新たな学問への指向性、洞察、そして期待に満ちた学生の発言こそが、グローバル・スタディーズが持ち続けなければならない原動力である。

グローバル・スタディーズという分野に共鳴する人々なら、その分野超越的アプローチの恩恵とそのグローバルな視点の妥当性をはっきりと感じているであろう。グローバル・スタディーズがこの先も存続するためには、この分野に身を置く学者一人ひとりがこのことを繰り返し主張し続けていかなければならない。

◉注

（1）本章は Wank, L. David, 2020, Review of Part I, "Global Studies: The Emergence of a New Academic Field". *Global Perspectives* 11 May 2020, Vol. 1, No.1 を改編したものである。

◉参考文献

Amrith, Sunil. 2013. *Crossing the Bay of Bengal: The Furies of Nature and Fortunes of Migrants*. Cambridge: Harvard University Press.

Anheier, Helmut, and Mark Juergensmeyer (ed.). 2012. *Encyclopedia of Global Studies* (4 vols.), Thousand Oaks: Sage.

Beynon, John, and David Dunkerly. 2001. *Globalization: The Reader*. Abingdon: Routledge.

Featherstone, Mike, and Couze Venn. 2006. "Problematizing Global Knowledge and the New Encyclopaedia Project: An Introduction." *Theory, Culture & Society* Vol.23, No.2-3 (May 2006), 1-20.

James, Paul. 2019. "Major Figures in the Field of Global Studies", In *The Oxford Handbook of Global Studies*, edited by Mark Juergensmeyer, Saskia Sassen and Manfred B. Steger. New York: Oxford University Press, 51-70.

Juergensmeyer, Mark. 2019. "The Evolution of Global Studies." In *The Oxford Handbook of Global Studies*, edited by Mark Juergensmeyer, Saskia Sassen and Manfred B. Steger. New York: Oxford University Press, 21–35.

Juergensmeyer, Mark, Saskia Sassen and Manfred B. Steger (ed.). 2019. *The Oxford Handbook of Global Studies*, New York: Oxford University Press.

Lechner, J. Frank, and John Boli. 2000. *The Globalization Reader* (1st edition), Malden: Blackwell.

Mazour, I. I., A. N. Chumakov and W. C. Gay. 2003. *Global Studies Encyclopedia*, Moscow: Raduga Publishers.

Robertson, Roland. 1990. "Mapping the Global Condition: Globalization as the Central Concept", *Theory, Culture, and Society* Vol.7, No.2–3, 15–30.

——. 2019. "Historical Antecedents of the Field" In *The Oxford Handbook of Global Studies*, edited by Mark Juergensmeyer, Saskia Sassen and Manfred B. Steger. New York: Oxford University Press, 37–49.

Steger, B. Manfred. 2019. "What Is Global Studies?" In *The Oxford Handbook of Global Studies*, edited by Mark Juergensmeyer, Saskia Sassen and Manfred B. Steger. New York: Oxford University Press, 3–20.

Tang, Qingye. 2018. "Global Studies in Shanghai: Theory and Practice of Global Governance."in Global Studies in East Asia series, *global-e* Vol.11, No.9. https://www.21global.ucsb.edu/global-e/february-2018/global-studies-shanghai-theory-and-practice-global-governance.

Tsing, Anna Lowenhaupt. 1993. *In the Realm of the Diamond Queen: Marginality in an Out of the Way Place*, Princeton: Princeton University Press.

Yang, Na, and Hao Wen. 2017. "Global Studies in China: The National Strategy Approach to Global Governance." In Global Studies in East Asia series, *global-e* Vol.10, No.64. https://www.21global.ucsb.edu/global-e/october-2017/global-studies-china-national-strategy-approach-global-governance.

第三章　クリティカル・グローバル・スタディーズに向けて

伊藤 毅

1　社会現象をどう捉えるか

私たちが住む地球で見られる社会現象を理解するには、どのような視点が必要なのであろうか。近年声高(こわだか)に叫ばれているのは、グローバルな視点の必要性である。「そこにあるものはここにもあり、ここにあるものはそこにもある」という表現が的確に示すように、グローバル化によって進んだ関係性(コネクティヴィティ)、空間と時間の再構成、そして高度な移動(モビリティ)は、グローバリゼーションの特徴を如実に示す現象である(Steger and Wahlrab 2016)。国境を越えてヒト・モノ・カネが行き交う二一世紀の国際社会を私たちが生きるために必要なのは、これまでのある特定な場所に根付いた価値観や行動規範に囚われない自由で柔軟な視点であると考えられている。それは、国民国家を単位とするこれまでの社会形成と国際秩序のモデルが依拠する前提の再考を迫るものであった。こうした趨勢(すうせい)の中で起こる社会現象をしっかり読み解くために一九九〇年代後半以降に体系化された研究分野がグローバル・スタディーズであった。

本章では、グローバルな視点とは何を意味するのかを、グローバル・スタディーズが発展してきた背景と合わせて考えてみたい。その作業をより具体的にわかりやすく行なうには、特定のコンテクスト(文脈・場面)を利用することが有用であるが、本章のコンテクストとして、私の研究・教育の事例を取り扱わせてもらう。研究・教育の方法や発展は、各々千差万別であり、誰一人同じ研究方法で知識を蓄積していることはない。そんな中で、私個人の見解を一方的に書くことは、学問的な意味がない作業のように思われる。しかし、グローバル・スタディーズの黎明(れいめい)期に同分野で大学院レベルの教育を受け、現在大学院でグローバル・スタディーズと教育に従事している筆者が、グローバルな視点が必要と考えるようになった背景を紹介させていただくことで、現在グローバル・スタディーズに携わっている次世代の研究者(特に大学院生)に少しでも何かを示唆することができれば幸いである。そうすることで、グローバル・スタディーズが、社会科学の中の既存の学問分野(例:社会学、人類学、政治学、経済学)と、学問的な親密性がありながらも、よりクリティカルな研究分野として発展してきたことを明らかにする。

2　グローバル・スタディーズの特徴と視点

本書、第一章で示されたように、グローバル・スタディーズという分野は、一九九〇年代に急激に進んだグローバル化現象の実態を解明することにあった(Eriksen 2014)。それゆえ研究領域としてのグローバル・スタディーズの発展は、現象そして概念としてのグローバリゼーションと深い関係を持っている（Steger and Wahlrab 2016）。研究分野としてのグローバル・スタディーズの特徴を理解するために、マンフレッド・B・スティーガーとアメンタル・ワーラブは、四つのフレームワーク――①グローバリゼーション、②トランスディシプリナリー、③空間と時間の再構成、④クリティカル・シンキング――を指摘している（Steger and Wahlrab 2016）。それぞれ簡潔にその意味をまとめてみよう。まず初めに、「グローバリゼーション」は、グローバル・スタディーズにおけるキーワードそして研究対象であると同時に、深まる相互依存の過去と現在のダイナミクスを分析するフレームワークでもある。二つ目の「トランスディシプリナリー」は、社会生活に影響をもたらす劇的な変化とそのメカニズムを理解するためには、単一の学問領域の知見ではなく、複数の領域の知見を統合する学融合的な視点が必要になる。三つ目の「空間と時間の再構成」は、グローバリゼーションは、これまでにない規模とスピードで空間を統合し時間を縮めるという現象を引き起こし、現代で社会生活を送る人々の空間と時間の捉え方の変更を要求している。四つ目に、「クリティカルな思考」とは、一見平穏な日常生活あるいは国際情勢であれ、その表面的な落ち着きはアクターの勢力均衡を表わしているのではなく、異なる力量をもつアクターのせめぎ合いであり、そこには不平等そして不公正が格差を助長するだけでなく、それを社会の常態として受け入れさせている。

こうした特徴を持つグローバル・スタディーズであるが、社会科学における学問的貢献として、二点を書き留めておきたい。まず、グローバル・スタディーズは、既存のディシプリンが知識を蓄積する際の前提となる西洋そして国家中心的な価値システムを超越することを目指してきた。二〇世紀の社会科学は、個人の合理性に基づく判断を政治経済システムの原動力の根幹に据え、個人の利益追求が社会全体の福祉の向上につながるという考え方を主流にした[1]（Harvey 2005）。合理性は人間の思考と行動を予測する上での前提であるが、既存のディシプリンに基づく社会科学ではこの前提を所与として扱う。また、人間の合理性は普遍的で、場所や時によって変わることはないと理解されている。クリティカルな思考を持つグローバル・スタディーズは、さまざまな所与の前提を改めて見直すことから始める。たとえば、国家制度そして私有財産制度などの制度が、人間の合理性の追求の結果として誕生したと考えるならば、それは半分のことしか説明していないように思われる。確かに、国家は国民の命と財産を守り社会福祉を向上させることができる制度であるが、他方で国民の意思に反して戦争へと徴兵し、税として余剰を徴収する制度でもある。国家による国民の生命と財産の堅守とは、自律性の喪失と表裏一体なのである。さらに重要なことに、合理性とはあらゆる個人ではなく一部の個人にしか当てはまらず、制度を成立させる負担は、最も脆弱（ぜいじゃく）なグループに偏って求められる。すなわち、グローバリゼーションにより顕在化する社会現象は、決して人、物、場に均質的な影響を及ぼしているわけではない。たとえば気候変動は、地球上どの国も同じような影響があるわけではないし、食糧のグローバル・サプライチェーンは、矛盾する飢餓と肥満の現象を同じ国にもたらしている。グローバル・スタディーズは、グローバリゼーションがもたらす劇的な変化が場所、時、社会的属性などの変数によって、異なるインパクトをもたらしていることを発信している。

二つ目の特徴は、人間中心的思考から離れ、社会システムをエコロジーとの関係性で理解しようとすることである。国家中心的な価値システムは、進歩を前提とした人間中心的な世界観を作り上げた。複雑に絡み合った人間社会と自然環境の関係性を単純化そして標準化し、自然環境をエコロジーから切り離すことで、コモディティティ（市場で取引されるモノ・サービス）を創出した（Polanyi 2001; Scott 1998）。しかしながら、自然環境をエコロジーではなく、コモディティティとして理解する価値システムは、文明そして開発をもたらすことを名目に地球社会で競争、紛争、破壊のサイクルを繰り返した。開発を標榜する先進国は、発展途上国の貧困は開発が行なわれて来なかったことが原因であるとして、グローバル経済システムに統合され、国際機関による開発プロジェクトが実施されることを推奨してきた（Ferguson 1994）。この視点では、貧困そして格差として現われる発展途上（underdevelopment）という現象は、技術的に解決できる問題に再構成された（Li 2007）。しかし、貧困そして格差という問題をエコロジーのコンテクストの中で理解すると、競争、紛争、破壊のサイクルを繰り返す単純化された人間社会と自然環境の関係性が、問題の根幹にあることがわかる。他のクリティカルな研究分野と同じように、グローバル・スタディーズは、過去から現在に至るグローバルな政治経済のダイナミクス（たとえば植民地主義、帝国主義、資本主義）が、エコロジーを社会システムから切り離し、人間関係や自然環境をコモディティと変容させたことを謙虚に認識して、分析対象である現象の複雑に絡み合った関係性を丁寧に読み解くことの重要性を強調した。

　グローバル・スタディーズは、国家および人間中心的な見方から脱却し、そうした見方から抜け落ちていた人間社会と自然環境の関係性に焦点を置くのである。

　こうしたグローバル・スタディーズの視点は、どのように実際の研究に適用することができるのであろうか。先にも述べたが、モデルは決してひとつしかないわけではなく、研究者の数だけやり方は存在すると思う。次の節では、私が大学院生時代から今日に至るまでの研究の軌跡において、研究の視点がどんな紆余曲折を経てきたのかを紹介させていただく。

3　研究としてのグローバル・スタディーズ

私がグローバル・スタディーズに出会うきっかけとなったが、一九九七年に一橋大学社会学研究科内に設置された地球社会研究専攻で大学院生として学ぶことになったことである。この年、一橋大学はグローバル・スタディーズの大学院プログラムを立ち上げ、初めての大学院生を受け入れることになった。同プログラムで教鞭をとっていた教員は、もちろん、まったく新しい研究分野であったので、誰一人としてグローバル・スタディーズで訓練を受けた教員はいなかった。黎明期のグローバル・スタディーズの教員（社会学、人類学、教育学、経済学、政治学、歴史学などの訓練を受けた）が声高に伝えていたことは、西洋そして国家中心的なものの見方から脱却して、地球規模の諸問題に焦点を当てた研究を行なうことであった。当時の教員は、紛争、移民、宗教、民主化、情報化社会など、多様なテーマに焦点を当てた研究を行なっていた。当時学生であった私は、研究分野の垣根がない、よく言えば自由な発想のできる環境で、グローバル・スタディーズの入り口に立つことができた。特に幸運だったのは、一人ではなく複数の指導教員のゼミに所属することができたおかげで、必ずしも一つのものの見方だけに満足しない研究に対する姿勢と複数の分野間の対話の重要性を学ぶことができたことである。特に矢澤修次郎教授（社会学）・足羽與志子教授（人類学）・浅見靖仁教授（政治学）のゼミに多く参加させてもらった。造詣（ぞうけい）の深い先生とのディスカッションは知的好奇心を刺激するものであったのは言うまでもないが、一緒に参加した学生との対話では、各々の関心をそのままの形で共有し、互いに励まし合いながら大学院生生活を楽しむことができた。正直に言って、当時大学院生であった私は学問のアイデンティティ危機を経験していなかった。社会学研究科の他のプログラムの大学院生は社会学者を目指す研究者の卵であったが、私は自分の専門が何であるのかについて、明確な答えや考えを持っていなかったように思う。悪く言えば、私は特に専門的な知識を持たず、読んだ本から得た付け焼き刃的な知識で問題を再解釈するだけであった。

そんな私が修士論文のテーマに選んだのは、インドネシアの学生運動であった。それはグローバル・スタディーズの視点との関連があった。当時は中欧・東欧・旧ソ連邦の市民社会の形成に突き動かされるように民主化の大きな波が起こり、インドネシア、フィリピン、ビルマ（現ミャンマー）、タイなど、東南アジア諸国でも、市民社会の形成が後押しをした民主化の波が起こった。こうした市民社会運動は、一方で強権により歪められた国家・社会関係を修復し、多元的価値の実現を目指す運動であったが、他方で欧米の市場経済と民主主義という政治経済システムによる単一化のプロセスでもあった。民主主義という単一な政治システムが、歴史や文化の異なる場所で受容されることは、価値の単一化という欠点はあるが、多元的価値を尊重するという利点がある。そうした素朴な疑問を持ちながら、当時民主化を求める運動が起きていたインドネシアについて関心を持つようになった。軍によって社会を掌握（しょうあく）していたスハルト体制下では、政治運動を起こすことは不可能であった。学生を中心とした若い運動家は、経済開発が進んだ一九七〇年代から一九九〇年代、開発目的に強制的に土地や森林を略奪された農民たちや環境汚染でコミュニティを失った人々と水面下での活動を続けていた。それが、一九九七年夏のアジア通貨危機を契機に、大学のキャンパスを中心に社会を救済する道徳運動として盛り上がり、最後にはスハルト大統領の退陣を求める政治運動に発展した。インドネシア社会を国民国家の枠組みではないグローバルな視点から見るならば、一九九八年五月のインドネシア・

スハルト体制の終焉は、多元的価値の実現を目指す市民社会運動そして市場経済と民主主義の政治経済システムというグローバルな力の狭間で起きた出来事ではないかと私は理解していた。修士論文をまとめて提出したときには、インドネシア社会は旧体制からの移行期にあった。私の関心は少しずつ政治経済システムの変化が社会にどのような変化をもたらすのか、より簡単に述べれば、民主化は人々の生活をどのように変えるのかという点に向かうようになっていた。グローバル・スタディーズの中心にある事象とフィールドに焦点を当てたアプローチにより、変革のダイナミズムを肌で感じるために、修士論文を提出して間もなくインドネシアに向かうことにした。

一九九九年のインドネシアはまさに大きな過渡期にあった。まず、インドネシアが一九五五年以来の自由で公正な選挙の実施そして地方分権化へ向けた法制度の準備など、社会・経済の環境を大きく変える制度的変化が起きた年であった。特に国の中枢機関が集中するジャカルタでの生活は、こうした激動の変化を実感することができた。街では毎日どこかでデモが発生し、獲得した言論・集会の自由の権利を行使する人々で活気に満ちていた。スハルト体制下では、国民の政治活動が規制され、政党の数も三党と制限されてきたが、体制崩壊直後の選挙では四八もの政党が参加した。さらに重要なことに、先住民族、華僑系市民、労働者といったこれまで抑圧されてきた社会カテゴリーの個人や団体が公然と組織して、自らの存在と意見を自由に表現することができるようになった。一九九九年三月、インドネシア各地から二三一の先住民族の代表者と五〇の非政府組織がジャカルタに集まり、先住民族の慣習と権利を認めることを求めて、ヌサンタラ先住民族連盟（AMAN）を結成した。同連盟は、「国家が先住民族を認めなければ、我々も国家を認めない」と宣言した。

しかし他方で、制度的変革の恩恵から抜け落ちるグループや場所もあることにも気づかされた。スハルトの開発体制下では、資本を優遇する政策が取られ、森林や農地に利用されていた土地が、外資系企業の工場、国営企業のプランテーション、中間層向けの新興住宅地に急速に変わっていった。こうした国家主導の開発プロジェクトのために農地を強制的に奪われた農民らは、スハルト体制崩壊後、自らの土地を取り戻すことに政変に端を発する制度変化の恩恵と意味を見出そうとしていた。西ジャワ州バンドン県では、国営の茶プランテーションの土地を農民が合法な土地権利を持たないまま事実上所有するようになった。このようなコントラストを目の前にして、政治・社会・経済の領域が複雑に絡み合う細かな関係性についてより深く理解したいという気持ちが強くなった。しかし、この頃はまだ漠然としか、自分の研究テーマについて語ることはできなかった。一年半インドネシアで生活をしてみたが、一年半前と比べてもちろん答えられることは増えたが、それよりもはるかに多くの疑問が新たに加わった。フィールドワークをしていると、当初の目的から随分と異なることを調査していることがよくあるが、私の最初のフィールドワークも多方面に広がっていた。考えを整理するために、一度フィールドを離れた。

二〇〇〇年秋からイェール大学のジェームズ・スコット教授の指導のもとで、東南アジアの農村政治について研究することになった。アメリカの大学は、日本よりも既存ディシプリンが圧倒的に強い学問文化がある。研究者はどの分野で Ph.D.（博士号）を取得するかで、専門と所属学部が決定される。研究者がどんなに自分の研究は政治学だと主張しても、社会学で Ph.D. を取得したならば、社会学部以外の学部に所属することはまずないであろう。こうした学位と所属の一致は、後で触れるが、既存ディシプリン勢力の再生産につながってきた。私の専門が政治学というのは、私の Ph.D. が政治学であったからであるが、それは私の指導教員スコット教授が政治学部に所属していたからという組織上の理由であった。スコット教授は『農民のモラル・エコノミー』（*The Moral Economy of the Peasant*）、『弱者の武器』（*Weapons of the Weak*）、『支配と抵抗の芸術』（*Domination and the Arts of Resistance*）、『国家の目で見る』（*Seeing Like a State*）などの本を書き、東南アジアを中心に農民、国家、市場が作り出すダイナミクスを、既存の政治学の型にはまらないアプローチで理解しようとする先駆的な研究を行なっていた。私が政治学部の大学院生であった頃、ちょうどメソドロジカル・プルーラリズム（**Methodological pluralism**; 研究方法の多様性）を主張するペレストロイカ運動がアメリカ政治学会で起こり、政治学のトレーニングにおいて学生が量的・質的研究手法のどちらも偏りなく学ぶことができるよう、大学院のカリキュラムの見直しが求められた。スコット教授は政治学部内でのこうした研究手法の多様性を尊重する教員として、学生からの意見を取り入れて政治学における質的研究の方法を教える新しいコースをアルン・アグラワル教授（現ミシガン大学）と一緒に立ち上げた。

この時私はアグラリアン・スタディーズ（Agrarian Studies）――日本語では農村研究とでも訳すことができようか――という複数の分野にまたがる研究分野に出会うことになった。スコット教授に加えて、人類学と歴史学の教員が担当していたアグラリアン・ソサイエティーズという授業に参加した。講義とディスカッションの二部構成からなる授業は毎週三時間に及んだが、参加した学生数で言えば最も人気のあった大学院の授業の一つであった。また、スコット教授は複数の学部を横断する教員と学生が集う場としてワークショップ「アグラリアン・スタディーズ」を毎週金曜日の朝に開催したが、それは全米各地から著名な研究者がペーパーを発表して、それを研究者・博士研究員（ポストドクトラル・リサーチャー）・大学院生を含めて議論するというフォーマットであった。アグラリアン・スタディーズは、さまざまな研究分野が交わるところに位置する点、そして既存のディシプリンが扱ってこられなかった細部に焦点を当てる点で、グローバル・スタディーズともアプローチの面で共通する点が多い。特にスコット教授の研究は、自らのディシプリンの枠を超えて他のディシプリンに「不法侵入」する特性があった。これまでの膨大な研究実績を持つ既存のディシプリンは、これまで扱ってきた現象を新しい視点から見ることが不得意である。時には、角度を変えて光を当てることで、現象のまったく異なる輪郭を捉えることができることもありうる。スコット教授が一番大切にしていたのは、研究の問い（リサーチ・クエッション）が面白いかどうかであった。リサーチ・クエッションを設定する際、答えが導き出せるかどうかよりも、それが常に形を変える現象の輪郭を捉えるフレームワークなのかということの方がより重要であるということなのだと思う。

この視点が研究の基礎を築き、研究を面白くしている。経済学に影響を受けた一部の政治学では、理論の普遍性だけに研究価値を見出していた。そこでは、前提を設けてそれから逸脱する事例を省くことで、社会現象をできるだけ単純化して理論化しようとする。もちろん、特殊性や地域性は、理論化と抽象化と対峙（たいじ）された。アグラリアン・スタディーズを通じて明らかになったことは、社会科学は社会現象を社会システムの内側だけのダイナミクスで説明しようとする。人間社会と自然環境は決してそれぞれ独立したシステムではない。人間社会は自然環境と相互依存関係を保っているため、アクターの思考と行動は社会システムと自然システムの相互関係によって規定されている。

そうした気づきから、現在の私の研究は、社会現象を社会だけの関係性だけで理解するのではなく、人間社会と自然環境の相互作用に着目している。貿易、投資、援助といった越境するプロセスがもたらす資源配分の不均衡や環境破壊という問題は、どのように理解することができるであろうか。これまでの一般的な理解では、資源配分の不均衡そして環境破壊は、社会システムにおける力関係の不均衡に起因するとされてきた。たとえば、資源は乏しいが資本がある国Aは、資本は乏しいが資源が豊かな国Bと貿易することで、資源と資本の移動が不均衡なAとBの間で起こり、資源配分の不均衡そして環境破壊を引き起こしたと説明される。問題はAとBの間の不均衡であり、研究の焦点は環境破壊を引き起こしたのは誰かという因果関係を明確にすることにある。しかしながら、資本は蓄積の新たな巡回を求め越境する。経済統合によりリード企業が製造に必要なパーツを複数の場所から調達するグローバル・サプライチェーンが発達してきた状況下、生産、販売、消費の経済活動が複雑な社会・自然関係を作り出している。日本では、一九八五年のプラザ合意以降の急激な域内経済統合が進み、国内の社会・自然システムは劇的に変容した。戦後の日本の貿易政策は、外交的圧力の中、戦前からの資源貧困国というイメージを引きずりながら、資源および食料を輸入によって調達することを合理的と正当化してきた。その結果、国内の産業と農業の空洞化は、一九七〇年代以降の地方から中央への労働力移動による過疎化を引き起こし、地方の山間部では農業と二次森林が作り出した生物多様性を維持する里山ランドスケープが過疎化と人口減少で危機的状況に陥っている。このように見ると、資源貧困国である日本がその他の国や地域の環境破壊を引き起こしている因果関係の側面だけを見ていては、貿易、資本、援助の越境プロセスが織りなす複雑な社会・自然システムのダイナミクスを捉えることができない。この点に関して、アジア地域経済統合、特に日本とタイの経済関係が互いのランドスケープをいかに変容してきたか、その関係性をさらに深く調査していくことが現在の課題である（Middleton and Ito 2020）。

4　教育としてのグローバル・スタディーズ

グローバル・スタディーズは黎明期からおよそ二〇年の時が経ち、日本そして世界の多くの大学と大学院で学ばれている。私は、上智大学大学院グローバル・スタディーズ研究科の教員として、グローバル・スタディーズの修士・博士過程の教育に携わっている。私が所属するグローバル社会専攻（Graduate Program in Global Studies）では、春と秋の各学期に八から一二人の修士学生とおよそ一人の博士学生を受け入れている。学生の九割以上は海外からの応募者で、二年間（博士の場合は五年間）の訓練を受ける。修士課程の最初の年にグローバル・スタディーズの基礎を教える Introduction to Global Studies（「グローバル・スタディーズ入門」）を必修科目にしている。そこでは、毎年のように、新入生からグローバル・スタディーズとは何かという質問を受ける。このコースでは、一人の教員がコーディネーターになり、毎学期 What is Global Studies（「グローバル・スタディーズとは何か」）というユニットを担当し、その他六人の異なる研究テーマを持った教員が三週にわたり地球規模の諸問題についての講義とディスカッションを担当している。二〇二〇年度春学期と秋学期のコースでは、Global Society（「グローバル社会」）、Global Nature（「グローバル自然」）、Global History（「グローバル歴史」）、Global Capitalism（「グローバル資本主義」）、Cosmopolitanism（「コスモポリタニズム」）、Democracy and Democratization（「民主主義と民主化」）、Nationalism and Populism（「ナショナリズムとポピュリズム」）、Postcolonialism（「ポスト植民地主義（コロニアリズム）」）というテーマで講義とディスカッションを行なった。このコア・コースを必修にしている目的は、グローバル・スタディーズの基礎を習得することだけでなく、教員の研究テーマを学生に紹介することで教員がどのようにグローバル・スタディーズを実践しているのかを示すことでもある。近年は、グローバル・スタディーズを学ぶテキストが多く出版されていることから、本科目でも、『グローバリゼーション』（Eriksen 2014）、『オックスフォード・グローバル・スタディーズ・ハンドブック』（Juergensmeyer et al. 2019）、『グローバル・スタディーズとは何か』（Steger and Wahlrab 2016）、『グローバリズム』（Steger 2009）といったテキストを読むことで、グローバル・スタディーズの特徴と視点を学生と共有することに努めている。言い換えれば、グローバル・スタディーズとは何であるのかを自問自答することで、社会科学の近隣の研究分野との親和性や関係性を認識するだけでなく、グローバル・イマジナリー（想像の地球共同体）の輪郭を描く作業を行なっているのである。

しかし新しい研究分野を大学院レベルで立ち上げるということは、さまざまな問題と直面することの繰り返しである。その一つが研究分野としての自己アイデンティティをどのくらい強く意識するかである。大学院博士課程では、研究者を養成することが主眼となっている。グローバル・スタディーズの博士を養成するということは、ここから巣立っていった研究者が新しい研究・教育機関に移って研究・教育に従事するということである。グローバル・スタディーズが、新しい研究分野として確立するためには、その他の研究分野と区別するバウンダリーを明確にする必要がある。しかし、研究分野としての境界線（バウンダリー）を強調するということは、学問としてのタコつぼ化という現象に陥ることになりかねない。さらに、狭義的な学問体系を推し進める背景に、研究者を採用する際に同じ専門分野の研究者を優先するという研究分野内での再生産が行なわれる大学の雇用習慣がある。こうしたことから、グローバル・スタディーズでも、研究分野のバウンダリーを明確にし、その分野に精通した研究者を育てることに傾注するかもしれない。いかにしたら、グローバル・スタディーズは、近隣の研究分野との親和性と関係性を認識すると同時に、統合的な視点をもった研究分野として確立することができるであろうか。その問題に対して、大学院レベルでの教育はどのように向き合っていくことができるのであろうか。この点は、研究としてのグローバル教育と異なる対応が求められていると思う。

教育としてのグローバル・スタディーズは、研究のフレームワークをできる限り統合的かつフレキシブルにすることが、関心事象の複雑な関係性の理解につながることを強調する。なぜならば、グローバル・スタディーズは、どの研究分野・手段を用いるのが最良だとかの議論にではなく、研究対象としての現象を理解することに最重点を置いているからである。現象に焦点を置き統合的な視点を提供するグローバル・スタディーズであるから、その教育は既存の分野のバウンダリーにとらわれない幅広い知識が要求される。コースワークを通じて、学生は社会学、人類学、政治学、経済学と言った近隣の研究分野との親和性を十分に認識するとともに、既存の学問分野で学部レベルの入門コースを教えられる知識を習得することになる。さらに、最近の博士課程の学生の研究では、グローバルな視点に立ちながら、開発研究、サスティナビリティ・スタディーズ、そして農村研究といった分野との関係性について知識を深めたいという傾向も見られる。グローバル・スタディーズ同様、このような研究分野は、ある特定の既存のディシプリンには属さないため、統合的かつフレキシブルな研究フレームワークを発展させることができる。

5 クリティカル・グローバル・スタディーズに向けて

これまで見てきたように、グローバリゼーションによって顕在化したコネクティビティ、空間と時間の再構成、そしてモビリティを理解するためには、現象を単純化することなく、その複雑な関係性を理解するグローバルな視点が必要だと述べた。グローバル・スタディーズが、これからも有益な視点を提供し続けるためには、既存ディシプリンの前提と理論をフィールドでの実践と常に照らし合わせて、現実により忠実であり続けることが必要である。こうした実践を重んじるグローバル・スタディーズをクリティカル・グローバル・スタディーズと呼ぶことにする。理論化や抽象化の傾向は、さまざまなディシプリンに見られる。どんな研究分野であれ、人が作り出した理論やモデルは、理解する際に現象を単純化することで知識の蓄積が可能となる。ここで留意しなければならないのは、現象の単純化は諸刃の剣のような特性があり、大まかな関係を抽出することは上手であるが、現象が織りなす複雑な関係性を捉えることは難しい。さらには、前提に依拠して結論を導く演繹的推論の手法では、現実を見ることをせずに理論を構築することだけに集中することになってしまう。クリティカル・グローバル・スタディーズは、実践の科学（science of practice）であり、必ずしも現象としてのグローバリゼーションを賛美したり、マクロな流れだけを追う研究ではない。マルチ・レベルとマルチ・サイトで起こるまだら模様のグローバリゼーションがもたらす影響や結果について、ある特定のローカルな場所と時間に見られる特徴に焦点を当てた研究も大切になっている。クリティカルな開発研究は、開発される対象を研究するだけではなく、開発という行為を研究の対象にしてきたように、クリティカル・グローバル・スタディーズは、現象としてのグローバリゼーションだけを研究するのではなく、グローバリゼーションを推進する主体とそれに抵抗する主体のせめぎ合いを研究対象とする。

最後に、グローバル・スタディーズのこれからの発展について考えてみたい。その発展の原動力は、グローバル・スタディーズに従事している大学院生を含めた次世代研究者が作り出していく優れた研究であろう。研究手法・分野を決める前に、まずリサーチ・クエッションが面白いかどうかを、そして抽象化することよりも、フィールドでの実践に忠実であるかを考えて研究を進めれば、きっと研究は素晴らしいものになるであろう。

◉注

（1）一九八〇年代以降の新自由主義の台頭により、国家は民主主義や資本主義と親和性が高い個、合理性、自由を用いて、国家とマーケットが社会のコントロールから逃れることを正当化した。

◉参考文献

Eriksen, Thomas Hylland. 2014. *Globalization: The Key Concepts*. London: Bloomsbury.

Ferguson, James. 1994. *The Anti-Politics Machine: "Development," Depoliticization, and Bureaucratic Power in Lesotho*. Minneapolis: University of Minnesota Press.

Harvey, David. 2005. *A Short History of Neoliberalism*. New York: Oxford University Press.

Juergensmeyer, Mark, Saskia Sassen, Manfred B. Steger, Victor Faessel eds. 2019. *The Oxford Handbook of Global Studies*. Oxford: Oxford University Press.

Li, Tania Murray. 2007. *The Will to Improve: Governmentality, Development, and the Practice of Politics*. Durham: Duke University Press.

Middleton, Carl and Takeshi Ito. 2020. "How transboundary processes connect commons in Japan and Thailand: A relational analysis of global commodity chains and East Asian economic integration." *Asia Pacific Viewpoint* 61(2), pp. 236–248.

Polanyi, Karl. 2001 (org. 1944). *The Great Transformation: The Political and Economic Origins of Our Time*. Boston: Beacon Press.

Scott, James. 1998. *Seeing Like a State: How Certain Schemes to Improve the Human Condition Have Failed.* New Haven: Yale University Press.

Steger, Manfred B. 2009. *Globalisms: The Great Ideological Struggle of the Twenty-First Century*. Lanham, MD: Rowman & Littlefield Publishers.

Steger, Manfred B. and Amentahru Wahlrab. 2016. *What is Global Studies? Theory and Practice*. London: Routledge.

第四章　暴力、文化表現、ソーシャル・デザイン
――グローバル・スタディーズと人類学

中村　寛

1　グローバル・スタディーズの黎明

　グローバル・スタディーズと人類学とはどのようにかかわるだろうか。一般論としてではなく、筆者が主に人類学と向き合うなかで培ってきた研究テーマや関心は、グローバル・スタディーズとどのようにかかわるだろうか。筆者は、その当時日本ではまだ前例がなく、一橋大学大学院に新しくできたばかりだった「地球社会研究専攻（Institute for the Study of Global Issues）」で、つまりグローバル・スタディーズ専攻で、文化人類学、アメリカ研究、イスラーム研究など、四つから五つのゼミナールを掛け持ちしながら大学院時代を過ごし、そのなかで人類学を中心に社会学や哲学などを学び、その後、人種・民族や宗教、暴力や社会的痛苦、反暴力／脱暴力の文化表現やソーシャル・デザインなどをテーマにかかげて研究を進めてきた。本章では、ある特定の時代と場所につくられたグローバル・

スタディーズの大学院のなかで、筆者がどのような知的訓練を受け、それがその後自身の研究にどのように結びつき、展開していくのかを振り返りつつ、グローバル・スタディーズの可能性について論じてみたい[1]。

したがってここでは、グローバル・スタディーズとはなにか、とは問わない。マンフレッド・B・スティーガーやアメンタル・ワーラブらが述べるように、そのような問いに応答を試みることは、グローバル・スタディーズを活性化していくという点で意味があるが、そこに確固たる答えがあるわけではない（Steger and Wahlrab 2016）。世界中でますますさかんに実践され、展開をみせているグローバル・スタディーズを、ひとつの確立した学問領域として措定し、その本質を明らかにするというよりは、うごきのある研究実践として捉え、それらがもたらすパースペクティヴやその含意について論じてみたいと思う。

筆者が一橋大学の社会学研究科・地球社会研究専攻に入学したのは、一九九九年四月のことだった。この大学院が新たな独立専攻としてつくられたのが一九九七年だから、三期生ということになる。場所と時間にかかわるこの特殊性は、第一に、国家的・社会的要請と大学制度の関係を捉えるうえで、第二に、筆者自身のテーマ選択と問題設定の方法を明らかにするうえで重要である。この二点目に関してはのちに論じるとして、先に一点目について書いておきたい。

教育・研究機関の制度編成について、紙幅の関係で詳しく触れることはできないが、一八七五年に商法講習所として設置された私塾は、幾度かの名称変更ののち、一九二〇年には東京商科大学となり、四九年に一橋大学として商学部、経済学部、法学社会学部の三学部を設置。そのさらに二年後の五一年には法学部と社会学部が切り離され、現在の四学部体制に至った。

もちろん、こうした大学制度の変化は、その時々の時代の要請と国策に応えてのことだと考えていい。明治八年の商法講習所の設置は、英国への留学や米国への被派遣経験のある森有礼(ありのり)が、欧米諸国との商業交渉を強く意識し、渋沢栄一や福沢諭吉の協力を得ておこなったものだったし、一橋大学への名称変更と学部設置もまた、戦後の復興とその後の高度成長とを支える「人材育成」が念頭にあっただろうと思われる。[2]戦後に一橋大学が社会科学系に特化した大学として制度化されてきたこと、一九九〇年からの大学院重点化の流れのなかで言語社会研究科に続いて地球社会研究専攻という独立専攻がつくられたこと、九八年にはビジネス・スクール（国際企業戦略研究科）が、九九年にはロー・スクールがつくられていること——これらもまた同様に、グローバリゼーションと、時としてそれに過剰に適応しようとしたり、なんとかやり過ごそうとしたりする国家や民衆の応答の連鎖のうちで捉えることができる。[3]

大学内にひとつの学部・学科・専攻が編成されていくプロセスは、いくつもの力学の連なりや重なりによって成立しており、それ自体が複数の異なるアプローチによって研究可能な対象になりうる。ミシェル・フーコーがやったように、制度とその内面化の歴史としてまとめていくこともできるし、ピエール・ブルデューがやったように、特定の場における個々の行為者の卓越化のメカニズムとして捉えることもできる（フーコー 一九九五、二〇二〇a、二〇二〇b、ブルデュー 一九九七、二〇〇二）。だがここではそれよりも、新しくできたグローバル・スタディーズの内実を、簡単に描いてみたい。

新しくできた大学院は設立当初から理念として、「問題に焦点を当てる（Issue-Focused）、問題解決を志向する（Solution-Oriented）、脱ヨーロッパ中心主義（De-Eurocentrism）」の三つを掲げていた。[4]それらに加え、公に書かれていないことを指摘するなら、この大学院は以下の点で、その当時の他の多くの大学院とは異なる場の創出を模索していた。

一．日本の大学院研究室にありがちだった講座制・学科目制とそのもとでの研究室の徒弟制をやめ、基本的に専攻にかかわるすべての教職員スタッフで学生をみられる体制にした点。

二．文系／理系という日本の高等教育が抱える壁を含め、学問の専門領域同士の縄張りをできるかぎり廃し、総合的な学問を目指した点。

三．本格的な学問・研究をおこなう大学院ではあるが、必ずしも狭義のアカデミックな研究者だけを育てようとしなかった点。(5)

右の三点は、そのような場が志向されていたというだけで、すべてが達成されていたと主張するものではない。しかし、制度の立ち上げにかかわった人なら経験があると思うが、設立当初は制度のつくり手／担い手たちが集まり、互いの役割分担がまだはっきりしないまま、それぞれが偏りつつもトータルにほぼすべてのことにかかわるので、知的ダイナミズムが生まれる。すでに完成された制度の上に立って学問をおこなうのが通常の研究者かもしれないが、黎明期にはその制度がどのような場であるのかがまだ不定形で柔軟であるがゆえに、個々人がひとりの研究者の領分を超え、どのような場になりうるのか、なってほしいのかを語り、それぞれが自らの夢や願望、学問観を晒す。ようするに、制度に「あそび」があったのだ。学問をおこなうということが、その実践を可能にする場や制度がどのように成立しているのかを問うことを含みこんでいないといけないと強調したのはピエール・ブルデューだったが、この時期、筆者はそのようなリフレクシヴィティ（反省性）が織り込まれた探求の場が生成していく瞬間に立ち会うことになった（ブルデュー 一九九一）。

もちろん、そうした魅力からくるデメリットもあった。第一に、問題に焦点を当て、学際的アプローチ（multi-disciplinary approach）を試みるがゆえ、研究会や学会で発表したり、学会誌などに査読論文を書いたりする際に、若手研究者はいくつもの壁にぶつかった。ひとつには、聞き手や査読者がそれぞれのアカデミックなフィールドでトレーニングを受けてきた、いわゆる科学的聴衆（scientific audience）であることに起因する。聞き手や査読者は、個々には優秀な研究者かもしれないが、必ずしも広い視野を持ち、学際的アプローチに精通しているわけではない。それならアカデミックなキャリアを必ずしも志向しない学生を中心に、最初から研究成果の発表の場を、アカデミックな場ではなくインターネットやソーシャル・メディアに置けばよかったのだが、一九九〇年代後半から二〇〇〇年代初頭はまだソーシャル・メディアは未発達で、かろうじてブログサービスなどが提供され始めたばかりだった。個人レベルでは、冊子づくりや記事の配信など各種の試みがあっただろうが、大学院全体でそうした発表のプラットフォームづくりにエネルギーを注ぎ込む判断はできていなかった。また、先にあげた大学院重点化にともない、ますます業績主義が強まるなか、アカデミックなキャリアを歩もうとする学生にとっては、どの学会に向けて、どのような先行研究と方法論を踏まえ語るのかという問題が大きくなっていった。

第二に、同根の問題だが、個々の大学院生たちが社会的事象のうちに問題を見いだし、それを取り巻く環境や文脈を把握できるだけの知識を身につけ、その問題や類似の問題にアプローチしているいくつもの学問分野と対話を重ね、自ら問いを立て、方法をつくり、さらにそれを成果発表していくためには、ひとつの学問分野でそうするよりも何倍もの時間とエネルギーがかかった。ようするに、個々の専門知のあいだで互いの役割分担をはっきりさせ、遠慮がちにコラボレーションするのではなく、本格的に互いの領域を侵犯するがゆえに、個々の研究者に森岡正博がいう「ひとり学際」が求められるのだ[6]。大学院博士課程の博士論文口頭審査のあと、人類学者マーシャル・サーリンズと以下のやり取りをしたイヴ・ダリアン＝スミスの嘆きが想起される。

「でも、ですけど……」イヴは早口で抗議した。「先生は学生に理不尽な要求をし過ぎています。先生は、私たちが人類学者であることに加えて、歴史学者であり、法や文学、政治、経済、文化研究、そのほか諸々のことにも精通していなきゃいけないって言ってるんですよ。先生は、現在のグローバルな課題（イシュー）を研究する研究者は、そういうことすべてができないとだめだって言ってるんですよ！」サーリンズは顔をあげ彼女を見つめ、いたずらっぽく、しかし堂々と言ってのけた。「そのとおりだよ。はやく取り掛かりなさい」（Darian-Smith and McCarty 2017）

だが、そうしたある種の過剰な要求と制度上の「あそび」のうえに筆者は、メキシコをフィールドにして文化表象や表現のあり方を研究してきた人類学者の落合一泰氏、スリランカをフィールドに暴力と紛争解決の研究をしてきた人類学者の足羽與志子氏、ヨーロッパとトルコをフィールドにイスラーム研究をしてきた内藤正典氏、アメリカ史を黒人やマイノリティの問題を中心に扱っていた故辻内鏡人氏、精神科医の経験をもとに医療人類学を実践されてきた宮地尚子氏、哲学を基盤としながらイタリア・サルデーニャやその他いくつもの地域にかかわり社会学を実践してきた新原（にいはら）道信氏など、幾人ものメンターたちのもとでゼミナールに参加し、学問的探求のあり方を学ぶことができた。その当時、故辻内氏は地球社会研究専攻の担当教員ではなかったし、新原氏にいたっては一橋大学の教員ですらなかった。もちろん、その経験を美化するつもりはない。また、そうした状況が誰にとってもすばらしいものだと主張するつもりもない。ただ、グローバル・スタディーズを志す若き学徒がそのような多岐にわたる専門領域の研究者の支え（膨大な時間とエネルギーの投入）によって初めて研究が可能になることの、ひとつの事例である。

2　アメリカにおける人種とイスラームの結節点

大学院重点化は今では、大学院のレベルを下げたとか、博士号を取得しても職につけないポストドクターを大量に生んだなどと言われる。だが、少なくとも地球社会研究専攻が立ち上がったばかりの時点で際立っていたのは、既存の制度だったら大学院には来なかったであろう血気盛んで破天荒な人々が大学院に入学したことだった。同学年や一年上あるいは下の個性豊かな大学院生たちが従事していた研究テーマは、たとえば以下のようなものだった。ドメスティック・バイオレンスと暴力への抵抗、ヨーロッパにおけるチベット難民の表象、バングラデシュにおけるノクシカタの生産と受容、在日米軍クラブにおける音楽、オランダの多文化教育政策と実態、ナイロビのスラム街の生活、メキシコのヒップホップ表現における政治・文化的戦略、マニラにおける開発援助のあり方、レバノンにおけるイスラーム主義と世俗主義、沖縄における平和の礎をめぐる問題――手元にアーカイヴがないため記憶をもとに書いているが、同じ専攻のもとで多種多様な研究テーマが展開していた。地域も、問いの立て方も、方法も、多岐にわたっていた。

筆者自身は、アフリカ系アメリカ人のイスラーム運動を研究テーマとし、歴史を踏まえつつも一九九〇年代以降のアメリカにおける人種とイスラームの結節点を捉えることを課題としていた。のちにこの研究テーマは、ハーレムにおけるアフリカ系アメリカ人ムスリムのコミュニティ研究へと結びつくことになる。この点は、あとで論じたい。

筆者のものも含め、ここにあげたさまざまなテーマのうち、最初からグローバル・イシューであることが自明であるテーマはほとんどないと言っていい。一般的なイメージとして、グローバル・イシューは、気候変動や環境問題、グローバリゼーション、戦争などの関連テーマだろう。もちろん最初からそれとわかるようなものも、グローバルな課題ではある。しかし、多くの場合、一見するとローカルな課題、きわめて私的な領域にかかわる問題もまた、グローバル・イシューとして捉えることができる。それが、筆者が大学院を通じて学んだ重要なことのひとつである。

たとえば、筆者が最近かかわった、『常世の舟を漕ぎて　熟成版』という書籍の再刊プロジェクトを例にとろう（緒方・辻　二〇二〇）[7]。この本は、文化人類学者であり環境活動家である辻信一氏による水俣の漁師、緒方正人さんの聞き書き集である。緒方さんは子どもの頃、大家族の柱として威厳ある振る舞いをみせていた愛すべき父親が、チッソの工場が排出した有機水銀に冒され、死んでいくのをみてしまう。青年になった彼は、責任追求と補償運動の先頭に立つようになるが、最終的には「責任」が「金銭」に引き換えられていくことに矛盾をおぼえ、運動から離脱し、彼が「狂い」と表現する状態を経験する。そしてその果てに、「チッソは私であった」という存在論的気づきにいたり、それを胸に、たったひとりで歩き、座り込む運動を展開し、自分の身を晒して生きるという選択をする（緒方　二〇〇一）。

この本のオリジナル版には、「水俣病私史」というサブタイトルがつけられていた。たしかに、緒方正人さん個人の語りという意味では、「私史」には違いない。しかし、ひとつひとつを丁寧に読み起こしていくと、緒方さん個人のいわゆる「自己語り」に終始している部分はほとんどなく、大部分が「社会史」と直結して展開する。かといって、当事者性のない「客観的」な社会史だけが語られ分析されるわけでもない。個の有限な身体を貫くかたちで感得された、特定の地域、時代、社会、環境、惑星全体の生成変化が語られるのだ。[8]

したがって、ローカルな事象としての水俣病と、それがもたらした社会的痛苦、そのもとに生じた緒方さんの存在論は、グローバルな課題として捉えることができる。水俣病が環境問題だからグローバル・イシューなのではなく、水俣病の具体的・個別的成立と展開のうちにグローバル・スタディーズの問いをいくつも見いだすことができるからだ。少なくとも二万数千年前から認められる人の痕跡以降、水俣と呼ばれるに至ったこの地域で、海や山や魚や虫たちやその他の生物や非生物とともに人々の営みがあったこと、それが近代化や国家主義化、資本主義化の流れのなかで急速な変化をみせたこと、そのプロセスには各種メディアを媒介にして想像／創造された欲望や倫理、美学が関係したこと、変わらぬこととして魚をとって食べるという営みが続いたこと、エネルギー政策や経済成長といった国家政策や企業戦略のもと、合理性と発展の名において、（現在から振り返れば）非合理的・非発展的と言える選択が重ねられたこと、そのもとで地域住民が分断されたこと、水俣病に冒された者とチッソに勤める者とが家族や地域のうちに同居したこと、「もやい直し」と呼ばれる人間関係の修復や「地元学」の試みがそのような暴力と社会的痛苦のなかから生成したこと、それはメディエーション（裁判外の調停）や修復的司法のあり方に連なる脱暴力のロールモデルになりうること――グローバル・

スタディーズはそうしたことを、複数の学問分野で鍛え抜かれた概念で貫き、理解を深め、それがこの惑星のありようや、人間と非人間のかかわりにどのように関係するのかを明らかにしようとする。

換言すればグローバル・スタディーズは、グローバリゼーションの影響がローカルにおいてどのように経験されるのかだけではなく、ローカルな事象を深く、微細に分析しつつ、同時にそれがどのような地球規模のインプリケーション（予期される影響）や、より直接的な影響を持つのか、持ちうるのかを捉えようとする。しかもそれを、国際政治学や国際関係、社会学など、ひとつの領域に共有された枠組みのなかでではなく、諸領域の重なりや齟齬、矛盾や沈黙のうちに、あるいは別の系統と目されている諸問題との連関のうちに、さらには人々の何気ない語りや振る舞い、生活環境や想念のうちに、捉えようとする。

筆者もまた大学院時代を通じて、アメリカの都市部におけるアフリカ系アメリカ人たちによるイスラーム運動という、きわめてローカルな事象を研究しつつ、つねにそれがなぜグローバルな課題と言えるのかを問われ続けた。その過程で、何度も問いと方法を練り直すことになった。考えてみるとこれは、根幹に据えていた人類学に求められることにも類似するように思う。人類学においてもまた、きわめてローカルな事象を扱いながら、同時に人類に通底する普遍的な問題群を扱うことが求められる。たとえば、数百人あるいは数千人規模の集落の親族の構造や神話を調べながら、同時に権力や権威、身体的慣習、などの鍛え抜かれた概念を使って、他の大規模集団、あるいは小集団との質的な比較をおこなうことが求められる。ローカルな集団を記録し記述し書き留めるのがエスノグラフィ（民族誌）で、人類学は時にエスノグラフィを書き、時に参照しながら、出会った人々の語りや所作、ものごとのあり方などとともになにごとかを思考する。

国際政治学の分野においては、一九九〇年代は冷戦構造が崩れたことでイスラーム脅威論が台頭し始めた頃だった。とりわけ冷戦下において資本主義陣営のリーダーであったアメリカは、新たな物語を必要としていた。大理論が崩れ、ポストモダンが語られ、「歴史の終焉」(Fukuyama 2006)がうっすらと意識されるなかで、民族紛争や部族間の争いが噴出し、あたかも多くの小さな声がせめぎあっているように見えた。世界規模でのイスラーム復興運動が起きていたのは、「文明の衝突」や「アメリカの分裂」のレトリックが言説形成に影響を持ち、グローバリゼーションと新自由主義による一律の基準下での不均衡な競争激化が指摘されているそのさなかでのことだった(Huntington 2007; Schlesinger 1998)。ヨーロッパ諸国では、トルコ人移民をはじめとする移民の第二・第三世代が、西欧社会に同化することなく、むしろよりイスラーム化する例が報告されていた(内藤 一九九六a、一九九六b)。アメリカ国内では、ヒスパニック人口の急増に加え、九〇年代に入り、アフリカや中東、アジアからのムスリム移民・難民が急増していた(Stoller 2010)。一九九〇年代後半の時点では、文献によってアメリカのムスリム人口の推定数にかなりのばらつきがあったが、その数は増加の一途をたどっているという共通見解があった(Duran 1997)。一九九三年には、世界貿易センタービルの爆破事件があり、国内のムスリムの存在があらためて否定的なかたちでとりあげられ、反イスラーム感情が醸成されていった。「赤の脅威」に代わる「緑の脅威」が語られるようになっていったのは、そのような時代の流れのなかでであった。

そして、二〇〇一年九月一一日の同時多発テロが起きた。筆者はちょうど博士課程に進学したばかりで、これからニューヨークのハーレムにフィールドワークに行こうとしていた矢先だった。元々はイスラームと地域コミュニティの関係をみるためにハーレムに赴く予定でいた。そのきっかけは、一九九九年夏のシカゴでの予備的調査にあった。アメリカ国内のアフリカ系アメリカ人ムスリムの研究は、少なくとも、アメリカ研究（とりわけブラック・スタディーズやマイノリティ・スタディーズ）とイスラーム研究とが交差する領野で、社会学や歴史学、人類学、心理学、文学、政治学、経済学などが入り混じる場所でおこなう必要があり、途方にくれながらもネイション・オブ・イスラームの本部があるシカゴのモスク・マリヤムを三週間ほど訪れた。そのとき、大まかに言って二つのことに強く印象付けられた。ひとつは、ムスリムと非ムスリムの相互交流であり、これは地域コミュニティとアフリカ系アメリカ人としての経験とに根ざしていた。いまひとつは、ムスリムたちの多層性、多様性だった。閉じた組織として一枚岩に表象されることの多かった「ブラック・ムスリムたち」は、必ずしも単一の目的や動機から、一様に組織メンバーになっているわけではなかった。

一度目のこの予備的なフィールドワークは、当初の「なぜ九〇年代において、アフリカ系アメリカ人の多くがイスラームに関心をよせるのか」という素朴な問いとその前提に揺さぶりをかけるものだった。アフリカ系アメリカ人コミュニティにおけるイスラーム復興運動を、アメリカ国内に展開する集合行為としてみた場合、どうやらその周縁にある人々のうごきに焦点を当てる必要が出てきたのだ。しかもそれを固定化された自己や集団を前提にした明瞭な語りや言説からではなく、仕草や所作、情緒や情動を視野にいれて捉える必要があった。リーダーなりメンバーなりの、明瞭に語られた表現は魅力的ではあるかもしれない。しかし、それほど中心的な役割を果たしているわけではない、どっちつかずの人々の動きが、この集合行為を支えているのであれば、個々の人々の必ずしも一貫しない語りや言いよどみ、当人にもさほど意識されていない所作、言語と行為の不一致なども視野に入れながら、集合行為と個々人の生活圏の経験を接合してみたいと思った。

二〇〇二年、九・一一の約一年後にニューヨーク・ハーレムのストリートで筆者が出くわした問題は、しかし、きわめてアクチュアルな問題だった。ストリートや集会場、床屋には、アフリカン・アメリカン・ムスリムによる多くの怒り、不満、憤りを表わす叫びのような表現が渦巻いていた。これを一体どのように捉えたらいいだろうか。イスラーム運動と地域コミュニティの関係を捉えるべく立てていた問いと前提は、またしても根底的に揺さぶられることになった。最終的に、筆者の観察と知見は次のようにまとめることになった。

すなわち、強い危機感や不満をともなったアフリカン・アメリカン・ムスリムたちの言葉は、必ずしも自明ではない暴力を認識し、それに向き合おうとする際に紡がれる表現だと考えることができる。同時に、その表現は、あらかじめ自らの存在や居場所を保障されているわけではないがゆえに、当該コミュニティの外にいる者にとって、「暴力的」に見えることがある。したがって、(a) かならずしも明確に言語化できない暴力、(b) 暴力やそれにともなう痛苦を認識し、伝達するときに用いる言語、(c) 言語を共有し、制度化しようとする文化、の三項の関係に注目しながら、エスノグラフィを書くことになった。そしてそこでは、歴史をめぐるアイデンティティの闘争(一章)、歴史のアーカイヴ化にともなう記憶と忘却(二章)、ストリートのコンフリクト(紛争)と《反暴力》の試み(三章)、暴力を告発する「暴力的」言語の問題(二、三、四章)、ジェントリフィケーション(高級化)と都市の生活(四章、六章)、コミュニティとディスコミュニケーション(五章、六章)、といった問題を扱うことになった(中村 二〇一五)[9]。

フィールドに問いを持ち込み、その場にいる人たちと行動をともにしながらなにごとかを考え、そのなかで当初の問いが解体されていくのを経験し、そこからふたたび問いをつくりなおしていく――

それは人類学が繰り返してきた仕事だった。その過程には、具体的な場所を歩き、人やその他の生命やモノと出会い、フィールドノーツを残し、いくつもの報告書や論文に眼を通し、アーカイヴを紐解き、エスノグラフィのような記録を書くといった営為が含まれるだろう。しかし根源には、たとえばティム・インゴルド（二〇一七）が正しくも述べたように、あるいはインゴルド以前に多くの優れたフィールドワーカーが気づき、あたりまえのように実践していたように、フィールドのなかで実際に参加してみるなかで観察し、なにごとかを考え、問いを立てるという営みがある。[10]

参与観察を理想化したいわけではない。「参与」の概念につきまとうナイーヴさ、「観察」の概念につきまとう傲慢さ、それを同時に実践できると思い込むことの人類学的な危うさは、すでに指摘されている（Daniel 1996）。とりわけ、迫ろうとする事象が、暴力にかかわるとき、その参与観察は困難をきわめる。自分の身を案じる以前に、暴力が生成する状況に居合せ、そこに参加し、観察するということはどういうことかを考えれば、その危険性は明らかである。また、そうした暴力を記述する、表現することによって文化の装置のうちに取り込むことができるという考えも、危うい。しかし、そうした危うさやリスクのなかに、フィールドのなかで考え、問いをつくりなおす人類学の可能性がある。

グローバル・スタディーズと人類学の交錯するなかで展開し、上記のような知見と問題関心とに至ったハーレムでの研究は、その後、いくつかの分散した研究プロジェクトに結びついていった。そのうちのひとつは、デトロイト近郊のムスリム・コミュニティに関する調査になった。[11] いまひとつは、二〇一一年からスタートさせた、アメリカの周縁の暴力と文化表現に関する調査へとつながった。[12] さらにもうひとつ、ニューヨーク内のストリートに展開するインフォーマル・ビジネスのあり方をめぐる研究へと結びついた[13]。いずれのプロジェクトでも、通底する問いは、暴力とそのもとに生じる社会的痛苦、そしてそれに呼応するべく生成する語りや抵抗、取り組みや文化表現にかかわるものである。

3　反暴力・脱暴力の試み——芸術人類学とデザイン人類学の結節点

二〇〇八年、多摩美術大学に着任した筆者は、自分の研究テーマである暴力と社会的痛苦の問題を、美術を専攻する大学生たちにどのように伝えてよいのか、試行錯誤を繰り返した。二〇一〇年頃から、有志の学生たちが自主ゼミ開催を呼びかけてきたのをきっかけに、学科や大学を超えて学生や若きつくり手に声をかけ、人間学工房を立ち上げ、インフォーマルな集まりを開催した[14]。最初の数年は、集まって本を読んだり映画を観たりして議論を重ねた。希望者に自身の制作について発表してもらうこともあった。二年ほど経ったあと、さらに具体的なコラボレーションがはかれないかと、冊子づくりを提案した。「同時代」をテーマに、それぞれが現時点で最も切実かつリアルに感じていることを書いてきて、それを読み合い、推敲(すいこう)し合う機会を持った。そうやってできたのが冊子『Lost and Found』のシリーズで、二〇一二年から約七年かけて五冊の冊子を完成させた（中村寛編著二〇一三、二〇一四、二〇一六、二〇一七、二〇一九）。

その場に集まる学生たちと手足を動かすことで、かれらがなにを求めているのか、なにになりたがっているのかを知ろうとしていたのかもしれないし、どのように筆者自身がかかわり、介入すればよいのかを模索していたのかもしれない。学生たちとのプロジェクトが立ち上がったあとに、今度は教員たちとのコラボレーションをはかった。弘文堂からの教科書執筆依頼をきっかけに、アーティストの石田尚志(たかし)氏とデザイナー／絵描きである佐藤直樹氏に相談し、二〇一三年頃からアーティスト、デザイナー、映画監督、詩人、写真家、研究者など、さまざまなジャンルのプロのつくり手たちに話を聞き、それを書き起こし、場合によっては執筆してもらい、『芸術の授業――Behind Creativity』という本にまとめた（中村 二〇一五）[15]。また二〇一七年からは、プロダクト・デザイナーである安次富(あしとみ)隆氏と相談したうえで「美術と生活」という授業を立ち上げ、そこに各専門学科の実技担当の教員を招き、受講生のまえで対談インタビューをおこなった[16]。

それでももちろん、アート＆デザインと人類学、あるいはアート＆デザインとグローバル・スタディーズとの関係が明確に見えたわけではなかった。もちろん、前者の関係についていえば、すでに別稿で書いたことがあるように、長きにわたる交流や交換／交感／交歓があった（中村寛 二〇一二）。また、アートをすでに確立した美術業界のなかに閉じ込めずに広い意味で解釈すれば、人類学が対象にしてきた領域との連続性や重なりは、ある程度見えそうだった。人類学者の中沢新一がすでに、二〇〇六年に多摩美術大学に芸術人類学研究所を立ち上げ、人間種の生活における神話的なものから切り離され、鑑賞を前提とするにいたった美術を、いまいちど宗教やシャーマニズムとの関係において捉えなおそうとしていた（中沢 二〇〇六）。中原佑介との対談において中沢は、たとえば洞窟壁画を例に、クロマニヨン人のシャーマンが、狭い暗闇のなかで絵を描きつけることによって壁の奥へと垂直に伸びていく想像の回路を見いだしていたのではないかと推測する（中原 二〇〇一：八一―九三）。二万年前に起きていたことなので、研究が進んでいるとはいえ、実証するのは難しい。しかし中沢の指摘は、完成された絵を前提にアートを見るのではなく、描く・つくる行為そのもののうちに、異界へとつながる想像力が育まれるのを見いだしている点で注目に値する。

洞窟絵画だけに限らず、物語を書くこと、詩を書くこと、音楽を奏でることは、閉じ込められた環境の「壁の外」へと向かうコミュニケーションの回路を見いだす試みだと言えるかもしれない。トースト（toast）といわれる刑務所内での即興詩、奴隷制下でのスピリチュアルあるいはブルース、ゲットーや抑圧下でのヒップホップ、隔離政策のもとでのハンセン病患者療養所の詩や絵画――そういう眼で眺めれば、いくつもの表現を、「壁の外」へと垂直移動していく回路として、捉えられそうだった。

そしてまた、つくるという行為だけでなく、その結果としてできあがった「芸術作品」も、生活というコンテクスト（文脈）を含みこんだひとつのインスタレーションとして、社会的に機能していた時代があったのかもしれない。たとえば、文字を読まぬ者たちにキリスト教を伝え、なおかつ読む者には、より現実味をもって文字になった言葉の意味を受け止めさせ、かれらが「聖なるもの（the sacred）」や「崇高なるもの（the sublime）」を感得できるような仕掛けとして、教会や聖堂にインストールされたキリスト教絵画のように[17]。

デザインをアートのなかの下位概念として位置づけ、仕組みや機能といった社会的働きとの関係で定義するなら、宗教的世界や神話的世界と一体となっていた「芸術」は、ソーシャル・デザインにほかならない。そして、デザインはそのひとときの機能的役目を終えたときに初めてミュージアムに引きとられ、アーカイヴ化されていくのだとすると、教会の制度とその背後にある権力とに結びついて機能を果たした絵画や音楽は、その役目を終え、やがて美術館や音楽ホールへと引きとられていった流れもまた、うなずける[18]。デザインとしての機能を失った便器が美術館に置かれたことも。

もちろん、絵画や音楽はそこで発展を止めたわけではなく、権力のメカニズムが変化していくなかでその社会的位置が配置転換をおこし、表現技法と美学とがより洗練され、役割が変化させられたかたちで引き継がれていくことになる。しかし、そのときのアートは、キリスト教権力と一体となって共同体内の時空間に装置化され、宗教―社会的デザインとして機能し、人々の生活の要を担っていたときの美術とは、あきらかに異なる質のものである。あるいは、非西洋の、非近代の、非キリスト教圏の、なまなましい生活のうちにみられる「土着の表現（vernacular expression）」とも異なる。

鶴見俊輔が「限界芸術」を、「純粋芸術」からも「大衆芸術」からも切り離し、「芸術と生活との境界線にある」（鶴見 一九九九：一四）ものとして措定し、その実践者である作家として宮沢賢治をあげていたことが想起される。そして、宮沢賢治はやはり、草木や岩石や星々と戯れ、岩手県花巻の農村でたったひとり異界を感受しつつ、「農民芸術概論」を著し、そこに「職業芸術家は一度亡びねばならぬ」と自らを鼓舞するように書きつけた（宮沢 二〇〇三）。美術大学に入学した若きつくり手たちがすべきことは、鶴見俊輔の限界芸術の概念について、あるいは宮沢賢治の作品や活動について、あれこれ批評することではなく、それを踏まえたうえで、二〇二〇年代の限界芸術がどのようなかたちをとって現われるかを考えることであり、自分なりの「農民芸術概論」を書いてみることではないか[19]。そんなことを考えた。

上記のことを踏まえたうえで、ものを扱い、なにかをつくることに慣れ、なおかつその延長線上にさらなる「つくること」の訓練を日々受ける学生たちがなにを必要とし、なにになりたがっていて、そのかれらとともになにができるだろうか。ここにきて、民俗学者の宮本常一（つねいち）が武蔵野美術大学を仕事場に選び、美大生との交流に刺激を受け、モノを見てそこからなにごとかを考えていくかれらの力に希望を見いだしていたことに励まされた[20]。

二〇世紀の歴史を見ると、アートとデザインとが、科学技術とあいまって、人の想像力や創造力を介して美にかかわり、ものごとの仕組みを機能させるがゆえにかえって暴力を促進させてきたことは見逃せない。西洋の美術館と博物館による収集・保存・展示と植民地主義の歴史、機関銃や原子力爆弾、ガス室などの大量破壊兵器の製造、監獄・工場・学校などの近代の全制施設と一望監視システム（パノプティコン）の設計、広告と大量生産―消費―流通―廃棄（投棄）による環境破壊、スマートフォンと監視、SNSとフェイクニュースによる動員、等々。想像や創造、ものづくりや生産を、手放しに称賛できるほどお気楽な時代に私たちは生きていない。背後にあるのは、現代の呪術として作用する二つの権力機構――国民国家と市場経済――の姿である。とりわけ日本の高等教育で不足しているのは、この二大権力機構の成立史と、そこに作用する見えない力（権力）についての批判的検討である。[21]

しかし暴力のメカニズムを事後的に分析したり批評したりするだけでは、もはや不十分である。批判的検討は不可欠には違いないが、なにごとかを思考し問題解決するうえでのプロセスの一部をなすものであって、それ自体は問題解決ではないし最終目標でもない。もっと直接的に暴力の問題解決に寄与するためには、どのような方法が有効だろうか。暴力のメカニズムの研究とあわせて筆者は、反暴力や脱暴力の試みにより大きな力点をおいてものごとを考えるようになっていった。アートには、発現した暴力を、その結果生じた語りにくい痛苦を、捉え、描いてみせる作用がある。しかし、そこに描かれる暴力は、過剰なもの、特殊なものとして描かれやすく、その結果、陳列され、鑑賞の対象となり、その瞬間から、美学化されてしまう。[22]ようするに、そこに「崇高なもの」「聖なるもの」「美的なもの」を想像する回路が開かれてしまう。

そうではなく、生じてしまった暴力あるいは痛苦に対し、もっと直接に作用する仕組みを考えられないだろうか。さらに、暴力をゼロにすることはできなくとも、暴力そのものを縮減する仕組みを考えられないだろうか。意識的な日々の知的訓練と努力によって、思考停止に陥らず、つねに思考を継続する――そういうごく一部の知識階層だけに許されるような営みによってではなく、気がついたら暴力が縮減されているような仕組み。そもそも、デザインにはそういう力があったはずだ。光の当て方ひとつで売上が桁違いに伸びたり、広告をほどこすことでたいしたことのない商品が飛ぶように売れたり、ものをひとつ置くことで人の動線が驚くほど変化したり……。デザインは、人のふるまいを規定する。あたかも、かつて構造主義が前提とした構造のように、あるいはフロイトの措定した無意識のように。ならば、それを絶えざる商品化、その過程での人間の搾取（さくしゅ）と周縁化、人間中心主義に基づく環境破壊など、暴力を激化させる方向ではなく、脱暴力に方向づけられないか。単にＳＤＧｓを連呼したり、環境危機を叫んだりと、「ソーシャル・グッド」を広報するだけでなく（それだって効果はあるかもしれないが）、もっと仕組みそのものを、複数領域の研究者とデザイナーとでデザインしなおせないだろうか。

筆者が近年開拓されつつあるデザイン人類学の動向に注目するのは、そうした理由からである。[23] ひとつのプロダクトが、劇的に人の生活を変化させることがある。蓄音機の発明は音楽のあり方を大きく変えたし、印刷機は人の想像力のあり方を鋭く方向づけた（Kittler 1999; Anderson 2006）。近年でいえば、ｉＰｏｄと音楽配信サービスは、人の音楽への触れ方と音のつくり方を根本的に変えたし、スマートフォンは情報の意味を変質させることで、知能の定義や人の身体技法を深く変更しつつある。そうだとすれば、人文・社会科学の研究者、とりわけグローバル・スタディーズを実践する研究者が、そのようなひとつひとつのプロダクトの制作工程に積極的に関与することの意味は大きい。製品を事後的に振り返って見事に分析するだけでも、また創発性について華麗に論じるだけでもなく、デザイナーやエンジニアが今まさに構想・構築しようとしている仕組みづくりにかかわること、そしてそのプロセスを記述し、その渦中において思考することが、グローバル・スタディーズや人類学の主要な仕事になる。

二〇二〇年、COVID-19のパンデミックのさなか、グッドデザイン賞に外部クリティークとしてかかわってほしいという依頼があった。デザインの現場を少しでも知りたいと思っていた筆者は二つ返事で依頼を受けた。グッドデザイン賞は、もともとは一九五七年に主に工業デザインの美化を目指して通商産業省(現・経済産業省)によって創設された賞で、デザイン振興の意図があった。[24] しかし近年は、モノそのものの美しさよりも、その社会的機能や仕組みそのものに関心が払われるようになってきた。言葉を交わすことのできた審査員の多くが、「モノ(プロダクトなど)からコト(サービスなど)への」移行を口にした。「社会実装」というキーワードも飛び交った。プロダクトが美しいだけでも、理念が素晴らしいだけでもだめで、仕組みとしてもビジネスとしても社会的に機能していないとだめだという意味だった。

しかし実際に起きているのは、モノからコトへの単純な移行ではなかった。[25] 相変わらずモノはつくられているし、いわゆる取り組みやサービス提供などのデザインにおいても、なんらかのモノが媒介していることがほとんどである。ただ、評価の基軸が単純な意味での物的な美しさから社会的機能に移行し、またそうした機能を評価する際にも、モノの生産から流通、消費、廃棄に至るまでのプロセスを総合的にみる視点が、審査委員にひろく共有されはじめていることはたしかである。

もちろんこれには、環境破壊と気候変動がもはやごまかすことができないくらいあからさまになり、人新世(じんしんせい)(anthropocene)の時代区分が流通しはじめたことが大きく関係している。リベラル市民社会における人間中心主義が前提とする「人間」の概念は、その理論内に「野蛮人」「テロリスト」「犯罪者」などの「非人間・反人間」を生み出したが、同時に近年では動物や植物、その他の非人間のエイジェンシーが、まじめに論じられるようになった(Asad 2003; Mbembe 2019)。それがローカルな場とグローバルな力が交錯する場で、人々の身体にどのようなインプリケーションを持ちうるのか。それを明らかにすることは、デザイン人類学やグローバル・スタディーズの今後の課題となるだろう。

*

ここに描いてきたのは、筆者がグローバル・スタディーズと人類学を通じて展開してきた/しつつある研究プロジェクトの一端である。近年の人類学がますます、かつての研究対象や方法からはかけ離れたフィールドやテーマにかかわるようになってきているように、グローバル・スタディーズも、いわゆる典型的なグローバル・イシューだけでなく、たとえばアートやデザインの現場にかかわり、そこでグローバルな課題を設定することが可能だろう。また、デザインを仕組みや社会実装の観点から定義するなら、たとえば非暴力コミュニケーション(non-violent communication)やメディエーション(mediation)、非構成的エンカウンター・グループ(basic encounter group)、治癒的共同体(therapeutic community)、修復的司法(restorative justice)の取り組みはすべて、コミュニケーションやコミュニティにかかわるソーシャル・デザインとして考え、デザイン人類学やグローバル・スタディーズの課題とすることができる[26]。

どのような人々の生きる場でも暴力は起こる。それは悲劇には違いない。しかし、それに対処する方法として、懲罰的(punitive)あるいは報復的(retributive)な触れ方に加え、状況に応じてきめ細かに選択肢をつくることは可能である。

●注

（1）本章は、二〇二〇年二月一八日に開催された先端課題研究十七「社会科学とグローバル研究の可能性と課題」最終年度ワークショップでの口頭発表をもとに大幅加筆したものである。

（2）創立百年を記念して刊行された一橋大学学問史が、以下のリポジトリで公開されている。https://hermes-ir.lib.hit-u.ac.jp/hermes/ir/sc/?lang=0（最終閲覧：二〇二〇年二月一日）。なお、商法講習所の設置において重要だったと思われる東京商法会議所については、浅田（一九九八）を参照。欧米との直接交渉の圧力に言及した論考は多いが、たとえば商業英語教育に焦点を当てた寺澤（一九八六）を参照。一九九〇年代の大学院重点化については、江原（二〇〇七）を参照。

（3）一橋大学を含め、日本の大学が置かれた独特のポジションについては、加藤（二〇〇七、二〇一八）を参照。

（4）現在でもこの三つの基本コンセプトは引き継がれている。https://www.soc.hit-u.ac.jp/overview/gs/chikyu.html（最終閲覧：二〇二〇年二月一日）

（5）現在では地球社会専攻のウェブサイトに、それとわかる記述がある。http://isgi.soc.hit-u.ac.jp/?page_id=32&lang=ja（最終閲覧：二〇二〇年二月一日）

（6）森岡正博（一九九八）は、個々の研究者がそれぞれの専門領域を出ない、うわべだけの「学際的共同研究」にかえて、ひとりひとりが「学際研究」をおこなったうえで成立する「総合研究」を提唱する。

（7）長らく絶版になっていたオリジナル版に新たな章を加え、図版や資料も整理し直したのがこの「熟成版」である。オリジナル版については、辻・緒方（一九九六）を参照。

（8）このようにして、身体に刻まれた経験を貫くように社会や惑星規模の問題を見抜こうとする視線が、学問の諸領域において言語化されることは、稀有ではあるが、幾人かの先行者をあげることができる。たとえば人類学では、病んで障がいを抱えていく自らの身体をフィールドワークしたロバート・マーフィの『ボディ・サイレント』（一九九七）、あるいは社会学では、社会運動のような集合行為と個人の身体や心理的状態とを結び合わせ理論化をはかったアルベルト・メルッチの『プレイング・セルフ』（二〇〇八）。

（9）拙著『残響のハーレム』の方法論的なリフレクションについては、以下の文献を参照（中村二〇一七）。また、『シノドス』のサイトに掲載された「コトバ、オト、そのキレハシを抱きしめて――ニューヨーク・ハーレムの「民族誌的スケッチ」にいたる思考実験」も参照。https://synodos.jp/international/21217（最終閲覧：二〇二〇年二月一日）

(10)「フィールドのなかで考える」という営為は、こうして言葉にすると、ごくあたりまえのことのように思えるかもしれない。だが、フィールドワークを語る者たちの一体どれくらいが、当初の問いや認識が揺らぐほど感覚を開き、フィールドに立ち続け考えられているだろうか。徹底的に具体的な物事を観察し続け、最後には日本文化の形成を構想するに至った宮本常一を、ひとつの例としてあげることができる。もう一人、ハーレムのフィールドワーク中に出会ったフィールドワーカーとして、テリー・ウィリアムズをあげておきたい。特に、フィールドのなかで書くことの困難と魅力とを同時に併せ持った稀有な例として、ウィリアムズ＆コーンブルム（二〇一〇）を参照。「フィールドのなかで書く（writing in field）」という言葉は、『アップタウン・キッズ』を訳し終えたときに、社会学者の新原道信氏とやり取りするなかで生まれたものである（新原 二〇一六、二〇一九）。

(11)この調査は、JSPS科研費・若手研究（スタートアップ）20820037「米国におけるアフリカ系アメリカ人ムスリムの日常的実践に関する文化人類学的研究」（二〇〇八年四月～二〇一〇年三月）として助成を受けた。

(12)この調査は、JSPS科研費・若手研究（B）23720430「アメリカ合衆国の社会・文化的「周縁」における暴力や痛みに関する文化人類学的研究」（研究代表者：中村寛、二〇一一年四月～二〇一五年三月）、基盤研究（C）**20K01195**「アメリカ社会の暴力と反暴力・脱暴力の試みに関する人類学的研究」（研究代表者：中村寛、二〇二〇年四月～二〇二五年三月）として助成を受けている。

(13)この研究は、JSPS科研費・基盤研究（A）17H01657「グローバル都市の底辺層の構造と変容」（研究代表者：青木秀男、二〇一七年四月～二〇二一年三月）として助成を受けている。

(14)人間学工房のサイトを参照。**https://www.ningengakukobo.com/about**（最終閲覧：二〇二〇年二月一日）

(15)かかわってもらったつくり手たちの名前を列挙しておく。萩原朔美（映像作家、演出家、エッセイスト）、松浦弘明（美術史学者）、港千尋（写真家）、佐藤直樹（アートディレクター）、青山真治（映画監督・小説家）、矢野英樹（デザイナー）、ＯＪＵＮ（画家）、石田尚志（現代美術家・映像作家）、建畠哲（詩人・美術評論家）、西村佳哲（プランニングディレクター・働き方研究家）、生西康典（演出家・映像作家）。

(16)二〇二〇年度までに登壇いただいたゲストは以下のとおり。岸本章（環境デザイン）、安次富隆（プロダクト・デザイン）、加納豊美（舞台衣裳／衣服文化）、山下恒彦（映像美術／空間演出デザイン）、永井一史（デザイン）、佐藤直樹（デザイン／絵画）、小林敬生（版画）、井上雅之（工芸／陶）、山形季央（グラフィック・デザイン）、宮いつき（日本画）、久保田晃弘（情報デザイン）、石田尚志（芸術／映像／油画）、秋山孝（グラフィック・デザイン）、藤原大（テキスタイル・デザイン）、笠原恵実子（彫刻／芸術）、小林晴夫（芸術／blanClass）。

（17）通常アートとして分類されがちな絵画を、仕組み・デザインとして捉える視点は、中世からルネサンス期におけるイタリア美術史の研究者である松浦弘明氏とのやり取りから多くを教えられた。たとえば以下のサイトの短い記事を参照。https://www.toibito.com/column/culture-and-art/fine-arts/965（最終閲覧：二〇二〇年二月一日）。とはいえ、ここでの解釈に誤りがあるとすればすべて筆者の責任である。

（18）こうした発想は、レヴィ＝ストロース（二〇一六）からの影響が強い。

（19）アートとデザイン、人の生業や生活との関係については、佐藤直樹氏との対話から多くを得た。往復書簡「世界への触れ方をめぐって」参照。http://s-scrap.com/category/nakamurasato（最終閲覧：二〇二〇年二月一日）。また、美学校で佐藤氏が主催する「描く日々」（二〇一九年度、二〇二〇年度）への参加からも多くの気づきを得た。https://bigakko.jp/course_guide/pict_sculpt/kakuhibi/info（最終閲覧：二〇二〇年二月一日）

（20）宮本が当時の美大生のどういう点を評価していたのかについては、木村哲也氏との直接のやり取りから多くを教えられた。木村氏の宮本に関する仕事は以下の文献を参照（木村 二〇〇六、二〇一八）。もちろん、誤解があるとすればすべて筆者に責任がある。また、宮本常一の自伝『民俗学の旅』（一九九三）も参照。

（21）したがって美術大学・芸術大学におけるリベラル・アーツのあり方を、日本全体の教育・社会制度のなかで議論し、再構築していくことが求められる。その点で次の文献は参考になる（サマーソン＆ヘルマーノ 二〇一七）。

（22）暴力を、日常とはかけ離れた異常な出来事として捉え、表象することの危険性と、それを日常の制度化された現象として扱うことの重要性については、たとえばPandey (2006) を参照。

（23）近年出版が相次いでいるデザイン人類学関連の書籍としては、以下を参照（Gunn, Otto, and Smith 2013; Clarke 2017; Gunn and Donovan 2016; Pink, Akama, and Sumartojo 2018）。

（24）https://www.g-mark.org/about/（最終閲覧：二〇二〇年二月一日）。なお、現在は公益財団法人日本デザイン振興会によって運営されている。https://www.jidp.or.jp/ja/（最終閲覧：二〇二〇年二月一日）

（25）審査員長および副審査員長に加え、数名の審査員たち、理事会のメンバー、同じくクリティークとしてかかわった伊藤亜紗氏とのやり取りから多くの示唆を得た。謝意を表したい。

（26）非暴力コミュニケーションについては、鈴木重子氏と安納献氏を招き、二〇一三年一一月一二日に中央大学でおこなったワークショップから多くの気づきを得た。基本コンセプトについては、ローゼンバーグ（二〇一八）を参照。

メディエーションについては、二〇一五年九月五日、六日におこなわれた一般社団法人メディエーターズによるトレーニングへの参加から多くを得た（中村 二〇一六）。基本的な考え方を紹介した書籍としては次を参照（田中二〇一二、安藤・田中 二〇一五）。非構成的エンカウンター・グループについては、西村佳哲氏とのやり取りから多くの知見を得た。治癒的共同体については、坂上香氏のドキュメンタリー映画『ライファーズ』と書籍を参照（坂上 二〇〇四、二〇一二）。修復的司法についても、近年多くの研究がなされている（ゼア 二〇〇三、二〇〇八、高橋 二〇〇三、ウォルターズ 二〇一八、小松原 二〇一七）。

◉参考文献

浅田毅衛、一九九八、「東京商法会議所の設立と明治前期の流通政策」『明大商學論叢』八〇（一―二）：四一―五八。

安藤信明・田中圭子、二〇一五、『調停にかかわる人にも役立つメディエーション入門』和田仁孝監修、弘文堂。

インゴルド、ティム、二〇一七、『メイキング――人類学・考古学・芸術・建築』金子遊・水野友美子・小林耕二訳、左右社。

ウィリアムズ、テリー&ウィリアム・コーンブルム、二〇一〇、『アップタウン・キッズ――ニューヨーク・ハーレムの公営団地とストリート文化』中村寛訳、大月書店。

ウォルターズ、マーク・オースティン、二〇一八、『ヘイトクライムと修復的司法――被害からの回復にむけた理論と実践』福井昌子訳、明石書店。

江原武一、二〇〇七、「大学院教育の改革――九〇年代後半」『立命館高等教育研究』第七号：七五―八八。

緒方正人、二〇〇一、『チッソは私であった』葦書房。

緒方正人（語り）・辻信一（構成）、一九九六、『常世の船を漕ぎて――水俣病私史』世織書房。

緒方正人（語り）・辻信一編著、二〇二〇、『常世の舟を漕ぎて 熟成版』素敬ＳＯＫＥＩパブリッシング。

加藤哲郎、二〇〇七、「ＴＨＥＳ／ＱＳランキングにみる一橋大学とＬＳＥ」http://hermes-ir.lib.hit-u.ac.jp/rs/bitstream/10086/22960/1/0501200201.pdf.

――、二〇一八、「大学のグローバル化と日本の社会科学」『イノベーション・マネジメント研究』一三、信州大学経営大学院。

木村哲也、二〇〇六、『「忘れられた日本人」の舞台を旅する――宮本常一の軌跡』河出書房新社。

――、二〇一八、『宮本常一を旅する』河出書房新社。

小松原織香、二〇一七、『性暴力と修復的司法——対話の先にあるもの』成文堂。

坂上香（監督）、二〇〇四、映画『Lifers ライファーズ——終身刑を超えて』。

——、二〇一二、『ライファーズ——罪に向きあう』みすず書房。

サマーソン、ロザンヌ&マーラ・L・ヘルマーノ編著、二〇一七、『ロードアイランド・スクール・オブ・デザインに学ぶクリティカル・メイキングの授業——アート思考+デザイン思考が導く、批判的ものづくり』久保田晃弘監訳・大野千鶴訳、ビー・エヌ・エヌ新社。

ゼア、ハワード、二〇〇三、『修復的司法とは何か——応報から関係修復へ』西村春夫・細井洋子・高橋則夫監訳、新泉社。

——、二〇〇八、『責任と癒し——修復的正義の実践ガイド』森田ゆり訳、築地書館。

高橋則夫、二〇〇三、『修復的司法の探求』成文堂。

田中圭子、二〇一二、『聴く力 伝える技術——人間関係の誤解を解くメディエーションの極意』日本加除出版。

鶴見俊輔、一九九九（一九九二）、『限界芸術論』ちくま学芸文庫。

寺澤恵、一九八六、「商業英語教育の変遷——商法講習所時代」『英学史研究』一九八七（一九）：五一—六六。

内藤正典、一九九六a、『アッラーのヨーロッパ——移民とイスラム復興』東京大学出版会。

——編著、一九九六b、『もうひとつのヨーロッパ——多文化共生の舞台』古今書院。

中沢新一、二〇〇六、『芸術人類学』みすず書房。

中原佑介編著、二〇〇一、『ヒトはなぜ絵を描くのか』フィルムアート社。

中村寛、二〇一二、「文化運動としてのハーレム・ライターズ・クルー——人類学とアートの結節点の探求のために」『多摩美術大学研究紀要』No二七：一四一—一五五。

——、二〇一五、『残響のハーレム——ストリートに生きるムスリムたちの声』共和国。

——、二〇一六、「メディエータートレーニング——二〇一五年九月五日、六日のトレーニングに参加して」『News Letter』六。

——、二〇一七、「アメリカの外、歴史／文化の外、言葉の外——ニューヨーク・ハーレムのフィールドワークの方法について」『アメリカ史研究』第四〇号。

中村寛編著、二〇一三、『Lost and Found——同時代とアートを切り結ぶ』人間学工房。

——、二〇一四、『Lost and Found vol.2——個+個=同時代』人間学工房。

——、二〇一五、『芸術の授業——Behind Creativity』弘文堂。

——、二〇一六、『Lost and Found vol.3 ——生きなおす、同時代』人間学工房。

——、二〇一七、『Lost and Found vol.4 ——同時代を旅する』人間学工房。

——、二〇一九、『Lost and Found vol.5 ——期待と回想の同時代』人間学工房。

新原道信編著、二〇一六、『うごきの場に居合わせる——公営団地におけるリフレクシヴな調査研究』中央大学出版部。

——、二〇一九、『〝臨場・臨床の智〟の工房——国境島嶼と都市公営団地のコミュニティ研究』中央大学出版部。

フーコー、ミシェル、一九九五、『知の考古学』中村雄二郎訳、河出書房新社。

——、二〇二〇a、『言葉と物——人文科学の考古学』渡辺一民・佐々木明訳、新潮社。

——、二〇二〇b、『狂気の歴史——古典主義時代における』田村俶訳、新潮社。

ブルデュー、ピエール、二〇〇二、「コレージュ・ド・フランス最終講義　社会科学はなぜ自己を対象化しなければならないのか」加藤晴久訳、『環』九。

——、一九九一、『社会学の社会学』田原音和監訳、藤原書店。

——、一九九七、『ホモ・アカデミクス』石崎晴己・東松秀雄訳、藤原書店。

マーフィ、ロバート・F、一九九七、『ボディ・サイレント——病いと障害の人類学』辻信一訳、新宿書房。

宮沢賢治、二〇〇三、『農民芸術概論』青空文庫。

宮本常一、一九九三、『民俗学の旅』講談社学術文庫。

メルッチ、アルベルト、二〇〇八、『プレイング・セルフ——惑星社会における人間と意味』新原道信・長谷川啓介・鈴木鉄忠訳、ハーベスト社。

森岡正博、一九九八、「総合研究の理念——その構想と実践」『現代文明学研究』一：一—一八。

レヴィ＝ストロース、クロード、二〇一六、『神話と意味』大橋保夫訳、みすず書房。

ローゼンバーグ、マーシャル・B、二〇一八、『NVC——人と人との関係にいのちを吹き込む法』安納献監修・小川敏子訳、日本経済新聞出版社。

Anderson, Benedict. 2006. *Imagined Communities: Reflections on the Origin and Spread of Nationalism*. Verso.

Asad, Talal. 2003. *Formations of the Secular: Christianity, Islam, Modernity*. Stanford University Press.

Clarke, Alison. 2017. *Design Anthropology: Object Cultures in Transition*. Bloomsbury Publishing.

Daniel, Valentine E. 1996. *Charred Lullabies: Chapters in an Anthropography of Violence*. Princeton University Press.

Darian-Smith, Eve, and Philip C. McCarty. 2017. *The Global Turn: Theories, Research Designs, and Methods for Global Studies*. Univ of California Press.

Duran, Khalid. 1997. "Demographic Characteristics of the American Muslim Community." *Islamic Studies*, 36 (1): 57–76.

Fukuyama, Francis. 2006[1992]. *The End of History and the Last Man*. Simon and Schuster.

Gunn, Wendy, and Jared Donovan. 2016. *Design and Anthropology*. Routledge.

Gunn, Wendy, Ton Otto, and Rachel Charlotte Smith. 2013. *Design Anthropology: Theory and Practice*. Taylor & Francis.

Huntington, Samuel P. 2007. *The Clash of Civilizations and the Remaking of World Order*. Simon and Schuster.

Kittler, Friedrich A. 1999. *Gramophone, Film, Typewriter*. Stanford University Press.

Mbembe, Achille. 2019. *Necropolitics*. Translated by Steve Corcoran. Duke University Press.

Pandey, Gyanendra. 2006. *Routine Violence: Nations, Fragments, Histories*. Stanford University Press.

Pink, S., Y. Akama, and S. Sumartojo. 2018. *Uncertainty and Possibility: New Approaches to Future Making in Design Anthropology*. Bloomsbury Publishing.

Schlesinger, Arthur M. 1998. *The Disuniting of America: Reflections on a Multicultural Society*. W W Norton & Co Inc.

Steger, Manfred B., and Amentahru Wahlrab. 2016. *What Is Global Studies?: Theory & Practice*. Routledge.

Stoller, Paul. 2010. *Money Has No Smell: The Africanization of New York City*. University of Chicago Press.

第二部　グローバル・スタディーズへの交差

第五章　歴史研究における「グローバル論的転回」の変革力
——個人的回想

ディエゴ・オルスタイン
吉濱 健一郎訳

歴史学は、現在の喫緊の問いを過去に投げかけることによって、繰り返し新たな活気を得てきた。一つ前の世代において、進行するグローバル化は、同時代的に相互に接続する私たちの世界と共鳴しながら、国家的、地域的な境界を越えて過去を追跡しようとする集団的な取り組み、すなわち「グローバル論的転回（global turn）」を引き起こした。その結果、社会的および文化的分析に関するすでに確立された方法論と、学問内の境界を乗り越える最近のアプローチが組み合わさることによって、歴史学は成長し続けている。研究者としての私のキャリアは、時間的にこの歴史学の発展と完全に重なっており、このパラダイムシフトと密接にからみあっている。

私の当初の主要な研究テーマであった、中世スペインにおけるイスラム教徒、キリスト教徒、ユダヤ教徒の遭遇と紛争についての研究において、中心課題は社会的および文化的関心だった。そのような多民族、多宗教、多言語社会とは、中世地中海世界における文化間の相互作用という、より広い潮流がもたらした一部であり、思い返せば、そうした研究こそが、私自身の「グローバル論的転回」にむけた足掛かりにもなっていた。これは最終的に、私たちが閉じた境界を越えて過去を追跡することを可能にする多様な手法についての研究として実を結んでいった。全体として、私の研究者としての経験は、語学の専門知識とアーカイヴ調査を土台としながらも、「グローバル論的転回」によって開かれたより広い領域へと向かう、社会および文化の徹底的な分析であったのだ。この傾向は、私の研究、教育、そして共同研究のなかにつねに見出すことができる。

私は、カスティーリャ王国による征服後のトレド（一〇八五年）と農村地域の研究で、都市と周辺地域の双方に存在した二つの最大のグループ、つまり北部から入植してきたキリスト教徒と、アラブ化されたキリスト教徒といわれている現地のモサラベの人々とのあいだの相互作用パターンを再構築することを試みた。一世紀にわたる自発的な分離ののち、一一八〇年代までには始まっていた混合プロセスは、人口統計上の漸進的な景観の同質化、コミュニティ間の経済的関係性および隣接するもの同士の関係性の発展、通婚率の増加に見てとれる。その結果として、アラブ化されたキリスト教徒はついに、彼らのアラビア語を犠牲にして次第にロマンス諸語（中世スペイン語）を採用し、彼らのアイデンティティを再定義しながら、一四世紀をとおして新たな社会に同化していったのだ。しかし、そのように自身が同化するなか、モサラベのコミュニティは、アラブおよびムスリムの経済、法および公証に関する遺産の一部を北部のキリスト教徒に与えることで、一方ではこれらのキリスト教徒を変容させたのである（Olstein 2006; 2011）。

征服と入植、文化伝播、文化変容および同化は、私が著書『歴史をグローバルに考える』（*Thinking*

History Globally)(二〇一五)で検討した越境という主題の一部にすぎない。同書のなかで私は、閉じた境界を越えた分析の枠組みとなる歴史学の一二の部門(branches)を特定した。すなわち、比較歴史学(Comparative history)、関係史(Relational history)、国際関係史(International history)、越境史(Transnational history)、海洋史(Oceanic history)、グローバル・ヒストリー(Global history)、世界史(World history)、ビッグ・ヒストリー(Big history)、グローバル化の歴史(History of globalization)、歴史社会学(Historical sociology)、世界システム・アプローチ(World-system approach)、そして文明分析(Civilizational analysis)である。そのうえで私は、これら一つひとつの部門が、専門家団体、専門誌、叢書(そうしょ)、会議に代表される特有の社会ネットワークだけでなく、歴史研究についてのひとまとまりの指針と方法論を作り上げていることを示した。

著書ではこれらの一二の部門を、それぞれの特異性を超えて、歴史をグローバルに思考するための四つの大きなC――比較(Comparison)、接続(Connection)、概念化(Conceptualization)、文脈化(Contextualization)――のもとに配置している。比較することと接続することは、歴史をグローバルに思考するための二つの主要な戦略である。比較とは、二つ以上の分析単位を併置し、類似点と相違点の記述や分析を行なうことである。接続とは、二つ以上の対象を組み合わせ、それらの相互依存関係を評価することであり、それにより片方のまたは両方の対象が関与する歴史の軌跡を解明することができる。社会科学的思考法と組み合わせながら比較と接続に持続的に取り組むことで、歴史をグローバルに思考するうえでの第三の戦略である、概念化が可能となる。概念化とは、特定の現象についての比較と接続による累積的な結論を、概念によって表わされる抽象のレベルへと移行することである。ここでいう概念は、調査中の現象を定義し、その現象が起こり得るための必要十分な条件を明らかにするものである。また概念化により、ある現象が発生し展開する様相を形式化する明確なモデルを作り上げることができる。そして最終的に、研究対象である現象をグローバルな規模で文脈化することにより、私たちは最大の分析枠組みを得ることが可能になる。それによって、別の枠組みですでに十分行なわれた事例研究について、新たな理解、洞察そして意味を獲得することができるのである。歴史をグローバルに思考するためのこれら四つの戦略とそれに適用される一二の部門は、文明の黎明期から現代のグローバル化に至るまでの無数の例によって説明される。以上によって、私は著書『歴史をグローバルに考える』において、「グローバル論的転回」によってひらかれた多様な選択肢への道筋を提示しようと試みたのである。そして付け加えるなら、私たちが真にグローバルな展望を採用することにより達成できるものを示すことで、この著書が「グローバル論的転回」の未来にも貢献できればと願っている（Olstein 2015b）。

そのような展望は、私が「グローバル論的転回」を採用して以来取り組んでいる目下の研究、つまり歴史の特定の時代、特定の地域、または特定の現象についての研究のなかで達成しようとしているものである。特定の時代についての研究の例をあげると、たとえば中世の歴史（紀元後五〇〇―一五〇〇年）を扱うさいに、私は東半球と西半球のいたるところに「初期のグローバルな（proto-global）」接続を探し求めた。アフロ・ユーラシア大陸では、その広大な地域へ新たに農業、都市、国家がそれぞれ広がっていった。商業ネットワークが拡大、強化され、大陸横断的な帝国（すなわち、イスラム帝国、モンゴル帝国）が建設されて、そして普遍的な宗教（すなわち、仏教、キリスト教、イスラム教）が広がった。同時期に、アメリカ大陸においてもこれと類似した力が作用した。具体的には、交易のネットワークがメソアメリカ地域のすみずみまで拡大し、インカ帝国がアンデス地域の大部分を包囲し、帝国の拡大とともにインカの太陽崇拝が各地に広がっていった。私はアフロ・ユーラシアとアメリカの両大陸で見られた二つの展開を比較して、アメリカ大陸における諸接続は、規模ではより小さく、強度ではより緩く、速度ではより遅いということを示した。しかし、両大陸での展開段階に着目すると、その統合力と遠心力の順序が酷似していることがわかった。つまり、両大陸とも、それぞれの古典時代のもっとも大きな政治的実体の崩壊ののちに、政治的分断と交易の衰退が発生しているのである。これらの傾向は両半球に、人口増加、新帝国の出現および新たな商業化を再び生じさせた。さらに、両半球は互いに遠く離れ続けていたにもかかわらず、両半球の統合力——帝国の建設、宗教、交易——が現地の生活状況を侵略した様子は類似している。最後に私は、社会生活のローカルな次元と初期のグローバルな次元との交錯を、グローバル化の歴史の枠組みの中で文脈化した。そして結論部で、構造および過程(プロセス)を生み出すローカルな資源と、この資源に対する「初期のグローバル化(proto-glocalization)」としての外部からの統合力による影響力とのあいだの緊張状態を概念化した(Olstein 2015a)。

次に、「グローバル論的転回」を特定の地域に応用した例をあげよう。ラテンアメリカの歴史についての私の研究はその好例である。論考「グローバル・ヒストリーにおけるラテンアメリカ——歴史叙述的概要」(“Latin America in Global History: An Historiographic Overview”)のなかで、これまで世界史においては三つの分岐の渦中にあったとされているラテンアメリカの歴史を、私は新たに文脈化した。三つの分岐とは、最終氷期の終焉(しゅうえん)(今から約一万五〇〇〇年前)によってアメリカ大陸が残りの世界から孤立したという最大の分岐(Greatest divergence)、一五〇〇年ごろに始まったヨーロッパとアフロ・アジア間での大分岐(Great divergence)、そして植民地時代以前から続くアングロ/英領アメリカ（Anglo/British America）とラテンアメリカ間の分岐（American divergence）である。しかし、「グローバル論的転回」を適用しラテンアメリカをグローバルな文脈で配置し直すと、世界史の文脈とは異なり、ラテンアメリカが世界から二度孤立し、社会経済的、政治的発展の遅れをとったという現象を捉えることができるのである。一度目は最大の分岐、つまり西半球全体が最終氷期の終焉により旧世界から分かれた時である。二度目はアメリカ大陸内での分離であり、ラテンアメリカがアメリカ大陸の北部（アングロ／英領アメリカ）から分かれた時である。この二度目の分岐は、ラテンアメリカが複数の文脈で北アメリカから分岐したことを意味した。すなわち、先コロンブス期の文明が発展した特有の方法で、ヨーロッパ列強により適用された植民地モデルとして、諸独立戦争の力学のなかで、さらに革命後に台頭した共和国が採用した社会経済的および政治的モデルとして、ラテンアメリカはアングロ／英領アメリカとは異なる様相を見せるようになったのである。ラテンアメリカを二度孤立させた、ユーラシアと北アメリカからの二つの分岐――最大の分岐とアメリカ大陸内での分岐――を考慮しつつ、私は、過去五世紀を遡り、そこから現在までを対象として、外国と現地の思想家によるラテンアメリカに対する態度を比較した（Olstein 2017）。そのなかで私は、グローバル・ヒストリーにおけるラテンアメリカの位置付けに対する三種類の根本的な態度――すなわち、第一にラテンアメリカが世界情勢に突如現われ、一四九二年以降のグローバル・ヒストリーに刻まれたという強烈なインパクトへの称賛、第二に世界情勢参入以降のラテンアメリカをめぐる敵意と軽蔑、そして第三にこれらの態度へ異議を唱えることを目指した主張――のあいだにある緊張関係を示した。

最後に、特定の現象に対しても、私がグローバルに思考するための四つのCを適用することを示そう。この代表例は、政治体制についての私の研究であり、そこでは世界のなかの特定の地域ごとに形作られた政治体制の形態（たとえば、ヨーロッパにおける全体主義、ラテンアメリカにおけるポピュリズム、アフリカにおける一党独裁国家）に対してすでに与えられた定義の解体を試みた。この研究では、グローバルな展望を提示することで、それらの政治体制が根底にもつ共通点を明らかにした。ここで扱った政治体制は、脱グローバル化された世界経済の「短い二〇世紀」（一九一四―一九八九年）という共通の文脈のなかで作用していたものである。そのうえで、それぞれの政治体制の共通点に見られるきわめて重要な要素を、私は「反覇権主義的一党制国家の戦略（anti-hegemonic party-state strategy）」と定義した。それは、世界システムのなかでその社会および国家の地位を向上させるという目標をもち、集産主義的なイデオロギーによって導かれた、国家と政党機関という二つの担い手により社会を分担して動かす実践のことである。

こうした概念化は、政治体制内および政治体制間の多様な比較によってより精巧になる。体系的な比較を行なった結果、反覇権主義的一党制国家の戦略は、共産主義体制、ファシズム体制、ポピュリズム体制ならびに民族解放運動体制によってのみ採用されており、他の体制では採用されてこなかったことがわかった。その他の点ではそれぞれ異なるこれらの政治体制は、反覇権主義的一党制国家の戦略を採用したという共通の特徴によって、反覇権主義的一党制国家とはならなかった同じ名を持つ体制よりも、互いによく似たもの同士となったのである。たとえば、スターリン政権下のソビエト連邦や毛沢東政権下の中華人民共和国のような共産主義体制は、反覇権主義的一党制国家の戦略を採用したが、東側諸国の共産主義体制はその戦略をとっていない。さらに、これらの相違は、諸体制の同一カテゴリー内のみならず、特定の同一の体制内ですら生じる。たとえば、メキシコの革命党は、ラサロ・カルデナス政権下では反覇権主義的一党制として機能したが、カルデナスの後継者であるアビラ・カマチョ政権下ではその働きをしなかった。同様に、エジプトの自由将校団は、ナーセル政権下では反覇権主義的一党制国家の戦略として機能したが、サダト政権下ではそうではなかったのである。

短い二〇世紀（一九一四―一九八九年）の期間に反覇権主義的一党制国家の戦略を採った政治体制は、現在までに三四が確認されるが、この政治体制のグローバルな展開は、グローバル化の歴史に文脈化できる。このように文脈化することで、経済のグローバル化の強度と反覇権主義的一党制国家のグローバルな強度のあいだに明確な負の相関関係を見ることができる。経済のグローバル化は、一九世紀初頭から一九二〇年代にかけて増加の一途をたどった。その後一転して展開された経済の脱グローバル化は、一九七〇年代を経てさらに一九九〇年代まで進展したが、この経済のグローバル化の落ち込みと反覇権主義的一党制国家の戦略を採用する政治体制の急増とのあいだには、明らかな相関関係が見て取れる。逆に、経済のグローバル化が一九七〇年代に発生し一九九〇年代より今日まで増大するにつれ、それと反比例するように反覇権主義的一党制国家の戦略はもはや機能しうる政治戦略としては壊滅的な最期を迎えており、ここにも両者の負の相関関係が見出せる。

反覇権主義的一党制国家の戦略のグローバルな展開は、その戦略を採用する複数の体制のあいだに協力関係を促進することはもちろん、それぞれのイデオロギー、技術、政策、制度や専門技術を相互に伝播させながら、体制間に多数の接続を生み出した。それらについて今後研究が行なわれるであろう。共に、もしくはのちに反覇権主義的一党制国家となっていくような、これら複数の体制のあいだに、反乱を弾圧する手法の訓練や普及といった接続を見つけることもできよう。そして、反覇権主義的一党制国と彼らの敵とのあいだについても、たとえば、中央集権化された経済計画、社会動員、集産主義的イデオロギーの利用の観点から、反覇権主義的一党制国家が広範囲にもたらした発想（インスピレーション）

に目を向けることにより、同様に接続を見つけることができるであろう。

私の教育活動を振り返っても、私の出発点は学生に研究主題についての全体像を与えることであった。これは私が担当した中世スペインのコースでも、世界史のコースでも同じだった。長年にわたり私の教員およびメンターとしての大きな目標は、一次資料と近代学問の双方に対して批判的分析および創造的思考を用いる方法を学生に指導することであった。これは首尾一貫して私の教授法の焦点となっている。しかし、私が「グローバル論的転回」にかかわって以降、特に『歴史をグローバルに考える』を執筆して以降は、自分の学生がグローバルに思考するための道具を習得できるような訓練に、よりいっそう力を注ぐようにした。そこでは彼らに比較をデザインし、接続を探し、そして解釈するさいに関連するより広い文脈を特定し、さらに過程や現象を概念的に定式化するようにと指導してきたのである。

しかし、歴史をグローバルに思考することは、方法論上の訓練、研究および教育によって育まれるだけではない。それはまた専門家同士のグローバルな共同研究にも大いに関係している事柄である。これらの経験をつうじて、私たちは多様な視点を獲得し、変化する集団や文脈を把握し、さらには、さまざまな場所とそれらの歴史的軌跡とのあいだの類似点、差異、そして接続からアイデアを得ることが可能となる。五大陸について教育すること、講義すること、研究することおよび出版することをとおして、私は私たちが生きるグローバル化する世界と、その過去について多くのことを学んだ。さらに私は、国境を越えたグローバルな組織を設立し、ネットワークを生み出し、それらを拡張することのうちに、グローバルに成長しつつある歴史研究に貢献するもうひとつの立脚点を見出した。そのため、私は世界中の世界史とグローバル・ヒストリーの学者たちが集うあらゆる団体に参加してきた。たとえば、二〇〇八年にグローバル・ヒストリー／世界史研究組織ネットワーク（Network of Global and World History Organizations〔ＮＯＧＷＨＩＳＴＯ〕）が設立された。この団体は各地域にある団体をとりまとめる連合組織として機能するもので、世界史学会（World History Association〔ＷＨＡ〕）と普遍史／グローバル・ヒストリーのヨーロッパ・ネットワーク（European Network in Universal and Global History〔ＥＮＩＵＧＨ〕）によって立ち上げられた。アジア世界史学会（Asian Association of World Historians〔ＡＡＷＨ〕）は二〇〇八年に設立され、アフリカ・グローバル・ヒストリー・ネットワーク（African Network in Global History〔ＡＮＧＨ〕）はその翌年に設立された。二〇一〇年には、ＮＯＧＷＨＩＳＴＯが国際歴史学会議（Comité International des Sciences Historiques〔ＣＩＳＨ〕）に加盟した。二〇一三年の八月にブエノスアイレスで開催された発足会議は、ラテンアメリカのグローバル・ヒストリー研究者の団体であるラテンアメリカ・グローバル・ヒストリー・ネットワーク（Red Latinoamericana de Historia Global）発展の基礎を築いたのである。

私が「グローバル論的転回」を採用したことによって生じた職業上の重要な転換のひとつは、中世スペインの歴史学者として所属していたイェルサレムのヘブライ大学から、ピッツバーグ大学に移籍し、世界史の歴史学者へと転向したことである。同大学では世界史研究者としての職務につきながら、私はワールド・ヒストリー・センターの副所長を務めた。二〇一六年には、同センターが同校のグローバル・スタディーズ・センターと共同で、グローバル・スタディーズ研究の世界的ネットワークであるグローバル・スタディーズ・コンソーシアムの年次総会のホストを務めた。組織委員会の一員として、私は産業化、脱産業化、ポスト産業化というテーマのもとで街の歴史ツアーを企画し、参加者に、これら三つの過程がピッツバーグやその他の都市で世界的に展開されてきた様相を比較しながら考察するよう促し、大きな反響を得た。

このコンソーシアムの年次総会への参加が、一橋大学の地球社会研究専攻との関係の道を開いた。二〇一九―二〇二〇年度の期間、私は同大学の社会学研究科で客員教授として研究に従事し、教鞭をとる機会を得た。その間私はグローバル・ヒストリーについて総合的に論じた初の著書となる『現在の略史』（*A Brief History of Now*）（二〇二一）の完成に取り組んだ。本書で私は、グローバル・ヒストリーの利点を活用し、現在の五つの主要な過程を、全世界の現在までの一七〇年間の、より広い文脈を提示するグローバル・ヒストリーの観点から考察している。これらの五つの主要な過程とは、グローバル経済に対する増大する抗議、アメリカによる世界覇権の衰退、権威主義および非自由主義的民主主義による自由民主主義の置換、複数の社会経済的格差の拡大、ならびにテクノロジーの大躍進による変革である。このようなグローバルな鳥瞰図によって、これら五つの過程――経済のグローバル化、覇権的世界秩序、政治体制の周期、社会経済的不平等、テクノロジーの大躍進――のそれぞれの展開に見出すことができる長期間持続するパターンと、各過程の相乗効果を可視化し、探究することができるのである。

きわめて簡潔にいうと、世界の諸社会は、産業革命と情報革命という二つの根本的なテクノロジーの大躍進に依存しながら、イギリスとアメリカによる二つの覇権的世界秩序および、それと同時に生じた経済のグローバル化というこの二つの波（一八五一―一九二九年と一九七三年以後）を経験して今に至っている。これら両方の波のもとに、民主主義体制の急増（いわゆる民主主義の第一と第三の波）と、増加する社会経済不平等の増加とが、同時に発生した。これに対して、二つの波に挟まれた期間（一九二九―一九七三年）は、経済の脱グローバル化、単一の力による世界覇権の不在、根本的な改革には至らないテクノロジーの諸躍進、権威主義的体制と修正主義的体制の急増、ならびに社会経済的不平等の縮小を経験したのである。このパターン化された時代区分を可視化することで、私たちの現在は、一見関連性のないようにみえる発展が無際限に集積したものではもはやなくなり、長期の時系列と合致する理解可能な一連の過程として立ち現われる。すなわち、私たちの現在は、これまでのグローバル化、覇権、そして民主主義に対する新たなバックラッシュを示しているのである。

しかし、現在は先の三段階と比較して、動向の組み合わせがきわめて特有である。今日の世界では、経済のグローバル化、世界覇権、民主主義のすべてが衰退傾向にある一方で、社会経済的格差が拡大し、革新的なテクノロジーの躍進が多数起きている。現在のこの類を見ない特徴は、パターンというものには限界があるということを明確に示している。著書『現在の略史』は、繰り返すパターンとその限界の双方を活用することで、過去を把握し現在の理解へと導くのである。

思えば、「グローバル論的転回」を採用した研究、出版、教育、そして共同研究は、私自身のアカデミック・キャリアのなかでもっとも重要な転換点のひとつであり、それは私の知の領域を大いに拡張し、私の人生に絶えず変革をもたらしてきたのである。

◉参考文献

Olstein, D. 2006. *La era mozárabe: los mozárabes de Toledo (siglos XII y XIII) en la historiografía, las fuentes y la historia*, Salamanca: Ediciones Universidad de Salamanca.

——. 2011. “The Mozarabs of Toledo (12th-13th Centuries) in Historiography, Sources, and History.” In *Reihe Geschichte und Kultur der Iberischen Welt*, edited by Herbers, Klaus and Mattias Maser, Berlin: Lit Verlang, 151–186.

——. 2015a. "'Proto-globalization' and 'Proto-glocalizations' in the Middle Millennium." In *Cambridge World History. Vol. 5: Expanding Webs of Exchange and Conquest, 500–1500 CE.*, edited by Kedar, Benjamin and Merry Wiesner-Hanks, Cambridge University Press, 665–684.

——. 2015b. *Thinking History Globally*. Palgrave Macmillan.

——. 2017. "Latin America in Global History: An Historiographic Overview", *Estudos Historicos*, Vol.30, No.60, 253–272.

——. 2021. *A Brief History of Now*, Palgrave Macmillan.

第六章　グローバル・スタディーズは記憶研究と交差しうるか

林志弦（イム・ジヒョン）
梅垣緑訳

この章タイトルの問いへの私の答えは「イエス」である。本章ではなぜ、どのように「イエス」となるのかについて、「グローバルな記憶の研究」と「グローバルな記憶の社会運動（アクティヴィズム）」の交差点に注目しながら説明したい。またこのエッセイは、すでに完成した構造物を点検するというよりは、こうした交差点が構築される過程についての言ってみれば参与観察のようなものである。

◉グローバルな記憶の研究

議論の余地はあるかもしれないが、三度目のミレニアムが始まった二〇〇一年頃を境に「グローバリゼーションにおける言説の焦点は想像力から記憶へと移っていった」(Assmann and Conrad 2010: 1)。「記憶の地形（mnemoscape）」[*1]、すなわち社会的記憶の地形学とでもいうべき領域は、グローバリゼーションの空間的転回によって、もっとも劇的に再構成された領域だった。ダニエル・レヴィとナタン・

シュナイダーによれば、こうした記憶の地形が変化した結果、ナショナルな記憶文化からコスモポリタンな記憶文化への移行、すなわち「内面的グローバリゼーション」が起こったのである（Levy and Sznaider 2002: 87）。グローバルな記憶空間は、集合的な記憶の正当な容れ物であった国民国家への挑戦として現われてきた。国境から解放されることによって、記憶は絡み合い、共生し、和解し、対立し、交渉するようになった。グローバルな記憶空間が出現すると、「記憶活動家（**memory activist**）」たちは文化の境界線を行き来するようになり、作家や、文化的プロジェクトのプロデューサー、パフォーマンスの表現者、放浪する知識人、教師、編集者、翻訳家などに続く、世界の歴史と文化の代弁者となった。グローバルな記憶の移動や相互作用が起こると、それまでつながりを持たなかった歴史的アクターと記憶運動の活動家が、現実には絡み合った歴史が存在しない場合においても、事後的にグローバルな記憶空間のなかでその記憶が接続されることになった。絡み合っているのは歴史や文化ではなく、記憶なのである。

共産主義体制が崩壊した一九九〇年代、グローバルな記憶の形成とローカルな記憶の感受性の相互作用はいっそう複雑さを増した。冷戦の雪解けは、あたかも東欧における共産主義体制下の公的な記憶を置きかえていくかのごとく、スターリン主義の暴虐に関する地域固有の記憶の雪崩（なだれ）を触発した。それまで抑圧されてきたスターリン主義の暴虐とナチへの協力の記憶は解放され、凍結されていた記憶が解凍されることによって、東欧版の「歴史家論争*2（*Historikerstreit*）」が起こることになった。共産主義体制の崩壊は、アジア、アフリカ、ラテンアメリカにおいても同様に、西欧列強の植民地支配の残虐行為に関する記憶の氷を解かすことになった。西側諸国はもはや植民地時代のジェノサイドや残虐行為の記憶を周縁化させておくことはできなくなったのである。ソ連の共産主義から西欧文明を守るという、プロパガンダ的な責務がその歴史的な力を失ったからである。冷戦のイデオロギー的な制約から解放されることで、ホロコーストの犠牲、植民地時代のジェノサイドの犠牲、スターリン主義の悪行の犠牲という三重の犠牲者としての意識が冷戦後の時代にグローバルに絡み合うことになった。[*3] この新しい記憶の地形が意味するのは、はるかに広い範囲の抑圧された記憶が凝縮していくということである。

とりわけ、戦後にホロコーストとポストコロニアルな記憶が絡み合ってきた現象は興味深い。二〇一二年一二月六日、オーストラリア・アボリジニ同盟は、一九三八年に「水晶の夜（クリスタル・ナハト）（Kristallnacht）」が起こった当時にオーストラリアで行なわれた反ナチの抗議行動を再現した。これはオーストラリアにおけるポストコロニアルな記憶とホロコーストという並行するふたつの記憶が合流した一例である。また、二〇一一年一二月一三日にニューヨークのクイーンズボロ・コミュニティ・カレッジで韓国人「慰安婦」被害者とホロコースト生存者の集会が開催されたが、これもそのよい一例である。また、一九七〇年代初頭にアムステルダムの博物館「アンネ・フランクの家」が会場を提供し、「オランダ反アパルトヘイト連盟」によって主催された一連の「南アフリカにおけるナチズム」展は、ポストコロニアルな記憶とホロコーストの記憶の相互作用を示している。さらに遡って一九五一年には、アフリカ系アメリカ人の共産主義者がアメリカの奴隷制をジェノサイドだと認めるよう請願した事例もある。アメリカでは、アメリカ先住民の権利運動の活動家がクリストファー・コロンブスとハインリヒ・ヒムラー[*4]を辛口に比較したことから分かるように、ホロコーストに共鳴して、一五世紀にまで遡ってコロンブスが新大陸を植民地化したことが論じられている（Gilbert 2012: 366–393; https://muse.jhu.edu/ 374–375; Curthoys and Docker 2010: 16–21; Churchill 2003: 26; Lim 2015, 698–724）。

ホロコーストと植民地支配のジェノサイドの記憶が絡みあうことで、ナショナルな経験は縦横に交差するグローバルな説明責任にさらされ、記憶の治外法権とでもいうべきものが生じる傾向にある。「コソボコースト（**Kosovocaust**）」という言葉が示すように、ホロコーストのコスモポリタン化はホロコーストの記憶をコソボ、ルワンダ、スーダン、そして今日のミャンマーなどにおけるジェノサイドと民族浄化を現代的な感覚へと置き換える。しかしながら、グローバルな記憶空間は、集団的記憶の脱国民国家化を必ずしも保証するものではない。むしろ、犠牲者意識ナショナリズムに基づいたトランスナショナルな歴史は、国境の内部におけるコスモポリタンな記憶の再領土化を引き起こしている。ホロコーストが人類の悲劇の雛形として使われるように、誰がもっとも苦しんだかということをめぐる犠牲者意識の論争は、いっそう不愉快なものになっているのである（Lim 2010: 138–162）。絡み合った記憶は、記憶をめぐる争いをグローバルに激化させるだけでなく、国家、ナショナリティ、エスニシティ、そして人種間の記憶をめぐる連帯を強めるものである。このようにしてグローバルな記憶空間は、記憶の脱領土化と再領土化、連帯と争いのあいだで揺れ動いている。

アウシュヴィッツと広島・長崎の記憶の絡み合いは、グローバルな記憶空間の両義性を示している。一九四五年一一月二三日に長崎で原爆犠牲者の追悼ミサが行なわれた際、永井隆[*5]は原爆が炸裂した浦上教会について言及し、「即チ、世界戦争ト云フ人類ノ罪ノ償ヒトシテ浦上教会ガ犠牲ノ祭壇ニ供エラレタノデアル、イト潔キ羔トシテ選バレ屠ラレ燃サレタノデアルト、私ハ信ジタイノデアリマス」（**Konishi 2014: 58, 61**）と弔辞のメッセージを伝えた。興味深いのは、永井が日本の被爆者の崇高な世界的贖罪の苦しみを表現するために、旧約聖書創世記第二二章の「ホロコースト」という単語の日本語訳である「燔祭」を選んでいることである。「ホロコースト」という言葉がイスラエルやいわゆる「西側」でも一九五〇年代後半まで知られていなかったことを考えると、永井のこのスピーチは戦後、世界でもっとも早く「ホロコースト」を公的な場で使った記録の一つということになる。このように戦後の日本においては、アウシュヴィッツと広島は人類による大量死の恐るべき双子の象徴として頻繁に言及され、また白人による差別の典型的な例であるとも指摘されてきた（Buruma 2002: 119–126; Dower 2002: 226）。こうした単純化された並置法において絶対的な悪の象徴として脱文脈化されたホロコーストは、換喩表現として広島・長崎のナショナルな犠牲者意識を正当化し、記憶を領土化する役割を果たしたのである。

　このように、グローバルな記憶空間は、脱領土化と再領土化の間で揺れ動く。三重の犠牲者意識（つまり、ホロコースト、植民地時代のジェノサイド、スターリン主義の悪行の犠牲者としての意識）がグローバルに絡み合うことにより、自分たちのナショナルな不満を国際的に認めてもらうための闘いが激化し、歴史的な信憑性をめぐる闘いが繰り広げられる。三重の犠牲者意識が記憶において合流し、冷戦後のグローバルな記憶形成を構造化した。グローバルな記憶形成は、ホロコーストのようなグローバルな犠牲者化の定型化されたモデルと、ローカルな感受性との間で揺れ動きながら、常に生成されつづけている。ここでは、グローバルな記憶空間を、ある事実や状態として想定しているのでもなければ、その中で別々の記憶が単純にまとめられたり、並列に比較されたりするということが言いたいのでもない。ここでいう形成（formation）とは、構造化というよりむしろ作り上げるプロセスを意味しており、犠牲者意識の三連構造がどのように絡み合ってきたのかという問題を精査することで、二一世紀におけるこうしたプロセスの動態に光を当てることができるのだ。私はここに、グローバルな記憶空間という静的な表現と対照させるという意味で、生成のプロセスを重視する「グローバルな記憶形成」という言葉を提案したい。そうすることで、グローバルな記憶の形成に関わるあらゆる研究を、この「グローバルな記憶の研究」の範疇に組み込むことができる。

グローバルな記憶の研究は、世界中の記憶が結合することによって、対立する二つの記憶のパフォーマティヴィティ――批判的なものと弁護的なもの――の衝突が引き起こされることを示す。第二次世界大戦の記憶は、被害者と加害者、犠牲者性と行為者性、傍観者と共犯者、勝者と敗者、抵抗と協力、帝国と植民地、占領と解放、独裁と民主主義、強制と同意、英雄と悪役、男と女、捕縛者と囚人、兵士と民間人、そしてその他の競合する記憶の組み合わせを含む、多様でしばしば対立する視点の記憶によって形成されてきた。二〇世紀後半のほとんどの間において、第二次世界大戦と折り合いをつけていくことはナショナルなプロジェクトであり、しばしばナショナルな謝罪の記憶につながっていた。競合する記憶の問題は、一つの国のなかの排他的なものとみなされていたため、しばしば二元的なシステムのなかで説明されてきた。キャロル・グラックが述べているように、その結果生じたのは「『世界』を無視した『世界』大戦の記憶」(Gluck: 2007, 48) であった。こうした「ナショナルな専制 (*la tyrannie du national*)」(Lagrou 1999) から記憶を救い出すことは、記憶することにおけるグローバルなパフォーマティヴィティの明確化を必要とする「道徳上の問題」である。この道徳上の問題は、戦争や独裁、植民地主義、ジェノサイドなどの断片化された記憶を批判的に比較することを通じて、和解が可能な、あるいは少なくとも共生が可能なグローバルな記憶文化を創造するのである。

否定の言説とナショナリストの弁明的な記憶もまた、グローバルに接続している。オーストラリア・ニューサウスウェールズ大学教授のマーティン・クリギアは、次のように指摘している。片方でポーランドのナショナリストがイェドヴァブネ事件[*6]を否定していること、もう片方でオーストラリアの人種差別主義者がアボリジニの子どもたちを両親から引き離すかつての強制移住政策（「盗まれた世代」）（Krygier 2002: 297–309）を擁護していることを挙げ、これらの間に類似性があることを説得的に示した。このクリギアの分類学的なアプローチは、「慰安婦」の苦しみ、南京の虐殺、旧ドイツ軍の残虐行為、南アフリカのアパルトヘイト、ベトナム・ソンミ村虐殺事件や韓国・老斤里（ノグンニ）虐殺事件といった軍隊による直接の虐殺、ホロコーストなど、さまざまな出来事の否定論者にも適用できる。自己中心的なナショナリズムにおける免罪の記憶は、歴史的には直接の相互作用のないグループ間に新たなつながりを生み出すことになった。それほど明示的ではないにせよ、たとえばイェドヴァブネ事件と旧ドイツ軍の戦争犯罪に関する展覧会の例のように、その新しい同盟関係が判明しつつある（Forecki 2010: 309）。否定の言説は、加害者側が過去の虐殺をあからさまに否定することから、被害者側が「虐殺はいたるところに存在する」として虐殺を陳腐化し、間接的に虐殺を否定することまで、広い範囲にわたっている。今やホロコーストの否定は一つの産業の体をなしている（Behrens, Terry, Jensen, eds., 2017: 2）。それはポーランドのイェドヴァブネ事件や、オーストラリアの盗まれたアボリジニの子どもたち、旧日本軍の「慰安婦」、アルメニア人虐殺、その他の植民地時代の大量虐殺や残虐行為を含む数々の残虐行為を否定し、また打ち消すための鋳型（いがた）としての様式を提供しているのである（Miles 2009: 507, Michael 2007: 667–669）。否定論者の国際的連帯もまた、グローバルな記憶の研究が取り組む必要のある領域であろう。

◉グローバルな記憶のアクティヴィズム

記憶のアクティヴィズム（memory activism）とは、下からの記憶の変革を目指す非国家的で公に開かれた主張運動のことを意味する。とりわけグローバルな記憶空間における記憶のアクティヴィズムは、多国籍なアクターを中心として担い手が構成されているため、ナショナルな記憶を脱領土化する傾向がある。しかし、グローバルな記憶のアクティヴィズムは、下からの記憶のナショナリズムの温床にもなりうる。記憶のコスモポリタン化は、期せずしてグローバルな記憶のナショナル化をも促進することがある。グローバルな記憶のアクティヴィズムの活動家は、意図しているかどうかにかかわらず、市民社会での記念式典や、市民による再現イベント、国境を越えた市民裁判などを実行することによって、大衆的なナショナリズムを助長することがある。こうした実践は、個人を受動的な観客から、社会的・道徳的な責任のある主体へと変化させる。記憶のアクティヴィズムは地域ごとの固有の記憶に関するパフォーマンスを行ない、草の根レベルでのナショナリズムを定着させる。加えて言えば、記憶のアクティヴィズムはナショナルな記憶の舞台を抽象的で高尚な政治的次元から、日常生活のなかの現実へと移すことで、下からのナショナリズムを強化していくのである。グローバルに見れば、「東側」である東ヨーロッパや東アジアにおいて、多文化主義と歴史的和解を掲げてのトランスナショナルな記憶活動には、実はナショナリズムの亡霊が付きまとっているのである。

多文化主義の目標が掲げられているにもかかわらず、東ヨーロッパの新しい記憶のアクティヴィズムはホロコーストの記憶をナショナルなものにしてしまった。最近のセルビアでの経験はそのもっとも顕著な事例の一つである。ホロコーストの記憶は、セルビアによる一九九〇年代のユーゴスラビア内戦における戦争犯罪と残虐行為の記憶を紛らわすために活性化された。言い換えればホロコーストの記憶は、セルビアの犠牲者意識ナショナリズムに感情的な関心を向けさせる便利な装置となってきたのである。ホロコーストのパフォーマティヴィティは、ユダヤ人とセルビア人の苦しみの間に、犠牲者意識の同盟の道を開いたのである。ホロコーストの記憶を梃子とすることで、相当の時間をかけつつも、セルビア人のファシスト組織チェトニク[*7]の評価を回復させたのである。この同盟における主要な記憶の代理人は、ヤド・ヴァシェム[*8]との緊密な協力のもとで活動する「セルビア正教会主教シノドによるヤセノヴァツ委員会」(David 2013: 65–69, Subotić 2019)である。共産主義体制の崩壊以降、特にセルビアやバルト三国、ハンガリー、ウクライナなどでは、ホロコーストの記憶やシンボル、イメージを流用することで、スターリン主義の恐怖政治下におけるナショナルな犠牲者性が強調されてきた。

ポーランドにおける記憶のアクティヴィズムは、より洗練され、繊細な意味あいを持つ事例だった。イェドヴァブネに関する「ポーランド版歴史家論争(*Historikerstreit po polsku*)」に端を発したモラルをめぐる大転換を経て、ポーランドでは多元主義、多文化主義、そして寛容性を追求する新しい記憶のアクティヴィズムが注目を集めた。ポーランドにおける数多くの多文化主義的な記憶のアクティヴィズムのなかでも特に注目されているのは、ルブリン〔ポーランド東部〕にある「グロツカ門(**Brama Grodzka**)」である。ルブリンの記憶のアクティヴィズムの活動家たちは、ルブリンのホロコーストで殺害されたユダヤ人の少年ヘニオ・ジトミルスキについての記憶を保存するために、「ヘニオへの手紙」というプロジェクトを企画した。これは、二〇〇五年四月一九日の「人道に対する罪の防止とホロコースト追悼の記念日」の制定を祝って開始されたものである。それ以来、このプロジェクトはルブリンのユダヤ人を記憶にとどめるための主な活動の一つになっている。多くの若い学生が何千通もの手紙をヘニオ宛てに送ってきた。ここにはルブリンをはじめとするポーランド内の数十の学校のほか、カナダ、デンマーク、フランス、ドイツ、イスラエル、イタリア、オランダ、ウクライナ、アメリカの学校が組織的に参加している。もちろん、送る手紙はすべて宛先不明扱いとなり、送った封筒は「あて所の住所はもう存在しません」という一文がスタンプされて返送されてくる。そのスタンプが押された手紙は、「存在と不在の両方の物質的所産」として残ることになるのだ。そしてそれは、隣人としてのユダヤ人の過去を共有する多文化主義的なポーランド性と共鳴することになる(Holc 2018: 25, 30)。

しかし、多文化主義的な記憶のアクティヴィズムが、脱領土化された記憶を自然に生み出すというわけではない。マルコバ〔ポーランド南東部〕のウルマ一家の追悼はそのよい例である。二〇一八年、ポーランド議会が三月二四日を「ドイツ占領下でユダヤ人を救出したポーランド人を記念する国民の日」として定めたとき、マルコバのウルマ一家の話が注目を集めた。一九四四年三月二四日、ドイツ軍の憲兵隊がウルマ一家の家を強制捜索し、匿(かくま)われていたユダヤ人を皆殺しにするとともに、六人の子どもを含むウルマ一家を全員射殺した。マルコバで正義のポーランド人がユダヤ人を救出したという記憶は、イェドヴァブネでのポーランド人による加害の記憶を打ち消すことになった。今日の「記憶の地形」におけるポーランド人とユダヤ人の関係は、「マルコバとイェドヴァブネの間のどこかにある」(Bogumił and Głowacka-Gajper 2019: 233) ことになる。ポーランド人がユダヤ人の兄弟の守護者であり、救済者であるという記憶は、ポーランド人が反ユダヤ主義者ではないことを証明するものとして保持されているのである。興味深いことに、「公に偽って」ナチス・ドイツによる犯罪をポーランド人の責任に帰することを禁止するという物議をかもす法案が、このウルマ一家の追悼の記念日を制定する数か月前にポーランド議会で可決されたばかりだった(Aderet 2018)。逆説的に言えば、与党である「法と正義(PiS(ピス))」にいるような地方的なカトリック民族主義の政治家たちには、ポーランド国家の名誉を守る盾としてのポーランド人の正しさにこそ、より関心があるように見える。

宗教としてのカトリックはその性質上、国境を越えた行為者であるが、制度としてのカトリック教会はナショナルな記憶のアクティヴィズムの温床となる。たとえばアウシュヴィッツにおける「十字架戦争」とカウクフ・ゴドフ（Kałków-Godów）における「ポーランド民族の受難」と呼ばれる事例は、カトリック教会と結びついた記憶のアクティヴィズムのパフォーマティヴなナショナリズムを示している。「連帯（Solidarność）」[*9]の元活動家であるカジミエシュ・シュウィトン（Kazimierz Świtoń）は、ホロコーストのさなかでカトリックのポーランド人が処刑されたアウシュヴィッツの砂利採取場に設置されていた高さ八メートルの十字架が撤去されようとした際、「十字架の守護者」というキャンペーンを組織して抗議活動を起こし、十字架を守ろうとした。彼らはユダヤ人による十字架の撤去要求に対抗し、国旗や民族主義的なポスター、反ユダヤ主義的なスローガンでその場所を飾りつけ、さらに約三〇〇もの十字架を新たに建てたのである。ポーランド議会がアウシュヴィッツの周辺に保護区を設ける法律を可決すると、大きな十字架は近くの修道院地区に移された。カトリックの記憶のアクティヴィズムの活動家によって行なわれたこの十字架をめぐる争いは、政府の介入によってようやく終息することになった（Zubrzycki 2006）。

アルメニア系アメリカ人と韓国系アメリカ人が「慰安婦」を記念する正義をめぐって協力したことも印象的である。日本人ナショナリストが韓国人「慰安婦」像に反対するロビー活動を展開したが、それに反してグレンデール市議会は「慰安婦」問題に断固とした対応を取った。米国カリフォルニア州のグレンデール市は、アルメニアの首都エレバンに次いで世界で二番目に大きなアルメニア人居住地である。韓国人「慰安婦」像の除幕式で、あるアルメニア系アメリカ人の市議は、アルメニア人虐殺に関する自身の家族の記憶によって、韓国人「慰安婦」のような問題に対して感受性が高くなったということをスピーチで強調した。また、大規模な人類の残虐行為について調査し、反省するために作られたグレンデールの「リフレクトスペース・ギャラリー（ReflectSpace Gallery）」は、二〇一七年七月二〇日から九月三日までの間、「正しいことを行なう――従軍慰安婦を忘れない（Do the Right Thing: Commemoration of Comfort Women）」という企画展を開催した。この企画展のキーワードは「『語りえない個人的なトラウマ』と『語りたいという人間の深い衝動』のあいだの緊張関係」であり、こうした葛藤はジェノサイドで被害にあったすべての生存者に見出すことのできるものであった（Lim 2020: 15–16）。「慰安婦」たちの国境を越えた記憶のアクティヴィズムが、戦時性暴力に対する世界的な感覚を研ぎ澄まさせることになったのは間違いない。グラックは、「ホロコーストが世界的なジェノサイドの事例となったように、『慰安婦』たちもまた、女性に対する戦時性暴力に関する新しい国際法の基準となった」と述べている（Gluck 2021）。

韓国の民族主義的な記憶運動の主体は、「慰安婦」問題にも介入してきた。二〇一六年、韓国の民族主義的なフェミニズムＮＧＯ「日本によって軍隊の性奴隷に徴用された女性たちのための韓国協議会」は、「軍隊による性奴隷被害者のための記念碑を建立した」という功績を認めて、水原（スウォン）市のヨム市長に特別賞を授与した。「慰安婦」問題の周知とそのグローバル化に貢献した地方自治体の首長を対象にした賞で、ヨム市長が最初の受賞者となったわけである。ヨム市長は、ドイツのバイエルン州にある人口二五〇〇人に満たない小さな村、ヴィーゼントの「ネパール・ヒマラヤ・パビリオン公園」に、「慰安婦」像のレプリカを建立することに貢献したのだった。一体なぜこのネパール・ヒマラヤ・パビリオン公園が建立場所として選ばれたのかということについては、誰も説明しなかった。このイベントは、文脈からも、歴史からも、記憶からも完全に外れた形で行なわれていたのだ。同じ頃、ヨム氏が市長を務める韓国の水原市が属する京畿道（キョンギド）の道議会は、「慰安婦」像を独島／竹島——韓国と日本の間で領有をめぐる激しい論争の対象となっている小さな岩——に建立することを決議した。「慰安婦」の記憶をめぐる運動によって強化された犠牲者意識ナショナリズムは、よりパフォーマティヴで、視覚化され、親密で、そして固定化したものになってきている。

　日本の記憶の地形におけるアウシュヴィッツと広島も、白人による人種差別と大量虐殺についての恐ろしい双子のシンボルとして頻繁に言及されてきた。詩人で平和活動家でもある栗原貞子は、アウシュヴィッツと広島を簡潔なアナロジーで次のように表現した。「世界の二つの大虐殺のうち、アウシュヴィッツは戦勝した連合国の敵によって行なわれた大規模な残虐行為であり、広島・長崎は連合国によって行なわれた大規模な残虐行為である」。アウシュヴィッツが終わった後も、広島は放射線による後遺症に苦しんだことから、アウシュヴィッツよりひどいとも彼女は示唆している（Kurihara 1993: 86–87）。また、一九六二年から一九六三年にかけて行なわれた「広島・アウシュヴィッツ平和行進」の話も興味深い。この行進のリーダーで僧侶でもある佐藤行通（ぎょうつう）は、第二次世界大戦のなかでもっとも苦難と悲劇に満ちたこの二つの場所のつながりを深めることを行進の目的として掲げた。この試みはヨーロッパとアジアをひと続きの記憶空間とした、グローバルな規模の広がりを持つ初めての記憶の巡礼として記録されたものだったのではないだろうか。しかし行進の参加者は、自分たち日本人については「もっとも被害にあった平和主義者」として英雄視する一方、日本の植民地支配と戦時中の残虐行為によって犠牲になったアジアの隣人たちの記憶については忘れてしまっていた。日本の反核平和主義は、「平和主義国家としての将来の結束を促進することに関心はあっても、日本の過去の罪を顧みることにはさほど関心がない」(Orr 2001: 52)。

◉むすびにかえて

グローバルな記憶の研究が観念に関わるものであるとすれば、グローバルな記憶のアクティヴィズムは実践に関わるものである。多くの場合、観念と実践の両方におけるグローバルな記憶の多文化主義的なみせかけは、グローバルな記憶空間におけるナショナルな記憶を正当化することにつながり、その結果、大衆的なナショナリズムをも正当化することになる。ナショナリズムについてもっとも頻繁にみられる誤解の一つは、ナショナリズムはある一つの国のなかで起こるものである、とするものである。ナショナリズムは、ナショナリズムの想像力がトランスナショナルな空間のなかでこそより供給されるという点で、むしろトランスナショナルな条件でのみ起こる現象である。ナショナリズムのトランスナショナル性は、記憶と同様の特徴が認められるのである。グローバルな記憶をめぐる研究と運動は、その地域に固有な記憶についての大衆的ナショナリズムを促進し、定着させうる。そのパフォーマティヴな理論と実践は、しばしば記憶の主体をパフォーマティヴなナショナリズムへと巻き込んでいくのである。しかしながら、観念と実践における「グローバルな記憶」の高まりは、歴史の和解への一歩、そして領土化された記憶体制からの解放への一歩がすでに踏み出されていることを示している。

◉訳注

＊1 「記憶の」「記憶を助ける」という意味の接頭辞"mnemo-"に景観や風景を意味する接尾辞"-scape"をつけた単語。以下「記憶の地形」とする。

＊2 一九八〇年代後半のドイツで起こった、ナチとホロコーストの評価をめぐる論争。保守派の歴史家エルンスト・ノルテが一九八六年六月に『フランクフルター・アルゲマイネ』紙上に発表したナチおよびホロコーストを相対化する内容の論考に端を発し、大きな議論を巻き起こした。

＊3 三重の犠牲者意識については、Lim (2020) に詳しい。

＊4 ヒムラーはナチス・ドイツの幹部であり、ナチ党親衛隊（SS）の全国指導者であった人物。特にホロコーストを直接実行した部隊であるアインザッツグルッペン（特別行動部隊）を率い、虐殺行為を直接的に指示、監督した人物として知られる。

＊5 永井隆（一九〇八―五一）。カトリックの信徒で医師。自分自身も長崎で被爆し、重篤な怪我を負うが、被爆者の救護活動をする。戦後はかねてから患っていた白血病で余命宣告をされるなかで多くのエッセイや論考を残した。

＊6 ドイツ軍占領下の一九四一年七月、ポーランド東部の町イェドヴァブネで起きたポーランド人によるユダヤ人虐殺事件。人口数千人程度の小さな町のなかで、一般のポーランド人住民がドイツ軍に協力して同じ町のユダヤ人住民を積極的に迫害、虐殺したとされ、二〇〇〇年代以降ポーランド国内で大きな議論を巻き起こした。

＊7 元ユーゴスラビア王国軍人であるドラジャ・ミハイロヴィッチが指導し、第二次世界大戦中に活動したセルビアの民族主義的な武装グループ。一九四一年四月にドイツやイタリアを中心とした枢軸国軍がユーゴスラビアに侵攻した当初はこれに抵抗したが、その後協力に転じた。特に一九四一年一一月以降、ファシスト政権下のイタリアの協力のもとボスニア東部などを軍事政権下に置き、同地域に混住していたクロアチア人やムスリムなどに対して大規模な国外追放と虐殺を行なったとされる。

＊8 ホロコーストの犠牲者を公式に追悼し、記念するためにイスラエルの国立記念館。ホロコーストに関連する資料の収集と、ホロコーストの記憶に関する活動や研究への支援を行なっている。

＊9 一九八〇年代、共産主義体制下のポーランドで作られた自主的な労働組合。カトリックの関係者、反ソ連系の左派などで構成され、ソ連が崩壊したあとポーランドが民主化する際に大きな役割を果たした。

●参考文献

Aderet, Ofer. 2018. “Poland to Mark New Holiday Honoring Poles Who Saved Jews During Holocaust.” *Haaretz*. March 15, 2018.

Assmann, Aleida and Sebastian Conrad. 2010. “Introduction.” in Assmann, Aleida and Conrad, Sebastian (ed.). *Memory in a Global Age: Discourses: Practices and Trajectories*. London: Palgrave Macmillan.

Behrens, Paul., et al. (ed). 2017. *Holocaust and Genocide Denial: A Contextual Perspective*. New York: Routledge.

Bogumił, Zuzanna and Małgorzata Głowacka-Gajper. 2019. *Milieux de mémoire in Late Modernity: Local Communities, Religion and Historical Politics*. Berlin: Peter Lang.

Buruma, Ian. 2002. *The Wages of Guilt: Memories of War in Germany and Japan* Korean Translation. Seoul: Hangyŏreh Shinmusa.

Churchill, Ward. 2003. “American Holocaust: Structure of Denial.” *Socialism and Democracy*. vol.17, no.1.

Curthoys, Ann and John Docker. 2010. “Defining Genocide." in Dan Stone (ed.). *The Historiography of Genocide*. Basingstoke: Palgrave Macmillan.

David, Lea. 2013. “Holocaust Discourse as a Screen Memory: the Serbian Case.” in *History and Politics in the Western Balkans: Changes at the Turn of the Millenium*, edited by Jovanovic, Srdan M. and Veran Stancetic. Serbia: The Center for Good Governance Studies.

Dower, John W. 2002. “An Aptitude for Being Unloved: War and Memory in Japan.” in Omer Bartov et. al. (ed). *Crimes of War: Guilt and Denial in the Twentieth Century*. New York: The New Press.

Forecki, Piotr. 2010. *Od Shoah do Strachu: spory o polsko-żydowską przeszłość i pamięć w debatach publicznych*. Poznań: Wydawnictwo Poznańskie.

Gilbert, Shirli. 2012. "Anne Frank in South Africa: Remembering the Holocaust During and After Apartheid." *Holocaust and Genocide Studies*. vol.26, no.3.

Gluck, Carol. 2021. “What The World Owes the Comfort Women.” in *Mnemonic Solidarity in the Global South*, edited by Lim, Jie-Hyun and Eve Rosenhaft. Basingstoke: Palgrave Macmillan.

——. 2007. “Operations of Memory: Comfort Women and the World.” in Jager, Sheila Miyoshi and Mitter, Rana (ed). *Ruptured Histories: War, Memory, and the Post-Cold War in Asia*. Cambridge, MA: Harvard University Press.

Holc, Janine. 2018. *The Politics of Trauma and Memory Activism: Polish-Jewish Relations Today*. Basingstoke: Palgrave

Macmillan.
Konishi, Tetsuro. 2014. “The Original Manuscript of Takashi Nagai’s Funeral Address at a Mass for the Victims of the Nagasaki Atomic Bomb,” *The Journal of Nagasaki University of Foreign Studies*. No. 18.
Krygier, Martin. 2002. “Letter from Australia: neighbors: Poles, Jews and the Aboriginal question.” *East Central Europe*. vol.29.
Kurihara, Sadako. 1993. “The Literature of Auschwitz and Hiroshima.” *Holocaust and Genocide Studies*, vol.7.
Lagrou, Pieter. 1999. *The Legacy of Nazi Occupation: Patriotic Memory and National Recovery in Western Europe, 1945–1965 (Studies in the Social and Cultural History of Modern Warfare Book 8.)* Cambridge: Cambridge University Press.
Levy, Daniel and Natan Sznaider. 2002. “Memory Unbound: the Holocaust and the Formation of Cosmopolitan Memory.” in *European Journal of Social Theory* vol. 5, no.1.
Lim, Jie-Hyun. 2010. “Victimhood Nationalism in Contested Memories-Mourning Nations and Global Accountability” in *Memory in a Global Age*. London: Palgrave Macmillan.
——. 2015. “Second World War in Global Memory Space.” in Michael Geyer and Adam Tooze (ed.). *Cambridge History of Second World War*. Cambridge: Cambridge University Press.
——. 2020. “Triple Victimhood: On the Mnemonic Confluence of the Holocaust, Stalinist Crime, and Colonial Genocide.” *Journal of Genocide Research*, vol.23.
Michael, George. 2007. “Mahmoud Ahmadinejad’s Sponsorship of Holocaust Denial,” *Totalitarian Movements and Political Religions*, vol.8.
Miles, William F. S. 2009. “Indigenization of the Holocaust and the Tehran Holocaust Conference: Iranian Aberration or Third World Trend?” *Human Rights Review*, no.10.
Orr, James J. 2001. *The Victim as Hero: Ideologies of Peace and National Identity in Postwar Japan*. Honolulu: University of Hawaii Press.
Subotić, Jelena. 2019. *Yellow Star, Red Star: Holocaust Remembrance after Communism*. Ithaca: Cornell University Press.
Zubrzycki, Geneviève. 2006. *The Crosses of Auschwitz: nationalism and religion in post-communist Poland*. Chicago: Chicago University Press.

第七章　グローバル・メモリー・スペースにおける コスモポリタニズムとナショナリズムの衝突

ジョナサン・ルイス

1　グローバル化する世界を捉える試み

グローバル・スタディーズとメモリー・スタディーズは共に、冷戦後の世界が直面した政治・経済・技術・文化的な急変への学術的な対応であった。両分野の問題意識と組織化が一九九〇年代後半から二〇〇〇年前半にかけて本格的に始まった。その時期にもう一つ、現代世界を捉え直す試みが始まっていた。それは二〇〇〇年一月に発足した「世界中のボランティアの共同作業によって執筆されるフリーの多言語インターネット百科事典」ウィキペディアである[1]。

メモリー・スタディーズ分野においてもっとも権威のある学術雑誌である『Memory Studies』は二〇〇八年に創刊された。その翌年、同誌の第二巻に「グローバルな記憶の場所としてのウィキペディア」という論文が掲載された（Pentzold 2009）。クリスティアン・ペンツォルドは、ウィキペディア上では集団記憶の形成プロセスが詳細に観察できると指摘した。すなわち、さまざまな背景を持っている編集者が文章の内容について交渉し続けることによって、流動的な「通信型記憶（communicative memory）」が固定された「文化的記憶（cultural memory）」に変わっていくプロセスが明確に示されているという（Pentzold 2009: 264）。

ペンツォルドはケーススタディとして二〇〇五年七月のロンドン同時爆破事件の関連ページを分析した。事件がまだ収束されない段階で、すでに執筆が始まり、まさに「流動」的な状況が徐々にページとして「固定」されていく過程を見ることができるのである。一方、ウィキペディアの立ち上がりより数十年前に起きた、すでに「文化的記憶」として固定された出来事について、ウィキペディア上ではどのような過程が観察できるのであろうか。本章では、なかでも、メモリー・スタディーズ研究者がグローバル化の一つの側面として取り上げる「コスモポリタンの記憶（cosmopolitan memory）」の登場と、以前から根強く存在している「記憶のナショナリズム」がどのような形で現われ、その間にどのような相互作用があるかについて考察を行なっていこう。

まず、ケーススタディとして、英語版ウィキペディアの「comfort women」のページに関する編集活動を分析してみよう。同ページは二〇一五年七月以来、約三百万回のアクセスがあった[2]。世界各地から毎日平均一五二八回のアクセスがあり、数多くの人の「慰安婦」に関する認識や知識に影響を及ぼしている。また、同ページが二〇〇三年八月に作成されて以来、編集者同士の意見対立、いわゆる「編集合戦」が頻繁に勃発（ぼっぱつ）してきた。この「編集合戦」が「コスモポリタンの記憶」対「記憶のナショナリズム」のものであるとすれば、このページを題材として研究する意義は十分にある。

2 「コスモポリタンの記憶」と「記憶のナショナリズム」

「コスモポリタンの記憶」というのは、歴史的な出来事をある特定の時期と場所で、ある特定の加害者と被害者の間に起きたイベントとして認めつつ、実際の加害者および被害者の、他の時代および他の地域に生きる人との共通点を重要視する属性がある。さらに私たちはその記憶において、その出来事から普遍的な教訓を引き出し、過去および現在に世界各地で起こる問題の理解または解決に生かそうとするのである（Levy and Sznaider 2002）。

「コスモポリタンの記憶」が最初に登場したのは、誰もが絶対的な悪の行動として捉えるホロコーストであった。冷戦後にホロコーストから引き出された普遍的な教訓の一つは、集団虐殺を回避することは各国の義務であり、その回避のため他国への軍事介入も認める、「保護する責任（responsibility to protect）」という姿勢であった（Levy and Sznaider 2002: 101）。

ホロコースト以外に、「コスモポリタンの記憶」が形成されてきた出来事がいくつかある。アフリカからアメリカへの奴隷売買、アルメニア人大虐殺、広島・長崎への原爆投下、そして慰安婦制度のいずれに関しても、世界各地の人々は意識し、当事者と何らかの共感を感じたり、自分が置かれている状況との接点を考えたりするのである。

一方、国民の間で共有されている記憶は多くの国民国家においてナショナリズムの要素の一つであるという指摘がある（Calhoun 1997）。東アジア諸国はその例外ではないが、特に高度経済成長後は国民の過去の勝利に加えて、過去の苦痛も強調されるようになった。「被害者ナショナリズム」において自国民は無実な被害者で、加害者は外国や外国人、という二分的な考え方が支配的になり、その単純化された歴史観に合わない事実は抑制される。また、加害国として捉えられている国にも「被害者ナショナリズム」が生じると、両国の間に摩擦（まさつ）が生じ、政治問題にまで発展することがある（Lim 2010）。それが現在、日韓関係で起きていることである。

3 インターネットにある「記憶の場所」

インターネットが可能にした「参加型文化」（Jenkins 2006）では、誰もが情報発信でき、自分の視点や価値観を世界に向かってアピールできる。この現象はもちろん記憶の分野でも生じていて、記憶活動家（memory activists）は従来の物理的な行動に加えて、オンラインで記憶に関する情報発信や交換を活発に行なっている。世界各地に「慰安婦像」を設置する団体がその好例である（Chapman 2020）。

オンラインで記憶活動をする場合、英語媒体の情報発信は国際的にインパクトがあるため、各国の記憶活動家は英語でのコミュニケーションに力を入れている。これは現代的な現象ではあるが、過去にも、社会の急速な変化と共に共通言語が普及したとき、人々が地元の記憶を共通言語で表現し、失われつつある文化を保存しようとする行動があった。たとえば、紀元前三世紀の中東の各地域において、地元の宗教や伝統について、当時の「グローバル言語」になっていたギリシャ語での記述活動が行なわれたことはその良い例であろう（Assmann 2010: 129）。

オフラインにせよオンラインにせよ、記憶活動には費用対効果の計算がある。たとえば、「慰安婦像」

を人通りの多い場所に設置しようとすると多くの人の注目を引く反面、政府から与えられる制限が厳しくなり、設置に反対している団体からの圧力が強くなる可能性がある。オンラインでは活動家は独自のウェブサイト、ブログ、Facebook、Twitter等のアカウントを立ち上げることは簡単であるが、それが注目を浴びる可能性は極めて低い。むしろ、数多くのユーザーが毎日訪れる英語版のウィキペディアのページを編集することによって、活動家は自分の考えを広く宣伝できる可能性がある。しかし、反対の意見を持っている人も同じページを編集する場合、自分の意見や立場が削除されないように耐えずモニターを続ける必要がある。また、ウィキペディアの中心的な原則の一つは中立的な観点(Neutral Point of View; NPOV)[3]であるため、自分が受け入れない視点を継続的に削除する行動はルール違反と判断される可能性があり、場合によって編集を禁止されてしまうことがある。ウィキペディアを編集している記憶活動家はこのNPOV原則を受け入れられないと長期的な参加が難しくなるのだ。

4 「慰安婦」の普遍化

「コスモポリタンの記憶」は前述したように、歴史的な出来事をグローバルな文脈で捉え、そしてその出来事から普遍的な教訓を引き出すという特徴がある。ダニエル・レヴィとナタン・シュナイダーはホロコーストの普遍化へのプロセスには四つの側面があると論じる(Levy and Sznaider 2002: 101)。英語版ウィキペディアの「慰安婦」ページについて考察する際にもこの四つの側面から考えることは有意義である。なお、記憶活動家は出来事によってある側面のみにおいて普遍化を強調し、他の側面においてはより限定的な見方、たとえば国民国家中心的な考えをする可能性がある。

◉被害者の過去

一つ目は、被害者の過去に関する側面である。ホロコーストの場合、その被害者をユダヤ人だけに限定するべきなのか、それともより広く捉えるべきなのか、という問題である。「慰安婦」の場合、被害者は多くの国の出身者であったことは異論のない事実である。また、その大半はアジア諸国の女性であったが、オランダ人の被害者もいたことが、被害者の「普遍化」を一層容易にするといえる。

しかし、「慰安婦」の定義について異議を唱える編集者がいた。彼らは、すべての「慰安婦」を被害者、すなわち「性的奴隷」として認識すべきではないと主張したのである。つまり、セックスワークとまったく関係のない若い女性が騙されたり拉致(らち)されたりして、性的奴隷を強いられた「援助に値する被害者(deserving victim)」と、セックスワークをすでに経験して、そしてある程度覚悟して「慰安婦」になった女性を同じく「被害者」として扱うべきではない、という批判である。この疑問は「慰安婦」以外に、人身売買をめぐる議論でも登場する(Bogdanyi and Lewis 2008: 4)。

また二〇二〇年には新たな展開として、「慰安婦」の中には実は男性もいて、「comfort women」ページに「comfort gays」への言及が追加された[4]。男性被害者の存在を裏付ける書類が登場するまで、ページで触れることを見送ることで議論が一段落したが、今後もしその資料が浮上したら、「comfort women」という表現を含めて、被害者の再定義が必要になる可能性が出てくるだろう。

◉被害者の将来

二つ目は、被害者の将来に関する側面である。ホロコーストに関して、その教訓はユダヤ人だけに当てはまるのか、それとも全人類に当てはまるのか、という課題である。「慰安婦」の場合では、アジア諸国に侵略した日本が再び軍事大国になることを阻止する必要があるという「限定的な」教訓、あるいは、たとえば戦闘地域における性暴力の使用を回避する措置を設ける必要がある、というより普遍的な教訓を引き出すかどうかが、ポイントになるであろう。

ウィキペディアでは、議論が無限に広がってしまうことを避けるため、目下書き込みが進んでいるページ以外のことについては議論しないという原則がある。その結果、「慰安婦」の将来への教訓はトークページ上で話題になることは少ない。一方、ページを開く際、足鎖の絵の上に「奴隷制に関するシリーズの一部」と大きく書かれていることが、「慰安婦」制度を奴隷制という絶対悪のケースとして位置付けていることを物語っていることがわかる。また、足鎖の絵のすぐ下には「Contemporary [slavery]」ページへのリンクが貼ってあり、「慰安婦」問題が現代世界の各種奴隷問題と文字どおりにリンクされている。このようにして「慰安婦」の教訓は全人類に当てはまるということが示唆されているのである。

◉加害者の過去

三つ目は、加害者の過去に関する側面である。ホロコーストの場合に関していえば、ナチスは空前絶後の悪質な人物であったのか、それとも大量殺害を犯した他の人物と性質的に同様であったのか、という議論である。「慰安婦」のページにはたびたび、第二世界大戦の日本軍以外の、組織された軍用売春制度の例を紹介する書き込みがある。その例のなかには「comfort women」という表現が資料で使用されたケースもあった。しかし、この書き込みをすぐに削除するユーザーがいて、このユーザーは長年「番犬」として機能してきた。その「番犬」役の編集者にとって、「慰安婦」ページに他の例を紹介することは、日本軍のもとで行なわれた重大な人権侵害を相対化してしまい、どの国の軍隊も海外駐在するときには必ず起こる問題と本質的に差がない、と犯罪行為を容認することになってしまうのである――

「慰安婦制度に関して、ここに日本のナショナリストが絶えずやってきて、いろいろな形で慰安婦制度を否定することによって、重大な罪の負荷を軽減しようとしている。気に食わない[5]」。

また、ウィキペディア日本語版ページのタイトルは「日本の慰安婦[6]」であり、歴史の中には「日本の慰安婦」以外の「慰安婦」が存在し得るという意味合いがある。一方、英語のページはタイトルを「comfort women」にしながら、「日本の慰安婦」以外のケースを決して掲載しないことで、加害者の普遍化に抵抗しているのである。

◉記憶者の現在

四つ目は、現在における記憶者の側面である。レヴィとシュナイダーによると、それが「誰が記憶するのか、そして誰がホロコーストの『真実』を宣言する権利を持つのか」というポイントになる（Levy and Sznaider 2002: 101）。そもそも、ウィキペディアの目的は「真実を宣言する」という非現実的な理想から意識的に距離をとり、あくまで「記録されていることをまとめる」ことを目指す。ウィキペディアは誰もが編集できるサイトであるため、潜在的には誰もが「慰安婦」の記憶形成に貢献できる。すなわち、記憶活動の普遍化そのものが行なわれているはずである。

しかし、現実はやや違う。まず、初心者ユーザーにとってウィキペディアを編集することは必ずしも容易ではない。数多くのルールとガイドラインと利用に関する記述があり、それをすべて把握することは困難である（Jemielniak 2014: 98–100）。一方、ルールを知らないで思い切って編集すると、加筆したテキストがあるルールに違反していることを理由に削除されてしまう可能性が高い。Ａ・ハルファカーらによると、

ウィキペディアはもはや誰もが編集できる百科事典ではなくなった。今は、規範を理解し、自分を社会化し、半自動的な却下の壁を乗り越え、それでも自分の時間とエネルギーを寄付したい人が編集できる百科事典になっている。（Halfaker et al. 2013: 683）

また、ウィキペディアを編集する際には、アカウントを作った上、ログインして編集することも、ログインせずに編集することもできる。前者の場合、編集歴に自分のユーザー名が記録され、その編集歴が「実績」になり、自分がウィキペディアにいかに貢献しているかを他のユーザーは評価できる。一方、ログインせずに編集する際、アクセスする際のＩＰアドレスだけが記録されるため、「ＩＰユーザー」による編集と言われている。ＩＰユーザーには初心者が多いが、いたずらや破壊的な編集をするユーザーも少なくない。そのため、編集合戦が勃発する時、ＩＰユーザーの破壊行為が原因であることは多い。編集合戦を解決するため、すべての編集を停止させて、編集者がトークページで合意形成を行なうことが原則である。しかし、ＩＰユーザーはトークページ上の議論に参加しないことが多く、また編集の全面禁止が長く続くことは望ましくないため、ＩＰユーザーによる編集だけを不可能

にする「半保護」状態にする措置がある。「Comfort women」ページは二〇〇九年以来、大抵「半保護」状態になっており、保護が外されるとIPユーザーによる荒らしが再び起こる。長期化してしまった「半保護」状態はやむを得ない措置かもしれないが、その結果として、破壊的な編集をするIPユーザーだけではなく、初心者をはじめ、ウィキペディアにまだコミットする決心をしていないユーザーにとって、参加のハードルが高くなってしまう。

また、「現実の世界」と異なり、ウィキペディア上の記憶形成において、専門職の歴史学者が直接に活躍していないことも重要である。大学や学会ではウィキペディアに対する批判が多いため、歴史学者にとって、ウィキペディアを編集することは自分のキャリアのプラスになることはない。そしてウィキペディアにおいて、学位や研究職のような専門性の印は評価されない。「外部の世界」の地位を利用して自分の意見を通すことはむしろマナー違反とみなされている。評価されるのはあくまでウィキペディア内の編集実績と他のユーザーとのやりとりだけである（Jemielniak 2014: 114）。実際、専門職の歴史学者が「Comfort women」ページを編集したとしても、それは密かに行なわれたのである。

このように、ウィキペディアでは「誰にも書く権利がある」という普遍的な原則はあるが、実際に「残る文章を書く権利」は、すべてのユーザーに平等に与えられているわけではない。「慰安婦」のような、意見対立が頻発するページに残る文章を書くために編集者はどのように行動するのであろうか。

5　ウィキペディアの紛争力学

ウィキペディアのユーザー用ガイドラインでは、すべての編集者が納得できる解決が見つかるまで、編集作業としてトークページでの議論を続けることが求められている。[7] ダリウシュ・ジェミールニアクによると、ページを作成するために必要な信頼できる情報源[8]が足りている場合、この合意形成プロセスは効率よく機能する（Jemielniak 2014: 78）。しかし、より複雑な課題に関するページでは、「多くの場合、紛争の解決とは、合意形成メカニズムによって行なわれた結果なのではなく、粘り切って相手を疲れさせた結果なのである」（Jemielniak 2014: 64）。対立の行方には次の四種類がある。

①対立している双方は、自分の主張だけがページに反映されないことを納得し、そしてウィキペディアのルールを守ることを同様に重視している場合。この場合、合意形成ができ、協力的な編集作業が可能になる。

②対立している双方は、自分の主張だけがページに反映されないことを納得しているが、片方がウィキペディアのルールを守ることをあまり重視しない場合。この場合はルールを守っている側は相手のルール違反を長々と詳細に指摘し、最後に違反している側が編集を諦める。そして残った側が支配する結果になる。

③片方または双方は、自分の主張だけがページに反映されないことを納得していないが、双方がウィキペディアのルールを守ることを同様に重視している場合。この場合、双方が各ルールの範囲内で互いの意見をぶつけ合い続ける。全関係者が疲れ切るまで対立が続き、最後は行き詰まりになる。ジェミールニアクが分析する「Gdansk/Danzig」〔グダニスク（ポーランド語）／ダンツィヒ（ドイツ語）〕ページ上の長期合戦はこれに当たる（Jemielniak 2014: 65–77）。

④片方または双方は、自分の主張だけがページに反映されないことを納得しておらず、そして片

方がウィキペディアのルールを守ることをあまり重視しない場合。この場合、ルールを守らない編集者はクレームに晒され、追い出される可能性がある。つまり、主張をウィキペディアに残すためには熱意と忍耐力だけでは足りない。逆に、熱意が溢れるとルールに触れる感情的な書き込みをしてしまい、書き込みをする編集者の立場を弱めてしまう恐れがある。ルールを守ろうとする者はルールを知る必要があるが、ウィキペディアのルールとガイドラインは実に多く、経験の浅いユーザーは思わずそのどれかに触れてしまうことが多い。大抵、ベテラン編集者がミスを説明してくれ10るが、意見が激しく対立している場合、頻繁にルールを破る編集者の主張は通りにくくなるのが通例である。（Jemielniak 2014: 79）

「慰安婦」ページ上の最も激しい対立は二〇〇七年の春に始まり、その年の冬まで続いた。二〇〇七年は、「慰安婦」を含めて、日韓関係の歴史問題を巡る議論がウィキペディアの外でも激化していた年でもある。たとえば、ヨーコ・カワシマ・ワトキンズの自伝的小説『竹林はるか遠く――日本人少女ヨーコの戦争体験記』（一九八六、韓国語版二〇〇五）をまず在米韓国人の団体が批判し、その批判を韓国の新聞が拡大した結果、出版社が販売停止を余儀なくされた（Lim 2010: 141–144）。一方、二〇〇七年三月一六日に衆議院で、安倍政権は野党の議員の質問に対して、「政府が発見した資料の中には、軍や官憲によるいわゆる強制連行を直接示すような記述も見当たらなかった」と答弁した。[9]同じ答弁書には「全般的に、慰安婦問題に関する事実関係、特に、慰安婦問題に対する日本政府の取組に対して正しい理解がされていない」とも書かれていた。

政府答弁の六日前、三月一〇日に、あるユーザー（以下、ユーザーA）が「Comfort women」ページを初めて編集した。このページを合計一六〇〇以上のユーザーが編集しているため、一名だけの編集者を詳しく取り上げることは恣意的と思われるであろうが、ユーザーAは現在も編集回数ランキングで一位を保っている。[10] また、ユーザーAは「記憶のナショナリズム」的な視点から編集を行なうユーザーのなかで、トークページ上の議論に最も積極的に参加した人である。したがって、「慰安婦」関連の「コスモポリタンの記憶」と「記憶のナショナリズム」の対立を観測するには、ユーザーAに焦点を当てることは妥当であろう。なお、ユーザーAはウィキペディア上で実在する人物の名前で名乗り、「現実世界」において誰であるかはほとんど間違いなく特定できるが、ユーザーAはウィキペディア上で自分のアイデンティティについて明言していないため、ウィキペディアの規範に従って、ここでウィキペディア外の「本人」のことには触れない。ユーザーAはより多くの日本語の情報源に基づいた情報を加え、そして欧米マスコミを情報源とした書き込みを削除した。他の編集者は彼の「親日的な」行動に反発し、編集合戦が始まった。ユーザーAはトークページで、自分の意見を頑固に弁解し、意見が合わない相手に対して相当厳しい言葉を使った。また、ユーザーAは自分のブログにおいて、共感する人にページを編集するように呼びかけたことがトークページで報告され、それはさらなる火種になった。

ユーザーAは、「慰安婦」問題を把握するための主たる情報源が西欧言語で書かれていないため、英語版ウィキペディア編集者の大半が情報源を理解できないことを問題視した。編集者は、その結果、他のユーザーは西欧のマスコミで紹介される「反日」的な意見を鵜呑みにしてしまい、日本語の情報源に基づいた書き込みを拒否するのであると主張した。反対していた編集者から見て、ユーザーAのこのような意見はウィキペディアの基本姿勢や意義を疑問視するものであって、その理由から、彼の荒い言葉遣いを我慢すればいつか協力関係ができるという期待を持てないと結論づけた。ついに二〇〇七年一一月に、ユーザーAをブロックするための申請作成が始まったというメッセージがトークページに掲載された。結局ユーザーAはブロックされなかったようではあるが、その九日後、ユーザーAが「慰安婦」ページを最後に編集した。

このケースは上記の紛争解決モデルの④として分類することが妥当であろう。上で触れたように「コスモポリタンの記憶」的な視点から編集を行なっていたユーザーは、日本軍の「慰安婦」制度の相対化に根強く抵抗した。たとえば、戦後日本における米軍用売春制度への言及を拒否した。一方、「記憶のナショナリズム」的な視点から編集をしていた（日本人と思われる）ユーザーは、「日本を尊敬して英語で真実を書く」[11]などと明言した上、「慰安婦」の人数や与えられた条件について異議を唱え、「性的奴隷（sex slaves）」の表現に抵抗し続けた。双方はこの姿勢から譲渡することはなかった。結局、ウィキペディアの体制について疑問を述べた「鼻持ちならぬ」ユーザーAの「引退」で、「編集合戦」がある程度収まったのである。

なお、ユーザーAの「引退」後、意見対立の激しさは落ち着いたものの、今日まで続いている。たとえば二〇二一年二月一五日二一時五四分に、ページの冒頭に書かれた「sex slaves」の後に{{Dubious}}（疑問点）タグを挿入した編集が四分後、前述の「番犬役」を果たすユーザーに削除され、「このページは一七年間、テーマを立派にまとめている。疑問点はない」というコメントであっさり片付けられた[12]。

日本の「記憶のナショナリスト」が「Comfort women」ページ上のコスモポリタン的な文章を「修正」しようとする反面、このページにおいて韓国の「記憶のナショナリズム」がなかなか見当たらないことは興味深い。しばしば「韓国の宣伝者は反日の編集合戦を展開している[13]」のようなクレームは寄せられるが、日本の「記憶のナショナリスト」に相当する韓国の視点を強調するユーザーは目立たない。韓国の記憶活動家による英語版のウィキペディアへの参加の程度と内容は今後の研究テーマの一つであるが、「慰安婦」のページに関して、セバスティアン・コンラートの指摘が有用である――

韓国の市民社会は『慰安婦』を主に帝国主義の被害者として描くことによって、問題をより大きな枠組みの中に位置付けた。そうしていなければ、あくまで『女性問題』として無視されていたであろう。一方、西洋の人権活動家や国際弁護士は『慰安婦』問題を「性的奴隷」という言葉を使って表現した。彼らの目的は、国家が女性に対する暴力を支援した際、法的刑罰を免れないことであったためである。(Conrad 2010: 170)

ページが日韓の「記憶のナショナリスト」同士の衝突の場になっていない一つの原因として、このページの編集に二〇〇八年以来、貢献してきたユーザーBの活躍が考えられる。ユーザーBのプロフィールページによると本人はアメリカ出身で一五年以上のウィキペディア編集歴を誇るベテランユーザーである。特にフィリピン関連のページを編集する実績が多い。「Comfort women」ページの現存するテキストの一〇・六%にあたる一万七八〇一字はユーザーBによって書かれたようである[14]。ユーザーBがフィリピンの歴史に詳しいことが、韓国以外の「慰安婦」、特にフィリピンの状況についても詳しく書かれている原因の一つであろう。その結果として、ページには日韓対立の比重はそれほど大きくない。また、ユーザーBは他の編集者のように、自分と同じ意見を持っている編集者だけと協力したり、賛成しない編集者を敵視する行動をとらない。「焼き印のない牛」として、「慰安婦」に関してさまざまな意見を持っているユーザーには時には賛成、時には反対する。それによって、「編集合戦」が緩和され、それぞれの背景を持っているユーザーは編集に継続的に貢献する可能性が増すという効果を上げている。

6 おわりに

「Comfort women」ページにおいて「コスモポリタンの記憶」は日本の「記憶のナショナリズム」と衝突し、時には激しい編集合戦が繰り返された。現在、ページ全体は「コスモポリタンの記憶」的な内容になっているといえよう。特に、性的奴隷という表現を頻用し（ページ全体にslaveは三六回使われている）、また、他の奴隷制の項目へのリンクを目立たせることによって、「慰安婦」と歴史にあった他の奴隷制との共通点を強調している。すなわち、「慰安婦」を、古代からある軍隊と売春の密接な関係の文脈で捉えるのではなく、現代社会で「絶対悪」としてみなされている奴隷制のケースとして位置づけているのである。したがって、この場合は被害者と加害者がはっきりと記録されていて、日本軍は悪質な加害者として登場することに変わりはないのである。

日本の「記憶のナショナリスト」はページのこの姿勢を変更しようとしてきたが、結果は上述のとおりであった。一方、彼らのいくつかの主張は現在のページに反映されている。たとえば、「慰安婦」の人数に関して、最小の推定数（二万人）は明記されている。この数字は、たとえばドイツの歴史学者コンラートが書いた「八万人～二〇万人」を大きく下回る（Conrad 2010: 168）。また、二〇〇六年に言及が反対された秦郁彦の研究成果が三ヵ所で紹介されている。ユーザーAが元日本兵の金子安次の証言を「嘘」として削除したが、今日も「慰安婦」ページは金子のことに触れていない。また、「慰安婦」制度自体について欧米のマスコミを出典とする箇所が減らされて、学術書などの引用が増えた。

本章では、ウィキペディアにおいて記憶の形成プロセスがどのように進むかについて、「慰安婦」ページを巡る編集者同士のやりとりなどを紹介しながら考察してきた。「慰安婦」ページの内容は概ね、記憶活動におけるコスモポリタニズム的な思考を表わしている。しかし、日本の「記憶ナショナリスト」が行なった編集は部分的に残っている。このプロセスにおいて、継続的に編集を行なうユーザーの行動がページの内容に大きな影響を及ぼすことがあり得ることは明らかである。

筆者は現在、「慰安婦」ページ編集者の相互作用の量的なネットワーク分析を進めている。最終結果はまだ出ていないが、「戦場」になったこのページでは近年、分極化はやや減少している模様である。すなわち、編集者は自分と違う意見を持っているユーザーとは過去に比べてより建設的なやりとりをすることが増えているようである。

歴史学者はグローバル・スタディーズの立ち上げに大きく貢献し、現在もグローバル・スタディーズとメモリー・スタディーズの接点は多い。両分野の今後のテーマとして、オンラインデータを利用した、グローバルネットワークにおける記憶形成の実証研究に期待したい。

●注

（1）https://ja.wikipedia.org/wiki/ ウィキペディア
（2）https://pageviews.toolforge.org/?project=en.wikipedia.org&pages=Comfort women
（3）https://en.wikipedia.org/wiki/Wikipedia:Neutral_point_of_view
（4）https://en.wikipedia.org/w/index.php?title=Comfort_women&diff=next&oldid=664312491
（5）https://en.wikipedia.org/w/index.php?diff=next&oldid=829009860&title=Talk:Comfort women
（6）https://ja.wikipedia.org/wiki/ 日本の慰安婦
（7）https://en.wikipedia.org/wiki/Wikipedia:Consensus
（8）https://en.wikipedia.org/wiki/Wikipedia:Reliable_sources
（9）https://web.archive.org/web/20130516051306/http://www.shugiin.go.jp/itdb_shitsumon.nsf/html/shitsumon/b166110.htm
（10）https://xtools.wmflabs.org/articleinfo/en.wikipedia.org/Comfort_women
（11）https://en.wikipedia.org/w/index.php?diff=next&oldid=468608182&title=Talk:Comfort women
（12）https://en.wikipedia.org/w/index.php?title=Comfort_women&diff=1006995850&oldid=1006995313
（13）https://en.wikipedia.org/w/index.php?diff=next&oldid=109732570&title=Talk:Comfort women
（14）https://xtools.wmflabs.org/authorship/en.wikipedia.org/Comfort%20women/
（15）https://en.wikipedia.org/w/index.php?title=Talk:Comfort women&diff=next&oldid=57716999/
（16）https://en.wikipedia.org/w/index.php?title=Talk:Comfort women&diff=next&oldid=116277374

●参考文献

Assmann, Jan. 2010. "Globalization, Universalism, and the Erosion of Cultural Memory". In *Memory in a Global Age: Discourses, Practices and Trajectories*, edited by Assmann, Aleida and Sebastian Conrad, 121–137. Palgrave Macmillan Memory Studies. Basingstoke: Palgrave Macmillan UK.

Bogdanyi, Alexandra N., and Jonathan R. Lewis. 2008. *EU Frontiers and Human Trafficking*. Center for New European Research Discussion Paper 42. Hitotsubashi University, Tokyo.

Calhoun, Craig J. 1997. *Nationalism*. Minneapolis: University of Minnesota Press.

Chapman, David. 2020. "Visualising Korea: The Politics of the Statue of Peace". *Asian Studies Review*. Taylor & Francis, 1–15.

Conrad, Sebastian. 2010. "Remembering Asia: History and Memory in Post-Cold War Japan". In *Memory in a Global Age: Discourses, Practices and Trajectories*, edited by Assmann, Aleida and Sebastian Conrad, 163–177. Palgrave Macmillan Memory Studies. Basingstoke: Palgrave Macmillan UK.

Halfaker, Aaron, R. Stuart Geiger, Jonathan T. Morgan, and John Riedl. 2013. 'The Rise and Decline of an Open Collaboration System: How Wikipedia's Reaction to Popularity Is Causing Its Decline". *American Behavioral Scientist* 57 (5). Sage Publications Sage CA: Los Angeles, CA: 664–688.

Jemielniak, Dariusz. 2014. *Common Knowledge?: An Ethnography of Wikipedia*. Stanford: Stanford University Press.

Jenkins, Henry. 2006. *Fans, Bloggers, and Gamers: Exploring Participatory Culture*. New York: New York University Press.

Levy, Daniel and Natan Sznaider. 2002. "Memory Unbound: The Holocaust and the Formation of Cosmopolitan Memory". *European Journal of Social Theory* 5 (1). Sage Publications London: 87–106.

Lim, Jie-Hyun. 2010. "Victimhood Nationalism in Contested Memories-Mourning Nations and Global Accountability". In *Memory in a Global Age: Discourses, Practices and Trajectories*, edited by Assmann, Aleida and Sebastian Conrad, 138–162. Palgrave Macmillan Memory Studies. Basingstoke: Palgrave Macmillan UK.

Pentzold, Christian. 2009. "Fixing the Floating Gap: The Online Encyclopaedia Wikipedia as a Global Memory Place". *Memory Studies* 2 (2): 255–272.

第八章　グローバル化した高等教育、コスモポリタンな個人と市民

ヤセミン・ヌホグル・ソイサル
梅垣 緑 訳

現代の高等教育はトランスナショナルで組織的な場である。ここ数十年の間に高等教育システムはグローバルな競争の枠組みの中に組み込まれるようになってきており、世界ランキングやエクセレンス（卓越性）・イニシアティヴ[*1]などの指標に方向付けられて促進され、維持されている。ランキングや卓越性によって優位性を測る仕組みは、地域の文脈からは独立した、理想上の大学のイメージを前提としており、大学とその目的についての普遍的な定型化のモデルを普及させている（Soysal et al. 2020）。こうした仕組みは、グローバルで積極的なアクターとしての大学のイメージを促進するだけでなく、「国境や高等教育システムの違いを超えて簡単に移動し、学ぶことができる主体的（agentic）でグローバル志向の学生」という標準化されたモデルを創出している。このような仮想的イメージにおいては、大学と学生の両方に対して「グローバルな市民」という像が投影されている。

ローカルで地域ごとに多様な高等教育の文脈は、このようなグローバルなイメージとどの程度結び

ついているのだろうか。あるいは、上述のような仮想的イメージは、学生の意欲や志向をどの程度コスモポリタンな市民や個人へと向けさせる枠組みになっているのだろうか[1]。本章では、東アジア（中国・日本）とヨーロッパ（イギリス・ドイツ）の高等教育機関の学生を対象に、複数の地点で実施した調査結果に基づいて、以上のような課題に取り組んでいく。東アジア諸国は世界で最も高い大学進学率を誇る地域であり、世界の留学生に占める東アジア出身者の割合も大きい。また、ヨーロッパの大学は、北米と並んでグローバルな大学であるとされている（Soysal and Baltaru 2021）。

◉トランスナショナルな大学とリベラルでコスモポリタンな個人

大学は国民国家が生まれる以前から存在していたが、国民国家の時代になると、大学は国家的なプロジェクトへと発展していった（Ben-David 1977）。その結果、国家機関としての大学や高等教育[*2]は、それぞれ異なる国の政策課題や文化的伝統の中に組み込まれたものであると考えられ、したがって同様に異なる輪郭や構造を持つものであると思われることも多い（例として、その社会にすっかり組み込まれたアメリカの大学や、ドイツのフンボルト的大学モデル[*3]、フランスのポリテクニークの伝統[*4]、中国の儒教的な教育モデルなど）。国家の建設やその発展の軌跡と高等教育機関との間には強い相互関係があり、二〇世紀にはこの両者の関係は密接に維持されてきた。しかし二一世紀に入ると、競争の激しいグローバル環境の中で大学はグローバルなアクターとしての自らの姿を改めてイメージするようになり、国境を越えた存在として自らを位置付けるようになった。大学はそれぞれの国における社会や国家の要求、またその特殊性に適応し続けているが、それと同時にいまや国を超えた組織的な場にもなろうとしており、グローバルな基準や志向、方向性といった、もはやナショナルな文脈には位置づけられない同形のモデルに従うべく方向付けられているといえる。

さらに高等教育は、リベラルであることに自覚的な国際社会と、コスモポリタンな市民を形成する代表的な場になっている（Schofer et al. 2020）。現在の大学は、その教育内容や学問の機構、幅広い役割などに表われているように、科学的な理論化と、コスモポリタンな個人および社会の文化的モデルを基礎に置いている（Frank and Gabler 2006; Frank and Meyer 2020）。文化的モデルとは第一に、主体性によってエンパワーされた権利と能力を持つ、拡張された人間性についてのイメージ（つまり、非常に能力主義的であると想定される社会において、自らのアイデンティティや不満に基づいて行動する権限を与えられた、合理的で目的意識のある個人）に基づいたものである。そして第二に、ローカル、ナショナル、トランスナショナルなレベルで（つまり自分自身の幸福のためだけでなく、より広い社会のために）貢献し、参加する自覚と美徳を持った主体的な個人についての拡張されたイメージである（Soysal 2012）。

トランスナショナルな大学とその文化的モデルについては、組織的なレベルにおけるそのあり方が広く注目され、研究されてきたが（Krücken 2011; Ramirez 2013; Christensen et al. 2019）、個人レベルの実践についてはあまり注目されてこなかった。高等教育を受ける学生は、グローバル化された大学が主張する文化的モデルに対して、どの程度まで明確に自身を投影し、あるいはそれに沿った方向付けをしているのだろうか。

◉「明るい未来」についての調査(2)

トランスナショナルな大学におけるミクロな実証的事例を研究するためには、個人レベルのデータが必要であり、大規模なデータは有用でないことが多い。本章で紹介する「明るい未来」は中国、日本、イギリス、ドイツの大学に在籍する学生を対象とした世界の複数の地点における独自の調査である。この調査は約九〇〇〇人のサンプル規模で、大学のランクと規模に応じた構造化サンプリングの手法を採用している。中国に関しては、教育へのアクセスに対する地理的な格差を考慮して、さらに省ごとに層別抽出を行なった。この調査のデータセットは説得的な関連性に基づくものである。調査対象国はリベラル／非リベラルの政治的なスペクトラムと、歴史的に異なる高等教育制度にまたがっている。また、移動する学生と移動しない学生をサブグループとして同時に含むことから、トランスナショナルな高等教育の比較における標本の偏りについて評価するうえでもよい条件となっている。

以下では、特に高等教育が推進するコスモポリタンな理想の二つの側面に注目して、主体的かつグローバル志向で、連帯意識を持った個人に対する、学生の自己イメージの投影についての分析を示していく。

◉主体的な個人

私たちの調査では、「創造的である」、「独立心がある」、「リスクを恐れない」、「達成感を重視する」などの設問を設けて、回答者が自分についてどのような認識を持っているのかを尋ねた（回答のカテゴリーは、「まったくない（not at all）」から「とてもある（very much）」までの範囲とした）。心理学の研究では、こうした設問はしばしば内面的なパーソナリティ特性として扱われているものである。一方、認知社会学の最近の研究では、こうした特性が文化的に構築されたものであることが指摘されており（DiMaggio 1997）、今回の場合であれば、それはトランスナショナルな高等教育の指針や教育内容の結果として現われたものであるということになる。重要なのは、これらの特性が大学を中心としたグローバルな知識社会の構想のなかに深く埋め込まれているということである（Frank and Meyer 2020）。

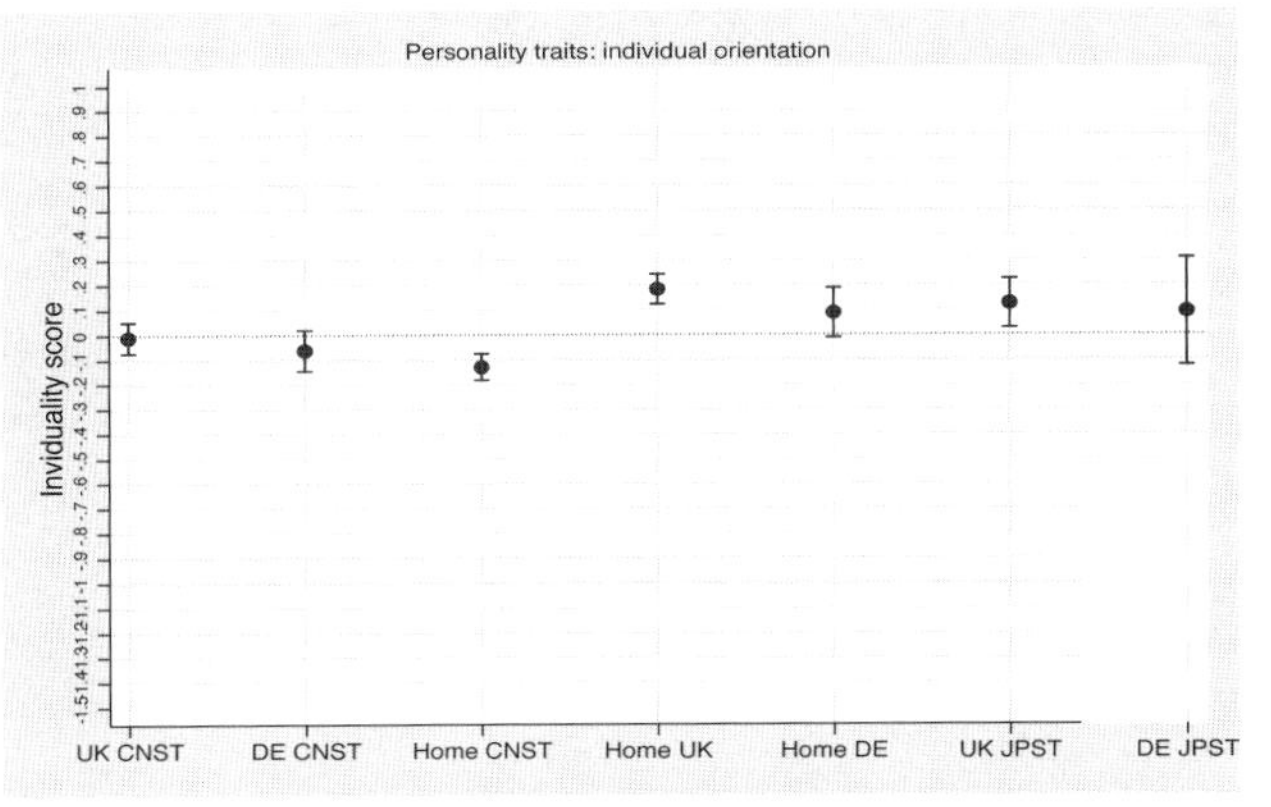

【図１】学生グループ別の主体的個性の合成スコアの分布

UK CNST：　イギリスに留学している中国人学生
DE CNST：　ドイツに留学している中国人学生
Home CNST：　中国本国の中国人学生
Home UK：　イギリス本国のイギリス人学生
Home DE:　ドイツ本国のドイツ人学生
UK JPST:　イギリスに留学している日本人学生
DE JPST:　ドイツに留学している日本人学生

国別の学生グループ間で回答を比較すると、その差異は非常に小さく、ほとんど存在しないことが分かる。全体的に、学生の自己投影イメージとして「主体的である」とした回答の程度はほとんど同じである。それぞれの学生グループの回答者の約七五～八五％が自分を「創造的である」、「独立心がある」、「達成感を重視する」と回答する傾向があり、「リスクを恐れない」という回答はやや低い水準となっている（全体的に五〇～六五％）。以下に示した【図1】では、簡略化のために主体的個人であるとした回答を合成した指標（上記四つの設問の傾向を統合したもの）の分布を示した。[3] この図によると、それぞれの国の文脈を超えて、学生が高い割合で主体的な個性を持っていることが分かり、異なるグループ間の差は非常に小さい。調査対象となった学生グループ（イギリス、ドイツ、中国、日本のそれぞれの国籍の四つのグループで、留学生であるか否かは区別していない）は、いずれも平均値から大きく外れていない。彼らは、「自分は主体的だ」という認識を持っている程度がおしなべて高い。

中国や日本の学生が、積極的で主体的な個人として自己イメージを投影している結果が得られたことは、よく言われるような一般的な見方や学問的な言説と矛盾しているように思われる。両国の教育制度では丸暗記や試験などが重視されていることや、文化的背景に起因する集団主義的な規範意識からいって、創造性や独立心があるとは期待できなかったためである。しかし、彼らはヨーロッパの学生と同等程度に自立的なアイデンティティを自己イメージとして持っていたのである。

●コスモポリタンな市民

グローバルな自覚と連帯への意識を評価するために、本調査では参加者に各国のさまざまな社会的プロジェクトに寄付をするよう求めた。質問の内容は以下のようなものである。「あなたは、開発プロジェクトに寄付するための一万ポンド（またはそれに相当する額のそれぞれの国の通貨）を持っているとします。このお金を以下の場所にどのように配分しますか」。回答者には、コンゴ、パラグアイ、ラオス、中国の特定の場所でのプロジェクト（清潔な飲料水の提供、小学校の建設、持続可能な農業の推進、保健インフラの構築）を提示し、それぞれのプロジェクトに対していくら寄付するかをパーセンテージで回答するよう求めた[4]。この設問は回答者がどの地域を選ぶかということに注目するものであり、それぞれの回答の背後にある社会的要素を中立的に分析できるようにするため、設問の順序による回答の偏りが出ないように選択肢の順序は無作為に配置した。これらの地域がいずれも同様に緊急

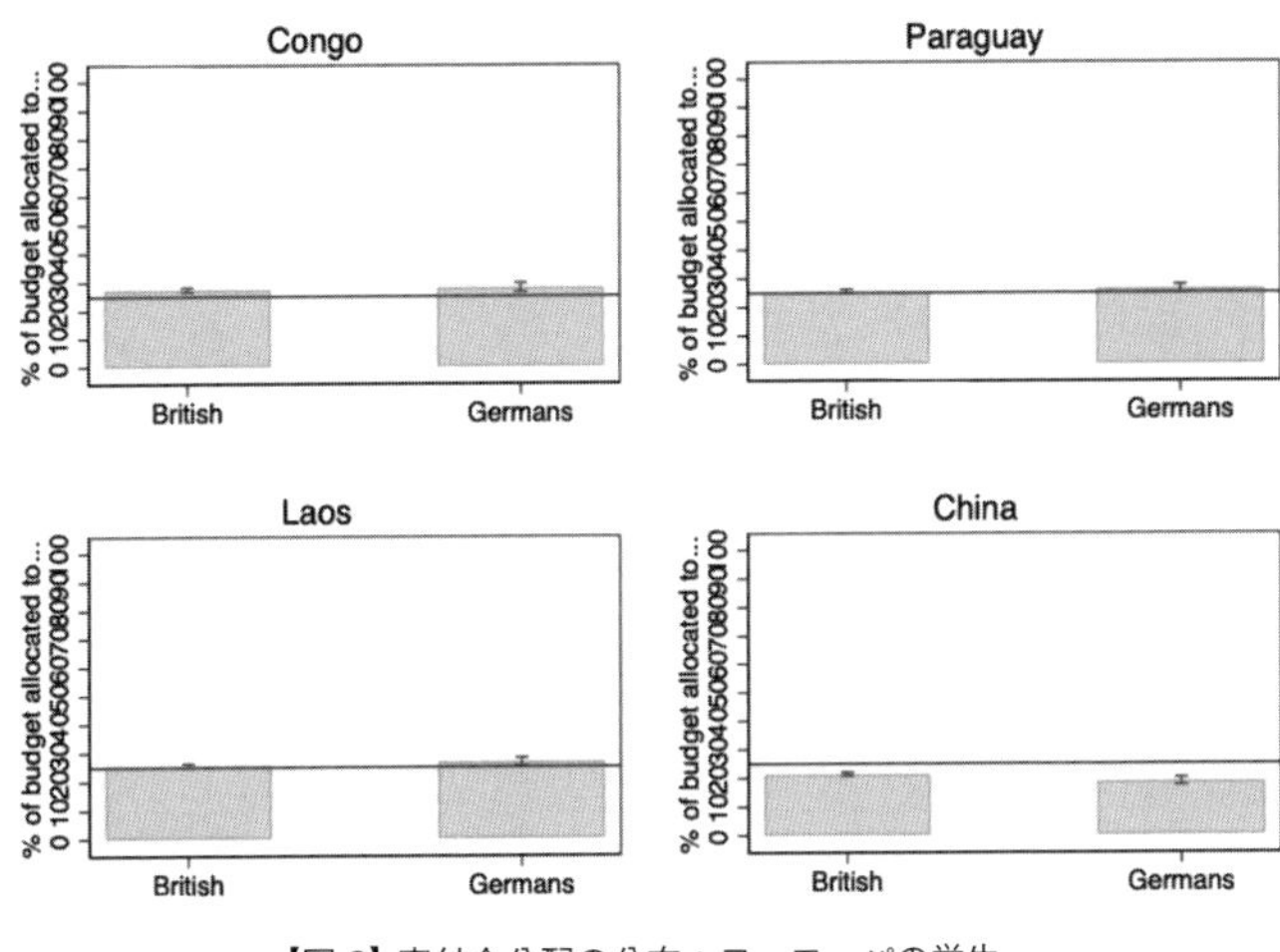

【図2】寄付金分配の分布：ヨーロッパの学生

の社会的介入を必要としているという前提で、仮に回答者が特定の地域とのつながりとは無関係にグローバルな連帯意識を持っていたとしたら、寄付金をそれぞれの場所に均等に配分するはずである（それぞれの場所に二五％ずつ）。

【図2】と【図3】を見ると、中国の学生とほかの学生のグループでは、寄付金の選択のパターンが異なっていることが分かる。イギリスとドイツの学生【図2】は、寄付金を各地域へおおむね均等に配分している。たとえばコンゴへの寄付金は二五％以上、中国への寄付金は二五％未満だが（とくにドイツの場合）、これはわずかな差にすぎない。日本の学生（図に示していない）には明確な傾向はなく、多様な回答があった。一方で中国の学生は、寄付金のうち中国のプロジェクトに寄付する割合が四五〜五〇％と多く、またこの傾向はヨーロッパへ留学しているかどうかとも関係がなかった【図2】。コンゴ、パラグアイ、ラオスのプロジェクトでは、国外への留学生であるかどうかにかかわらず、平均して二五％以下（一五〜

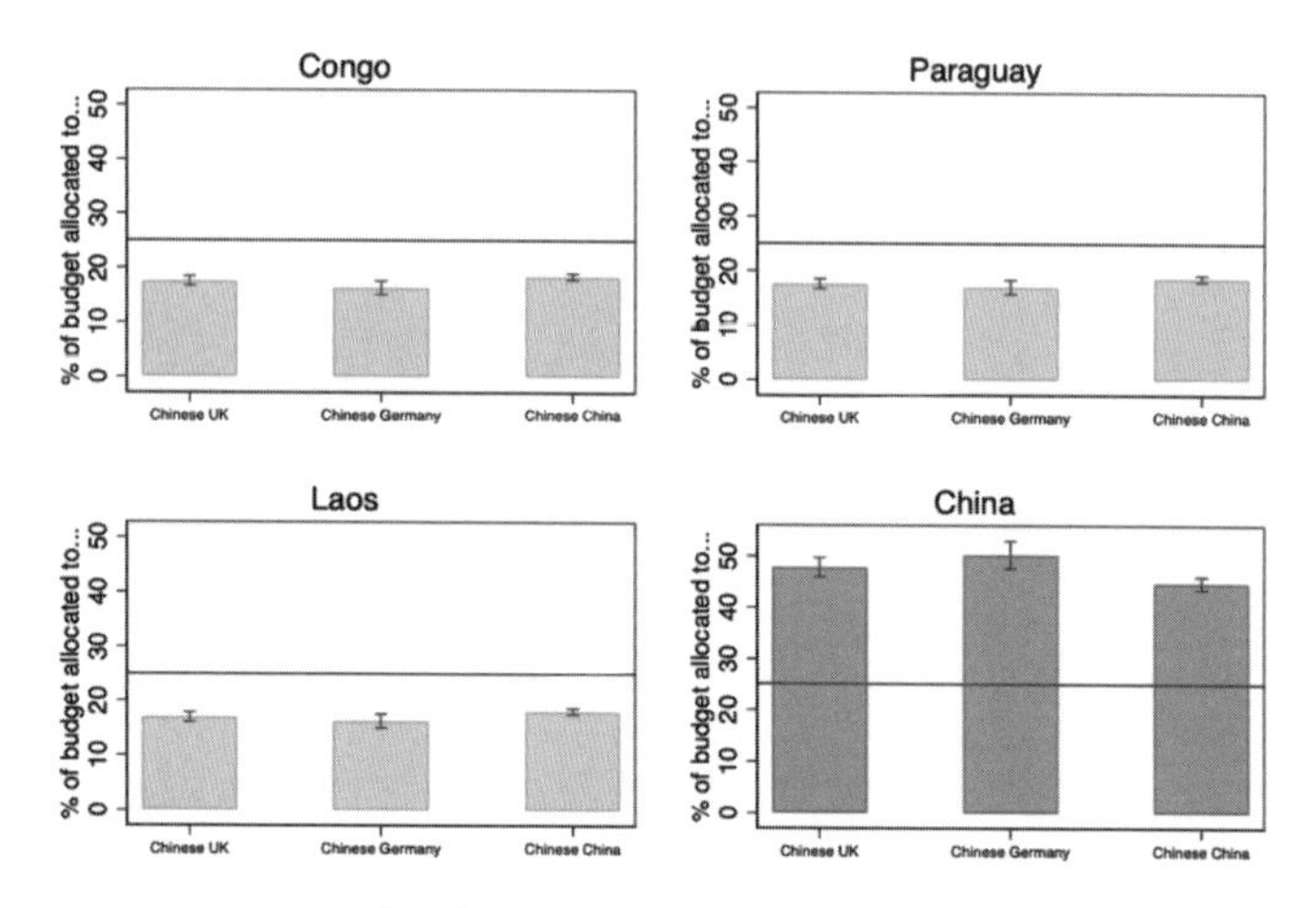

【図 3】寄付金分配の分布：中国の学生

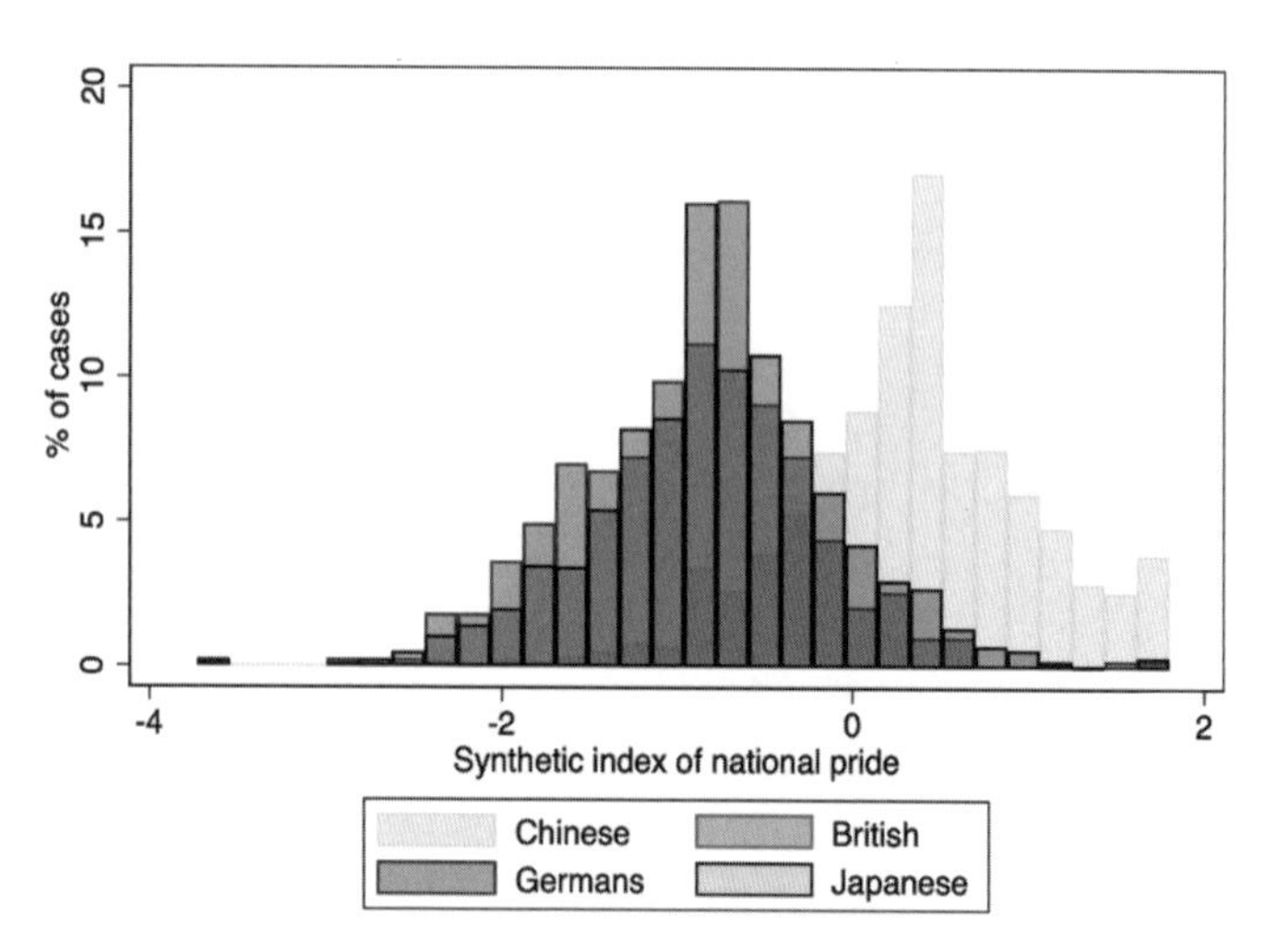

【図 4】「自国への誇り」の指標の分布

二〇％）の寄付の割合となっている。他の学生グループと比較して、中国人学生はかなりの度合いで国境に縛られた連帯感を示していることになる。

学生の自国に対する愛着をより直接的に検証するために、別の質問では「歴史」、「民主主義」、「経済・科学・技術の発展」、「世界における自国の影響力と国際援助への貢献度」の四つの項目について、「まったく良くない（not at all good）」から「非常に良い（extremely good）」までの選択肢を提示し、どのように評価するかを尋ねた。【図4】は、これらの指標の分布を示している（因子分析を用いて作成）。ここでも、中国人学生とヨーロッパ、日本の学生との間に差がみられる。中国人学生の方が（留学しているかどうかにかかわらず）「自国への誇り（national pride）」の指数が決定的に高いことが分かる。

◉振り返りと考察

大学のグローバルな変容は、特に二〇世紀末から二一世紀初頭にかけて起こってきた。この変容は、グローバルな文脈における能力を持ち、そのことを自覚し、またいつでもグローバルな活動領域に参加し、貢献することができるような、高等教育の学生が持つ仮想的イメージを支えている。このようなイメージは、広く言えば大学の目的や使命、具体的に言えば大学の知識体系やカリキュラムの仕組みに組み込まれている（Frank and Meyer 2020）。一九九〇年代後半以降、世界中の高等教育システムで設立されたグローバル・スタディーズ・プログラム［一橋大学のＩＳＧＩ（Institute for the Study of Global Issues: 地球社会研究専攻）はその先駆けである］は、大学のグローバルな仮想的イメージを強める働きをしている（Wank and Farrer 2017）。加えて、世界中の高等教育改革の主な特徴である国際化という目標は、こうしたイメージを強く支持するものである。収益を生み出す見込みがあるかどうかはさておき、教員や研究だけでなく、学生が国際化していくことは、ランキングや卓越性への志向を反映した、「世界クラスの大学」という概念へと統合されているのである（Buckner 2019）。

◉訳注

＊1　エクセレンス・イニシアティヴは、二〇〇〇年代からドイツなどで実施されている、国による研究予算の傾斜配分の仕組み。先端的な研究や、優れた研究者を養成する大学に優先して研究予算を配分することで大学の国際的な競争力を向上させようとする政策。

＊2　本文中で「大学」と「高等教育」の二つの表現が混在しているが、原文中で university とされている部分を「大学」、higher education とされている部分を「高等教育」と訳したものである。日本で「大学」とされているものが必ずしも university ではなかったり、海外で university と呼ばれていない高等教育機関が日本で大学と呼ばれることもあることから、「大学」と「高等教育」のいずれかに表記を統一することはしていない。本文中ではいずれも中等教育レベル（日本でいう高等学校）より上の上級の教育機関を指すものと考えて差し支えない。

＊3　フンボルト的大学モデルとは、教授の自由と学習の自由を核にした近代的な大学自治のモデルのこと。

＊4　フランス革命のさなか一八世紀末に整備されたエコール・ポリテクニーク（Ecole Polytechnique; 理工科学校）に端を発する、実務的なエリートとしての科学者、技術者、官僚などを養成するために作られたフランス独自の高等教育モデルのこと。

◉原注

（1）ここでは、戦後の世界秩序におけるリベラルな、あるいはネオリベラルな秩序の文脈で形作られた市民性のあり方を大まかに念頭において「コスモポリタン」という語を用いている。

（2）このプロジェクトは、イギリスの経済社会研究会議（Economic and Social Research Council）、ドイツ研究振興協会（Deutsche Forschungsgemeinschaft）、中国国家自然科学基金委員会（National Natural Science Foundation of China）による合同の資金提供を受けて行なわれた（PI: Yasemin Soysal, 2015–19）。

（３）今回の因子分析では四つの領域すべてにおいて強い負荷が見られた。

（４）具体的な場所は以下のとおり。南キブ州ウビラ（コンゴ）、カーグアス（パラグアイ）、貴州省（中国）、サヴァンナケット（ラオス）の四か所。所在地の選択にあたって、世界で最も貧しい地域のいちばん基本的なニーズに取り組むプロジェクトが含まれることを考慮した。このため、ドイツ、イギリス、日本からのプロジェクトを含めることはできなかった。

◉参考文献

Ben-David, J. 1977. *Centers of Learning: Britain, France, Germany, United States (1st ed.)*. CRC Press.

Bromley, P. 2009. Cosmopolitanism in Civic Education: Exploring Cross-national Trends, 1970-2008. *Current Issues in Comparative Education* 12 (1): 33–44.

Buckner, E. 2019. The Internationalization of Higher Education: National Interpretations of a Global Model. *Comparative Education Review* 63 (3): 315–336.

Christensen, T., A. Gornitzka, and F. O. Ramirez (eds.). 2019. *Universities as Agencies: Reputation and Professionalization*. Palgrave Macmillan.

DiMaggio, P. 1997. Culture and Cognition. *Annu. Rev. Sociol*. 23: 263–287.

European Commission. 2003. *The Role of the Universities in the Europe of Knowledge*. Brussels: Commission of the European Communities.

Frank, D. J. and J. Gabler. 2006. *Reconstructing the University: Worldwide Shifts in Academia in the 20th century*. Stanford, Calif.: Stanford University Press.

Frank, D. J. and J. W. Meyer. 2020. *The University and the Global Knowledge Society*. Princeton, NJ: Princeton University Press.

Krücken, G. 2011. A European Perspective on New Modes of University Governance and Actorhood. Centre for Studies in Higher Education: Research & Occasional Paper Series CSHE.17.1.

OECD. 2008. *Tertiary Education for the Knowledge Society: Volume 1 and Volume 2*. Paris: OECD Publishing.

OECD. 2010. Human Capital, Capacity Building, Sustainability, and Innovation. Program on Institutional Management in Higher Education. Paris.

Ramirez, F. O. 2013. World Society and the University as Formal Organization. *Journal of Education* 1(1): 124–153.

Schofer, E., F. O. Ramirez, J. W. Meyer. 2020. The Societal Consequences of Higher Education. *Sociology of Education* 1–19.

Soysal Nuhoğlu, Y. 2012. Citizenship, Immigration, and the European Social Project: Rights and Obligations of Individuality, *The British Journal of Sociology* 63(1): 1–21.

Soysal Nuhoğlu, Y. and R. D. Baltaru. 2021. The University as Producer of Knowledge and Economic and Societal Value: The 20th and 21st Century Transformations of the UK Higher Education System. *European Journal of Higher Education*, forthcoming.

Soysal Nuhoğlu, Y., R. D. Baltaru, H. Cebolla Boado. 2020. Meritocracy or Reputation? How University Rankings Matter, Working Paper https://osf.io/preprints/socarxiv/f6by3/

Wank, D. L. and J. Farrer. 2017. The Rise of Global Studies in East Asia: Institutions and Ideology in National Education Systems. global-e 10 (13), February 28.https://www.21global.ucsb.edu/global-e/february-2017/rise-global-studies-east-asia-institutions-and-ideology-national-education

第三部　グローバル・スタディーズの実践と展開

第九章　蚕糸業に見る近代産業化と民俗的想像力
――蚕を育てる技術・身体感覚を軸として

沢辺 満智子

1　越境する養蚕の技術と民俗

私たち人間は、太古より、身体に衣服を纏ってきた。今日、衣服を作る繊維には数多の種類が存在しているが、この中でもとりわけ古い歴史を持ち、現在に至っても人々に親しまれている繊維の一つに、絹がある。蚕という昆虫が、蛹に変態する際に自らを守るために作り上げた繭を、人間が熱湯に沈め、そこから糸を紡ぐことで作られる繊維である。絹を生み出すために、人間は長きにわたって蚕を飼い続けてきた。

絹の発見は、四千年以上前の中国の黄帝の妃、嫘祖によって発見されたという伝承がある。嫘祖は、あるとき虫が繭をつくっているのを見つけて家に持ち帰り、弄ぶうちに繭を湯の中に落としてしまう。すくいあげようとかき回していると、繭がほぐれて一本の細く長い糸が生まれた。太古の発見は伝説の形でしか伝わっていないが、東シナ海に接し、北に長江が流れる浙江省、そこからは最古の絹を示す手がかりが見つかっている。浙江省余姚市から発見された蚕紋のある骨器（紀元前約四八〇〇年）や、同省湖州市から出土した絹片（紀元前約二七〇〇年）である。これらから、長江下流域が中国第一の養蚕地帯だとも言われ、日本への養蚕技術の伝来は、弥生時代に中国長江下流域より海を渡って北九州地方にまず伝えられ、次第に東方に普及していったとも考えられている。三世紀末に中国で書かれた魏志倭人伝には、邪馬台国で「蚕桑・緝績（＝紡ぐ）、細紵（＝麻織物）・縑（＝絹織物）・綿（＝真綿）を出す」との記述があり、この頃にはすでに日本に養蚕が伝わっていたことが伺える。長い時間をかけて養蚕は中国周辺のアジア、そして中東、ヨーロッパ諸国にまで、まさにシルクロードの広がりが端的に象徴するように、世界のあらゆる地域に広がっていった。数多の地域で人々は蚕を育てて、絹を生み出し、それを纏い続けてきたのである。

アジア、中東、ヨーロッパどの地域においても、一般的に養蚕の主な担い手は女性とされてきた。養蚕が女性たちの仕事とされた背景には、農家にとって畑仕事などの屋外の労働が男性によって行なわれる一方、養蚕を含む家内労働はおもに女性たちが行なうという伝統的な男女の分業体制が強く影響している。しかし、ここで興味深いことは、地理的・文化的にも非常に離れた環境にありながらも、養蚕にまつわる民話・儀礼には地域を超えた共通性が時に見られ、またそれらの民俗が、養蚕業の近代産業への再編過程においても活発に見られたことである。ピサ大学歴史学科で中国を中心としたアジア圏、およびイタリアを中心としたヨーロッパ圏における絹にまつわる神話・儀礼を長年研究してきたクラウディオ・ザニエルによれば、前近代から国家による養蚕奨励がなされた二〇世紀以降に至っても、養蚕技術の高さが、その技術の実践者である女性の生殖能力や、母性と関連付けられ認識されていたことが、中国やイタリア等で共通して見られていたことを指摘している（Zanier 2019）。イタリアの養蚕地帯においては、二〇世紀初頭においても蚕を育てる部屋への出入りは主に女性たちに限定されており、イタリア北東部エミリア＝ロマーニャ州の農村では、蚕室（さんしつ）への出入りそのものが成人男性に厳しく禁じられた地域も存在していたことをザニエルは報告しているが（Zanier 2019: 211–229）、中国江南地方における、二〇世紀初頭の養蚕近代化政策下の農村女性について研究したジュリー・ブロードウィンも、同様の習俗が中国に存在していたことを、豊富な資料と聞き取り調査を元に報告している（Broadwin 1999）。日本でもまた、養蚕業が近代産業化過程に位置づけられ国家奨励がなされる中で、豊繭を願う儀礼が男性たちの出入りを禁じた、女性たちのみによって執り行なわれる事例はあった（沢辺 二〇二〇）。

上述した日本やイタリア、中国は、共に養蚕の長い歴史を持ち、特に前近代と近代とをつなぐ転換期では、国策として絹が重要な産業に位置付けられ、養蚕業への近代産業化政策が施された国々である。二〇世紀初頭、これらの国々は世界の生糸市場のシェアを競い合った間柄であるが、そうした中にあっても、農村地帯で養蚕に従事する女性たちは、蚕の周りに豊かな民俗信仰等を生成させ、それらを主体的に生きていた。同時にまた、これらの民俗事象は国を超えて共通し合う部分を多分に内包していたのである。この興味深い事象から考えられることは、養蚕業において、近代的な産業化過程と民間に培われる民俗的想像力の展開との間には、緊密な相互関係が存在するのではないだろうか、という問題であった。養蚕という人間の一つの営為を巡る現象をいくつかの国で照らし合わせる中から、筆者にとってのグローバル・スタディーズとして、この問題が立ち現われたのである。

一般的にはグローバル・スタディーズとは、一九九〇年代の急激に広がったグローバル化現象を分析する手法として構築され、筆者が問題意識とするような前近代からの近代化過程という時代設定は、その対象としては異なる部分があるだろう。しかしながら、複雑性を内在させる現象そのものを把握することを最重要課題としてきたその研究手法は、既存のディシプリン研究の枠組みを超え、独自の方法論を展開させることを特徴としてきた。筆者がここで、自ら設定した問題をグローバル・スタディーズとして位置づけるのは、まさにこのグローバル・スタディーズが構築してきたディシプリン研究の枠組みを超える研究手法こそが、複数の国々の現象そのものから立ち上がった筆者の問いに答える上でも求められるアプローチだと考えるからである。

2　近代化と民俗という二項対立の罠――ディシプリン研究の限界

近代的な産業化過程と民俗的想像力の展開という両者の相互関係にこそ着目しながら、蚕糸業の近代化過程を検証するという試みは、従来の蚕糸業研究においては、問われることのなかった点である。ここでは、既存のディシプリン研究が、蚕糸業研究をどのような問題として扱ってきたのかについて概観したい。

たとえば日本の蚕糸業研究においては、一九七〇年代から八〇年代にかけて、経済史における厚みのある研究が蓄積されてきたが、そこでの主な問いは日本の資本主義はいかなる社会構造を伴い形成されたのかという主題であった。代表的な研究として、経済史学者の石井寛治は、製糸資本の蓄積様式の分析を軸としながら、日本蚕糸業の高い国際競争力が、農村からの出稼ぎ女工の極度の低賃金と、原料繭価格の低さから支えられたことを指摘し、それを可能とした社会構造が、製糸部門傘下の原料供給部門として、養蚕業（農民）を搾取的立場に置く階級構造であったことを述べた（石井 一九七二）。また、滝沢秀樹は、日本の資本主義が半製品である生糸を輸出品として位置づける生糸基軸貿易体制によって形成されたこと、そしてその体制が過度に世界市場に依存していたが故に、常に脆弱性を内包しながらの自立性を欠いた資本主義国家形成となったことを指摘した（滝沢 一九七九）。藤井光男は、戦間期における日本製糸業の中国・朝鮮等の東アジア諸国への進出を、現地の蚕糸業との相関の中で分析することを通じて、日本資本主義の帝国主義的進出と支配の実態を捉えた（藤井 一九八七）。日本の蚕糸業の急成長は、多くの農家による養蚕の実践により支えられてきたが、蚕糸業の近代化過程を問う経済史学においては、養蚕農家は蚕糸産業への原料供給としての下部構造としての位置付けであり、これら農家が実践する労働の特徴は、グローバルマーケットに常に翻弄され続ける脆弱性と表裏一体の低賃金、搾取労働とみなされた。よって、実際には数多の農家女性たちの生活に深く影響を及ぼした産業でありながら、近代化・資本主義化の経験を生きる人々の価値や思想の変容について、真剣に問われることはなかったと言える。

また、類似した傾向は中国の蚕糸業研究においても見受けられることを、ブロードウィンは指摘している。中国における蚕糸業の近代化研究での主な論点は、なぜ生糸生産量において中国は日本に抜かされたのかという点に置かれ、実際の養蚕の実践者である女性たちに焦点が当てられなかった。さらに、海外のジェンダー研究者によって中国の養蚕農村女性が論じられる場合でも、養蚕業が女性たちの経済的自立や、仕事・家庭における自由な選択にそれほど寄与したかったという側面で語られるため、養蚕を営む女性たちの経験、生き甲斐や喜びについては十分議論されてこなかったと指摘している（Broadwin 1999: 4–10）。

日本での議論に戻すと、豊富な民俗信仰を内包してきた養蚕業は、民俗学の対象ともなってきたが、そこでもまた、民俗信仰等の展開と近代産業化とがいかなるダイナミズムの中に相関していたのかは真剣に問われてこなかったと指摘できる。民俗学での関心は、主に養蚕にまつわる道具や技法、民話や信仰、儀礼等についてのフィールド調査とその収集が中心として展開されてきた。養蚕信仰の民俗調査が盛んになったのは戦後になってからで、石田英一朗の「桑原考」（一九四七）や、今野圓輔（こんのえんすけ）の『馬娘婚姻譚』（一九五六）、安西勝の「蚕神信仰論」（一九六一）など、民俗学者による調査が行なわれている。さらに昭和四〇年代（一九六五～七四）になると、民俗学研究者個人による調査以外にも、各自治体や、自治体の教育委員会などによって養蚕習俗・民俗調査が行なわれた。これらが行なわれた背景には、日本の高度経済成長による産業構造の転換と農村社会の急激な変容の中で、養蚕業も衰退を辿り、それに伴い養蚕にまつわる習俗も喪失していくことへの危機感が関係していたと考えられる。そのため、失われていく民俗に対しての記録や保存という意義が最たる課題としてあった。

そもそも日本の民俗学は、その学問の設立過程において、近代化過程のなかで郷土の在来的文化が否定的な意味づけをされることに対する危機意識から端を発している。柳田國男を礎（いしずえ）とする民俗学に携わる人々の間においても、市井（しせい）の人々の習俗や信仰、思想を基盤とする民俗的領域とは、近代化の過程を通じて、後進的な価値づけがなされ、弾圧されていく対象とみなされた。しかしながら、こうした近代化に伴い失われていく民俗領域といった二項対立的な捉え方は、養蚕業を事例に考えた場合、必ずしも当てはまるとは言えない。なぜならば、蚕糸業の国策化、近代化が進められる渦中で、養蚕にまつわる民間信仰等は勢力を増し、活性化した側面もあったからである。養蚕にまつわる民俗領域は、近代産業化の過程と切り離せずに展開していったものの、民俗学というディシプリンにおいてもまた、そのことが問題化されることはなかった。

ここに、経済史学や民俗学といった、蚕糸業を研究対象としてきた従来のディシプリン研究での限界が見出される。なぜならば、いくつかの国々で生じた現象を反響させることから立ち現われた、養蚕の近代産業化過程と民俗的想像力との相互関係を考察するという筆者の問いは、常にディシプリン研究の枠組みからは、こぼれ落ちてしまう領域に存在するからである。現象をある一定の枠組みから切り取り、その枠組みの中で論じるというディシプリン研究は、その学術領域においては精度の高い成果を蓄積していくことを可能にする。しかしながら、さまざまな問題群が複雑に入り組みあう現象そのものを捉えようとするとき、ディシプリンの枠組みでは論じることができない領域が必ず生じるのだ。

3　視点の転換——蚕がいかに人間に働きかけるか

養蚕における近代産業化過程と民俗的想像力との展開、ならびに両者の相互関係を論じるためには、どのようなアプローチを採れば可能になるだろうか。

筆者が注目したのは、蚕を育てる「技術」である。技術は、当然ながら近代産業化過程の中でも改良が試みられ、その影響が直接的に現われる部分である。一方で、技術はその実践者たる人々の身体とも深く結びついている。興味深いことに、養蚕業はさまざまな近代的改良が施されたとはいえ、未だ日本に現存する養蚕農家を見れば明らかなように、その多くを女性たちの手作業に頼っている。これは、前近代まで主に家内労働として手仕事で行なわれていた製糸業が、近代化の中で急速に工場労働化・機械化されていったこととはまったく対照的である。歴史的に養蚕の工場化が試みられなかった訳ではなく、現に、日本でも養蚕最盛期の昭和初期に、大手製糸会社鐘紡(かねぼう)が養蚕の直轄生産を目指して養蚕工場計画を立ち上げたが、蚕の大量死により失敗に終わっている。製糸業が急速な工場化・機械化を遂げる一方、養蚕業が主に女性たちの手作業に頼り続けたという点は、イタリア、中国でも同様である。蚕糸業という、一九世紀後半から国家を上げての改良と奨励が行なわれた産業にあって、なぜこの蚕を育てるという技術は、世界的にも人々の手や身体に頼る形態であり続けたのだろうか。

この点を考える上で重要なのは、人間が蚕をいかに扱い、飼育してきたのか、という視点ではなく、蚕がいかに人間に働きかけてきたか、という視点の転換である。グローバル市場から見れば、蚕とは単に生糸・繭を作り出す原資・モノでしかない。よって、豊富な蓄積のある経済史学の研究において、蚕とは、人間に対して極めて受動的で、静的なモノでしかなかった。それは民俗学においても大きく異なることがなかったように思われる。そこでの蚕への視点も、人間がいかにその対象へ意味や価値を与えてきたのか、という側面が強かったのではないだろうか。社会関係を反映する対象、意味が書き込まれる対象として、人間の精神によって意味付けされる受身的なモノとして蚕が扱われていた。しかしながら、実際に蚕と日々向き合う養蚕農家は、自らの皮膚を介して蚕の温度、柔らかさや硬さなどを感知し、常に蚕から刺激を受けながら技術を組み立てる。養蚕において手袋を使用することは御法度とされるが、それは手袋の繊維が蚕の表皮を傷つけるリスクがあるだけでなく、養蚕農家にとって、蚕に素手で触れることは、虫の温度や状態を指先で把握するうえで重要であり、それらの情報をもとに、常に蚕室の環境が整えられるからだ。蚕の青みがかった皮膚が糸を吐く直前に飴(あめ)色へと変わる様(さま)や、桑を食べる音と脱皮の間に訪れる静寂、そうした虫の変化の一つ一つを自らの身体感覚を介して感じとり、状況を把握しながら、技術を組み立てるのである。

ブルーノ・ラトゥールが指摘しているように、人間は、実際に生きる世界との間において、モノや環境によって媒介(ばいかい)されながら、ダイナミックに関係性を取り結ぶ世界像を形成し、それらのネットワークの中で日々生きている。そこでは、時にモノは、それ自体が自らの意志を持って振る舞っているかのような様態を見せるのであり、決して静的で受動的なモノではない。ラトゥールは、社会を単に人間対人間の関係から作られるものと見なすことは誤りを含んでいると主張し、モノのエージェンシーを捉えることの重要性を指摘した(ラトゥール 二〇〇八)。世界のあらゆる地域で、養蚕が人の手からは離れえない営為として展開し続けてきたことを考えるとき、ラトゥールの指摘も踏まえるならば、蚕がその飼育者たる人間をいかに刺激し、働きかけたのか、という蚕の能動性や、そして、それに刺激される人間の姿を捉えることはますます重要である。そして、この両者の関係性のあり方が最もよく表われる部分として、実際に人間と蚕が対峙(たいじ)する「技術」を考察するのである。

技術とは、それが実践される現場においては、人間の身体を巻き込み展開し、その身体の感覚形成に大きく影響を与えるものである。よって技術を考察する際には、その技術に付随する身体感覚も含めて考察することが求められる。ここで感覚に注目することの重要性は、それが、単に身体のマテリアルな問題にとどまらず、人間の心の問題や観念にも関係すると考えるからだ。身体は、決して生物学的知識を基盤に普遍的なものと見なされるような均一で冷たいモノではない。皮膚に覆われて熱を持った人間の身体は、外部から刺激が与えられる際に反応する感覚を通じて、他者や社会、環境と自らとを関係付けながら経験を重ねる。従来、感覚は、伝統的に心理学や神経生物学などで論じられ、生物学的機能から捉えられる傾向があったが、近年は、感覚に着目した人類学的研究などによって、そうした感覚の限られた捉え方が批判的に検証されつつある。感覚の人類学的研究を牽引(けんいん)してきたデイヴィッド・ハウズらが感覚に注目する背景には、それが、西洋科学が保持してしまった主体／客体、心／身体といった二分法を批判的に乗り越えるアプローチになると考えているからである。ハウズの定義に従えば、感覚とは、心と身体、概念とモノ、自己と環境といった二分法を超え、両者を媒介するものであり、人々がそれぞれに暮らす文化圏で、いかに他者や環境と関係しあっているのか、その関係性のあり方が現われる場所が、感覚である。よって異なる時代や環境に生きるのであれば、当然ながら感覚も異なって形成され、意味付けられ、価値付けられると考えられる（Howes 2003）。養蚕技術が、常に女性たちの手と身体を離れては成立し得なかったのならば、彼女たちの身体感覚にもまた、蚕を育てるという繰り返し積み重ねた実践経験の中で与えられた独自の意味や価値があるはずなのだ。

これまで議論してきたことを敷衍（ふえん）して考えてみると、技術とは、養蚕業の近代的な産業化過程に強く影響されながら形成されつつも、その実践過程において女性たちの身体感覚、それらと結びつく感情・想像力を駆動させながら展開する。つまり、筆者の問題意識である養蚕業の近代産業化過程と民俗的想像力との展開との相互関係を捉えるためには、両者どちらの問題にも密接に関係している技術に着目することは、非常に有益なアプローチであると言えよう。それを踏まえた上で、技術史研究者の松浦利隆による近代化過程における蚕糸技術の再編への詳細な研究は、多くの示唆に富むものである。松浦は幕末から明治期において、実際に実践の現場で広く普及した蚕糸業の技術（養蚕、製糸、織物）の改良過程を分析した。国家によって推奨される技術がありながらも、実際に農村に普及した技術は、多くの部分を在来技術の改良に頼っていたことを明らかにした。この技術に対する分析を通じて、蚕糸産業の近代化が単に、在来技術を西洋から流入した近代的技術革新で駆逐（くちく）する一方的な発展ではなく、実は「在来的なものと近代的なものとが相互に混じり合い、刺激し合うなかで結果として両者ともに変化発展してゆくスパイラルな運動」として展開したことの重要性を指摘しつつ、既存の産業近代化論に対して新たな視点を提唱したのである（松浦 二〇〇六）。松浦の研究は技術の分野に特化したものであったが、俯瞰（ふかん）して考えて見れば、近代的技術は当然ながら国家の近代産業化政策と深く結びついているはずであり、また在来技術はそれを実践する人々の身体感覚・感情といった民俗的想像力とも深く結びついている。松浦が指摘したように、近代産業化を在来的なものと近代的なものとが相互に混じり合い、両者ともに変化発展してゆくプロセスであったと考えるならば、養蚕技術の周りに豊かに育まれた民俗的想像力も、国家の近代産業化政策と相互に刺激し合いながら変容し、展開していったものとして捉える視座が開けてくる。

4 蚕を起点に立ち上がる技術と民俗的想像力

近代産業化過程と民俗的想像力との相互関係といった、現象そのものが内在させる複雑性を、そのままの形で捉えようとする問題設定は、その性質上、上述したようなディシプリン研究の枠組みを超えた独自の学術的アプローチを構築することを求める。筆者は、技術とそこに付随する身体性を軸とした学術的アプローチを通じて、まずは日本の蚕糸業を対象とした研究を行ない、その成果を博士論文「近代産業化過程の養蚕業における民俗的想像力――蚕を育てる技術・感覚・信仰」にまとめた（沢辺 二〇一六）。近代産業化と民俗的想像力という従来一緒に論じられることがなかった事柄を関係づけながら議論を展開させるため、公文書、養蚕技術書、民俗資料、また養蚕農村でのフィールドワークで得た一次資料などの性質が異なる多岐にわたる資料に加え、経済史学や民俗学、技術史学などがそれぞれのディシプリンの中で蓄積してきた蚕糸業に関する研究成果を、技術・身体感覚という視座から改めて検証する作業を行なった。

この作業によって筆者が明らかにしたことの一つに、蚕を育てるという労働の技術実践そのものが、前近代から近代化過程を経ても一貫して、蚕神への信仰実践と密接に重なり合って農家女性たちに経験されていたという点がある。

これまで、養蚕信仰を論じてきた民俗学では、蚕神への参拝や儀礼といった宗教的行事の形態が中心に論じられ、蚕を育てるという日々の技術実践と信仰実践とは切り離されて論じられる傾向があった。また、経済史や技術史の分野においても、近代産業化の中で養蚕技術が改良を施されながらも、なぜ工場化・機械化がなされなかったのかという問題について、経済的・技術的な視点からだけでなく、その技術を実践する人々の心的状態や価値観も含めて検証されることはなかった。ディシプリン研究の枠組みを超えて、技術と身体性を軸にさまざまな資料を横断的に検証することから、養蚕の技術実践と信仰実践との重なりが浮かび上がってきたのである。以下、筆者が博士論文で分析した養蚕技術書等の資料の一部を引用しながら、この点について概観したい。

はじめに、明治から大正期（一八六八〜一九二六）という日本で養蚕が急速に発展していく時期に、農家から絶大な信頼を集め、全国に数多くの分校を設置した群馬県藤岡市の養蚕技術民間学校・高山社の養蚕技術書について触れたい。養蚕学校・高山社町田菊次郎校長によって明治三七（一九〇四）年に執筆された技術書『養蚕法』の一節には、次のような養蚕技術の教えが書かれている。

養蚕の豊凶は空気利用の如何にあり。〔中略〕空気利用とは蠶室内の気候を蠶兒の好む所に従て自由自在に運用するにあり。

「第十章　空気利用」『養蚕法』

繭の収穫における豊凶は、養蚕を行なう蚕室の温度や湿度調整といった「空気利用」が肝であると述べられている。確かに、蚕は外部環境に非常に敏感なため、適温のなかで、かつ通気性ある環境に育てられなければ、病気にかかって死んでしまったり、また桑を十分に食べずに成長しなかったりして、繭の品質に多大なる影響を及ぼす。町田はここで、蚕室の温度や湿度調整を行なう空気利用は「蠶兒の好む所」に合わせるようにと述べる。そして、この文書に続けて、蚕が好む所を見極める上で最も重要なのは、蚕室の温度計等の数値ではなく、養蚕農家自身の「居心の如何（いかん）」であると指摘している。つまり、飼育者である人間が居心地良いと思う状態が、そのまま蚕が好む状態であると考えられているのであり、ここに蚕と養蚕農家との身体的・感覚的繋がりが伺える。蚕に日々直に向きあう人々が、その虫に感覚や感情を見出し、それらの状態を価値付けるにあたっては、自らの身体感覚を活用している姿が見て取れる。

筆者は、こうした蚕と人間との関係が、実は前近代に書かれた主要な養蚕技術書でも繰り返し指摘されてきたことを江戸時代に書かれたいくつかの技術書を引用しながら博士論文で指摘した。これら技術書の多くが、養蚕を日本に政策的に奨励した祖として聖徳太子を紹介しているが、その太子の教えとして頻繁に引用されるのが次の一節だ。

太子曰、蚕を養ふは、父母の赤子を育つるがごとし。蚕を思ふ事我子を思ふごとくせよ。

「上巻・日本蚕始りの事」『養蚕秘録』

上記は近世の養蚕技術書のなかで最も多く読まれたとされる、享和三（一八〇三）年に発行された上垣守国著『養蚕秘録』での記述を引用した。[1] ここで、人間の赤子と同じように蚕を扱わなければならないと主張される背景には、母親が自らの身体感覚を通じて言葉を発せられない赤子の感覚・感情を想像し、養育の実践を組み立てるように、蚕に対してもまた、自らの身体感覚を通じて接近せよという意味がある。つまり養蚕において、人間は自らの身体感覚を介して、蚕の感覚を受身的に感受しようと試み、それを蚕の心の状態（心地よさや、不快といった状態）と結びつけながら意味付けし、そこに依拠することで技術を組み立てていくことが求められた。

こうした態度は、決して前近代や明治・大正期に限られたことではなかったようである。筆者は、二〇一〇年から二〇一三年にかけて、群馬県富岡市の古くからの養蚕集落にて、今日でも現存する複数の養蚕農家に住み込みをし、幾度かにわたってフィールドワークを実施した。そこで見受けられたことは、上述した記述に見受けられるような蚕への接し方が、今日の養蚕農家においても持続しているということだ。二〇一〇年の筆者のフィールドノートには、次のような養蚕農家の言葉が書き留められている。「心地いいな、って思う環境を作ってあげることが大事。人が気持ちいいなって思う環境が、蚕にとっても、気持ちがいい環境だから」。ここに語られたことは、先に引用した明治三七（一九〇四）年に執筆された高山社の『養蚕法』の一節とまったく同じ内容を意味している。両者ともに、その言葉の前提には、人間と同様に蚕が外部環境を感じていて、そして人間と同じように蚕もまた自らの感覚への価値付けを行なっているという認識が存在している。このフィールドの女性は高山社の『養蚕法』を読んだことはない。ここから考えられることは、時間的隔たりを超えて、蚕という生態・物質性が起点となって繰り返し立ち上がる人間の身体感覚と、その感覚に結びついた感情・想像力に、一定の類似性が見出されるということである。そこに現われる人間と蚕との関係とは、人間が飼育者として蚕を従属的な立場に置くのではなく、むしろ人間の方が蚕に仕える従属的で受動的な存在として現われる。自らの身体感覚をどれだけ蚕に接近させられるか、そして蚕に拘束されることを許容できるか、という程度が養蚕技術の向上と密接に関係しているのである。

このような技術実践を通して培われる蚕に感覚・感情を見出そうとする人間の想像力は、技術の基盤だけでなく、実は養蚕にまつわる民俗信仰の母体ともなっている。群馬県富岡市の養蚕農家でフィールドワークを行なった際のこと、脱皮のステージを迎えた数多の蚕を前に、養蚕農家女性は、「お蚕さんが汗かくようになってる。大変な仕事なんだろうと思うよ。疲れるんじゃないかな」と筆者に語った。蚕は繭を作るまでの間に四度脱皮を行なうが、このステージで表皮を脱ぎきれず、死んでしまう蚕も多い。まさに、技術的な必要性から自らの身体感覚を蚕に重ね合わせている養蚕農家にとって、脱皮とは身体的な受苦を容易に連想させるのだ。

こうした養蚕農家の経験世界と密接に連動して編まれた物語に、蚕神・金色姫物語が挙げられるだろう。金色姫とは、江戸時代から、近代産業として養蚕業が盛んに営まれた昭和初期頃に至るまで、関東甲信越の養蚕農家から熱心に信仰された民俗的蚕神の一つである。その物語が伝えるところには、天竺(てんじく)の姫として生まれた金色姫は、継母から疎(うと)まれ四度にわたって殺されかけ命の危機に陥るが、そのたびに奇跡的に助けられて生還する。天竺にいては不幸に見舞われると考えた姫の父親が、小舟で海に送り出す。舟は日本へ漂着して漁民夫婦によって金色姫は発見されるが、そこで息絶え、死体から蚕が生まれたという話だ。金色姫を蚕神として信仰し、その物語が伝播していた養蚕地域では、かつて蚕が生涯に経験する四回の脱皮を、「獅子休み、鷹休み、船休み、庭休み」と呼ぶことがあった。この脱皮の呼称である「獅子・鷹・船・庭」とは、金色姫が天竺で継母に殺されかけ、苦しめられた出来事を意味している。獅子山に捨てられる最初の受難、鷹山に捨てられる二度目の受難、船で無人島に流される三度目の受難、庭に埋められる四度目の受難である。脱皮というステージを迎えた蚕たちは、その虫に対峙している飼育者たちに、苦しみや痛みといった身体感覚を喚起させるが、それは蚕になる前の金色姫が異国・天竺で経験した獅子、鷹、船、庭の四回の命の危機とパラレルな世界になっている。

単に金色姫物語だけを蚕の起源伝説として聞くと、その物語は非常に突飛な迷信にしか感じられないかもしれない。現に、金色姫が蚕神として民衆に信仰されていた当時の知識階層の人々は、金色姫を迷信・俗信の神として、後進的・否定的なイメージのもとに語っている記述が多々見受けられる。(2) しかしながら、蚕を育てる技術的実践を行なう人々の身体感覚、それは虫である蚕の感覚を想像し、感受するための媒体として機能する人間の感覚であるが、そうした身体を持つ人々の視点から見れば、金色姫物語とは違和感なく受け入れられる蚕の起源伝説だったのではなかったか。悲劇的なヒロイン性を備えた金色姫は、蚕の生命の弱さそのものを反映させた存在であり、蚕を育てるという日々の技術的実践において形成される蚕と人とを巡るネットワークの中に繰り返し立ち現われる。身体感覚と、そこに結びついた人々の感情・想像力まで含めて養蚕技術を考察することで、その技術実践が、蚕に対する信仰実践とは切り離して考えることができないことが露わになる。

そして、養蚕の技術実践と蚕神への信仰実践とが、協働するように重なりあっていたことと踏まえるならば、養蚕業の近代産業化が、蚕を育てる女性たちの民俗的想像力を強化する形で機能した背景が、より明確に見えてくる。大正期において、国家主導で進められてきた蚕の科学的研究は、統一蚕品種の大量生産と全国配布の中央集権体制を構築し、さらに蚕種の人工孵化といった技術革新を可能にした。近代産業化政策の元に研究されたこれらの科学技術によって、従来は春に年一回しか行なえなかった養蚕業が、三回、四回と、年間を通じてできるようになっていったのだ。だがそれは、農家女性たちの身体が、年間を通して大量の蚕と共に生きる環境に置かれ、よって蚕に身体をますます拘束されていくことも意味していた。養蚕の技術的実践が盛んに行なわれるようになった中で、養蚕信仰に繋がる蚕に感覚・感情を見出す人々の民俗的想像力の発露が、より頻繁に現われるようになっていったと考えられる。

5 今後の展望と課題

これまで概観してきたように、筆者は自らの博士論文において、日本の近代産業化過程における養蚕技術の変遷を、身体感覚を切り口として検証し、それによって近代的な産業化過程と民間に培われる民俗・想像力の展開が相互に関係し合いながら展開していったことを論じた。こうした議論を展開させることの意義の一つに、近代産業化を遂げた原動力として、養蚕農家の主体的な想像力が果たした役割を再評価することが挙げられるだろう。

二〇一四年に「富岡製糸場と絹産業遺産群」がユネスコの世界遺産に登録され、また二〇一八年には明治維新一五〇年を迎えたことで、日本では近代化産業遺産に関する催しが数々行なわれるなど、昨今、明治以降の日本の近代産業化過程そのものに対する社会全体の関心が高まっている。そうした中で、蚕糸業の近代産業化過程を問う研究も新たに蓄積されつつあるが、そこでは国家側から成される政策や制度の分析が近代化過程を論証する根拠とされる傾向が強く、一面的な理解を助長する可能性もある。そうした中で、筆者が新たに提示した技術とそこに培われる身体感覚に着目して近代産業化過程を捉える枠組みは、これまで見過ごされたといっても過言ではない、養蚕農家の身体感覚、それを基盤とした民俗的想像力を、養蚕業の急激な成長を支えた要因として見出すことを可能にした。圧倒的力を持つ国家や資本家等によって形成された政策や制度で一方的に蚕糸業が牽引された訳ではなく、蚕に対峙し、刺激されることで培われる農家側からの主体的な想像力もまた、国策である蚕糸業の産業化を支える極めて重要な力となっていたのであり、本点を指摘することは、近代産業化政策下の養蚕農家を中央集権構造における従属的立場として位置付ける経済史学などでの一般的な評価に対して、再検討を迫ることにも繋がると考える。

また、本章の冒頭ですでに述べたように、そもそも筆者の問題意識は、イタリアや中国といった、前近代と近代をつなぐ転換点において絹が国策に位置付けられた複数の国々で、近代産業化過程においても共通性を持った民俗事象が立ち現われたことそのものをいかに考えたら良いか、という問いから構築されたものである。技術実践に培われた人々の感覚・想像力を軸として、民衆の中で行なわれる技術の向上や、民俗信仰の興隆を捉え、延(ひ)いてはそれら民衆の想像力が、国家の産業全体の活力といかに関連しあっているのかを考察するという学術的課題は、筆者が博士論文で展開したような日本だけではなく、イタリアや中国といった他の国々にも応用可能な、汎用性を持った問題設定であると考える。今後、それらの地域においても本章で展開した学術的アプローチを展開させることを試みることで、近代的な産業化過程と民間に培われる民俗・想像力の相互作用という問題設定を、より深めて考察することを課題としたい。

◉注

（1）『養蚕秘録』の引用文の参照元は、山田龍雄他編『日本農書全集第三十五巻 養蚕秘録・蚕飼絹篩大成・蚕当計秘訣』（二〇一一、農山漁村文化研究会）である。

（2）明治初期の宮中養蚕の世話人を務め、また当時の蚕糸制度において重要な任務を司っていた蚕種製造人の田島弥平は、自らの著書『養蚕新論』（一八七二）において、金色姫物語を怪談妄妖と言い切っており、否定的に論じている。田島は、「蚕の四眠、わが郷の方言に獅子休みといい、鷹休みといい、船休みといい、庭休みという。もとよりなんの謂れなるを解せず。先輩書中一、二論及するものありといえども、その説怪談妄妖、信じるにたらず。いま闕如の例にならい、しいて論せず」と述べており、養蚕秘録などの過去の蚕書に金色姫物語が記載されているとはいえ、それらは信じるには値しないと断言している。

◉参考文献

安西勝、一九六一、「蚕神信仰論――神奈川県津久井地方養蚕民俗の一考察（一）」『国学院雑誌六二巻一号』国学院大学、三一―四四。

石井寛治、一九七二、『日本蚕糸業史分析――日本産業革命研究序論』東京大学出版会。

石田英一郎、一九四七、「桑原考」『民族學研究』一二（一）、日本文化人類学会、一一三―一二六。

今野圓輔、一九五六、『馬娘婚姻譚』民俗民芸双書、岩崎書店。

沢辺満智子、二〇一六、「近代産業化過程の養蚕業における民俗的想像力――蚕を育てる技術・感覚・信仰」一橋大学大学院社会学研究科提出博士論文。

——、二〇二〇、『養蚕と蚕神——近代産業に息づく民俗的想像力』慶應義塾大学出版会。

滝沢秀樹、一九七九、『繭と生糸の近代史』教育社。

田島弥平、一八七二、『養蚕新論』出雲寺万次郎（収録先：農山漁村文化協会編、一九八三、『明治農書全集——養蚕・養蜂・養魚 第九巻』農山漁村文化協会）。

藤井光男、一九八七、『戦間期日本繊維産業海外進出史の研究——日本製糸業資本と中国・朝鮮』ミネルヴァ書房。

町田菊次郎、一九〇四、『養蚕法』高山社同窓会。

松浦利隆、二〇〇六、『在来技術改良の支えた近代化——富岡製糸場のパラドックスを超えて』岩田書院。

山田龍雄他編、二〇一一、『日本農書全集第三十五巻 養蚕秘録・蚕飼絹篩大成・蚕当計秘訣』農山漁村文化研究会。

ラトゥール、ブルーノ、二〇〇八、『虚構の「近代」——科学人類学は警告する』、川村久美子訳、新評論。

Broadwin, Julie, 1999, *Intertwining Threads: Silkworm Goddesses, Sericulture Workers and Reformers in Jiangnan 1880–1930s*, Doctoral thesis of University of California.

Howes, David, 2003, *Sensual Relations: Engaging the Senses in Culture and Social Theory*, Ann Arbor: University of Michigan Press.

Zanier, Claudio, 2019, *Miti e Culti della Seta: Dalla Cina all'Europa*, Padova: CLEUP.

第一〇章　田中千代のグローバルな視野(ヴィジョン)と日本のモダン・ファッションの形成

本橋　弥生

1　日本のモダン・ファッションにおけるグローバルな視野(ヴィジョン)

一九七〇年代初頭、高田賢三（一九三九―二〇二〇）や三宅一生（一九三八―）、山本寛斎（一九四四―二〇二〇）がパリやニューヨーク、ロンドンでファッションショーを開催した。それらは大きな注目を集め、その革新的なデザインは、西洋のファッション界に新たな美の基準をもたらした。以来、現在に至るまで日本人ファッション・デザイナーたちは、西洋の伝統とは異なる独自の美を提示することで、世界のファッション界において確固とした存在感を示してきた。彼らの何が高く評価されたのか。もちろんそれは個々のデザイナーの独創的なクリエーションである。だが、そこには共通して、西洋のモードだけでなく、衣文化に対する新しく、グローバルな視野があったからではないだろうか――なぜ一九七〇年代に突如として世界的に活躍するデザイナーが日本から数多く輩出されたのだろうか。それを可能とした背景はいかなるものであったのか。そして、彼らの活躍につながる根底に、実は田中千代（一九〇六―九九）という極めて先駆的な存在とその活動があるのではないだろうか。本章では田中千代を、日本の「モダン・ファッション」を創造した重要な人物として位置づけ、戦前から戦後にかけての彼女のグローバルな視野の変遷と日本のモダン・ファッションの形成について考察する。たしかに千代と一九七〇年代に活躍した日本人デザイナーたちとは直接の交流はなかった。だが、彼女が日本のモダン・ファッションの基盤を築き、そこにパリやニューヨークの流行を追うだけではなく、世界各地の民俗衣装に興味を持ち、グローバルな視野で日本のモダン・ファッションを考えたという点で、七〇年代以降の日本人デザイナーたちが世界で活躍する日本人デザイナーと通底するものがあると筆者は考える。その意味において、田中千代は現在の世界的な日本人デザイナーたちが育まれる土壌を整えた、先駆者であったと言えよう。

グローバリズムは現代に限った特有の思想や傾向ではない。本章は、「グローバリズム」という言葉が用いられる現代よりずっと以前の、戦前から戦後にかけての田中千代のグローバルな活動と思想を、異質な文化が出合う社会空間である「コンタクト・ゾーン（接触領域）[1]」とその集積という概念を用いて紐解く試みである。彼女の活動を、たとえば、戦後の日本における西洋文化の受容プロセス、あるいは日本文化の文化変容、さらには日本文化の異種混淆（こんこう）化の形成として位置づけることはさほど困難なことではない。ただ彼女の豊かで多様な活動を表現するには一面的にすぎる。本章は彼女の活動の本質的なところに、戦後の日本における脱西洋中心的な思想があり、そこには戦前に彼女が海外経験においてその萌芽を得たグローバルな視野があったこと、このことこそが、彼女の活動を位置づけるには重要な鍵であると考える。本章ではその詳細を記述、分析していくこととする。

田中千代は西洋のファッションの規範を受容するだけにとどまらず、単なる西洋の模倣を超えていった。そして、日本を含むアジアやアフリカ、南米などの民俗衣装[2]を現地へ行って、実際に着用されているものと日本から持参した着物を交換することで収集し、人類の衣文化を着想源に日本の「モダン・ファッション」を創造しようとした。その活動の一例が、千代が一九五〇年に熱心に取り組んだ近代服としての着物「ニューきもの」であり、実際にアメリカで「ニューきもの」のファッションショーを行なった。当時、ニューヨーク大学に短期留学中だった千代は、留学前から「ニューきもの」をアメリカで発表し、その真価を世界に問いただすことを心に決めていた。千代の活動や思想は、岡本太郎（一九一一—九六）らグローバルで大きな視野を持って活躍した同時代の一部のアーティストらと同調するものであり、新しい時代の潮流を生み出した。それは、直接の交流はないにせよ、一九六〇年にパリでファッションショーを行なった中村乃武夫（一九二四—二〇一四）や一九六五年にニューヨーク・コレクションに参加した森英恵（一九二六—）の海外での作品発表へとつながり、さらには一九七〇年代初頭の髙田賢三や三宅一生へと波及していったのではないか。一九七〇年代以降、日本のファッション・デザイナーたちが世界を舞台に一つのメインストリームと化して行くにあたり、脱西洋中心主義的な思想、すなわち西洋を越境した発想に裏付けされたデザインの発想は何より重要であった。そしてそれはすでに一九三〇年代から日本のモダン・ファッションの創造に尽力した田中千代の活動の中に多分に見出される。本章では彼女の戦前から戦後にかけての活動を概観し、彼女の脱西洋中心的な視野がどのように形成され、展開されたのかについて考察する。

日本人が洋装する歴史は、明治維新の直後に仏英の軍服を導入したことに始まる。一八七二（明治五）年には大礼服を含む服制に関する勅令が発令されるなど、まずは政治的に取り入れられ、緩やかな速度で、上流階級の社交着や制服という社会的な装いとして普及した。洋装が一般市民の日常着として広く普及したのは、太平洋戦争敗戦後の一九四五年以降のことである。戦時中、男性は洋服を基本とした国民服[3]、女性は標準服やもんぺの着用が推奨され、終戦後には洋装が一気に普及した。壊滅的な戦争で焼け野原となった日本で、洋裁の技術を身につけようと女性たちが洋裁学校に殺到し、一九四五年から一九五四年頃までの一〇年間は洋裁学校の興隆期となった。洋装は急速に生活に浸透し、一般大衆の日常着となった。戦後一九四五年から、世界的に活躍する日本人デザイナーたちが登場した一九七〇年頃までの約二五年間に、人々は洋服に関する知識を深め、洋裁の技術を習得し、自らの衣文化へと変容させていくという急激な変化をとげた。このような劇的な変化に膨大なエネルギーが伴ったことは想像に難くない。

言い換えれば、それは西洋の洋服文化の初期の受容、さらにはその後の文化的異種混淆化（ハイブリディティ）のプロセスであったといえる。しかし、ここで考えてみたいのは、単に日本で西洋文化の受容や文化的異種混淆化が行なわれたとする以上の、もっと強い躍動的な力がないと、日本のファッションが西洋のファッションに影響を及ぼすほどまで成長しないという点である。そこには、西洋文化を受容、異種混淆化しつつも、その先の脱西洋的な視点から新しいファッションの創造を渇望し、果敢にそれに取り組んだ時代の凄まじいエネルギーがあったからこそ、一九七〇年代以降、日本から世界のファッション・デザイナーとして活躍する人たちが続々と輩出されたという快挙がなされたのではないだろうか。

この時代については長い間、あまり研究テーマとして取り上げられてこなかったが、二一世紀に入ってから、社会学および社会史、デザイン史の観点から研究が進みつつある。井上雅人は『洋裁文化と日本のファッション』（二〇一七）において、戦後の洋裁ブームの時代を「洋裁文化」[4]として位置づけ、洋裁学校、デザイナー、雑誌、洋裁店、モデル、ファッションショーといったさまざまな事象から形成された大衆を主役とした生産と消費の文化としてこの構造を分析した（井上 二〇一七：一一）。また、アンドルー・ゴードンは、戦後日本におけるミシンの普及率の高さに着目し、ミシンの普及を切り口に二〇世紀の日本の社会の変容を考察した（ゴードン 二〇一三）。個人研究としては、常見美紀子が『桑沢洋子とモダン・デザイン運動』において、桑沢洋子（一九一〇―七七）に焦点を当て、編集者、デザイナー、教育者という立場から日本のモダンデザイン教育に残した彼女の功績を包括的に詳しく検証した（常見 二〇〇七）。

田中千代に限れば、生前に書かれた伝記（西村 一九九四）に加え、他に戦前の著作三点に焦点を当てた後藤洋子による「田中千代の服飾観」（二〇一三）および戦後の田中千代が試みた「ニューきもの」に焦点を当てた、鈴木彩希の研究論文（二〇二〇）などがある。[5]

いずれにせよ、管見の限りでは、これまでの議論ではパリのモード／西洋文化をどのように受容して来たのか、あるいはそれとどう対峙したのかという観点に立脚するものであった。したがって本章ではこれまで論じられてこなかった点、すなわち日本のモダン・ファッション形成期における脱西洋中心主義的な視野について考察する。西洋を超え、人類の装いを「世界服」として大きな次元から考え、日本のモダン・ファッションの創造を試みた田中千代の思考と活動を紐解くことを試みる。それが、一九七〇年代に世界と日本のファッションが繋がる根底にあったと考えられるためである。

本章の執筆にあたって着目したのは、「コンタクト・ゾーン（接触領域）」という文化人類学的概念を、文化人類学者・田中雅一がさらに発展的に捉え、フィールドワークのない学問においても「交渉や交流という平等主義的な概念を括弧に包み、そこに作用する権力や暴力、葛藤や抵抗の動きを想定することが可能となる」（田中雅一 二〇一八：一六〇）とするものである。戦前から広く地球を旅し、異文化が交差する場に自分の身を好んで置き、現地の人と直接の接触を通して、世界の衣文化を吸収・咀嚼(そしゃく)し、日本のモダン・ファッションの創造に与(くみ)した田中千代の活動は、単なる机上での西洋文化受容という一般的な枠組みを凌駕(りょうが)していた。

具体的には、田中千代が執筆した原稿や出版印刷物、夫の薫が撮影し、田中千代の生前は本人が保管していた写真を、歴史学、文化人類学的な視点から読み解くことを基本とする。彼女が書き残した本やエッセイは、裁縫技術書だけでなくその初期には登山に関するエッセイから、流行論、デザイン論、民俗衣装論に至るまで多岐にわたる。これら一連のテキストと関連する史資料を調査することで、田中千代の思想や活動の詳細を考察する。

本章の構成は、田中千代の多岐にわたる活動のうち脱西洋中心主義的な志向が顕著なものを時系列に、自己形成期（一九〇六―三一年）、戦前・活動初期（一九三一―四五年）、敗戦後・全盛期（一九四五―五〇年代中心）、と大きく三つに分け、それぞれのコンタクト・ゾーンを辿ってみたい。

第二節では自己形成期として田中千代の生い立ちを紹介し、彼女の人生を特徴づけた家庭環境、キリスト教系学校教育、新婚生活、欧米留学といった要素を考察したのち、第三節では、留学から帰国後の一九三〇年代から一九四〇年代前半にかけて、鐘紡(かねぼう)および日本衣服研究所所長としての活動に焦点を当て、戦前の田中千代の活動を確認する。続く第四節では、敗戦後から一九五〇年代にかけて、「ニユーきもの」および「世界服」すなわち日本の新たなモダン・ファッションを創造しようとした試みを、同じ世代のアーティスト岡本太郎やイサム・ノグチ（一九〇四―八八）らとの思想と比較しながら考察し、最後の第五節はまとめとして田中千代のグローバルな視野の社会的意義を確認する。

以上の考察から、日本のモダン・ファッションが田中千代によって脱西洋中心的な視点から創造され、いかに発展して来たのかを明らかにする。

2　自己形成期——幼少期から田中薫との結婚生活、欧米留学まで

田中千代は、一九三〇年代から戦後の高度経済成長期にかけて、杉野芳子（一八九二—一九七八）や伊東茂平（一八九八—一九六七）らと共に日本のファッション界の基盤を築いたファッション・デザイナー、洋裁教育者、研究者であり、特に戦後日本で多くの女性が関わった「洋裁文化」の中心人物の一人として多大な影響力を持っていた。

夫の欧米留学に伴い、洋裁技術とデザインを学んで帰国後、鐘紡サービスステーション[6]に勤務し、また、自宅を開放し洋裁教室を開設した。

戦後もデザイナー、洋裁教育者の第一人者として活躍し、一九五二年には香淳皇后（当時）の服飾相談役として初の皇室デザイナーとなる。一九五三年にはクリスチャン・ディオール一行の来日に先駆けて、鐘紡としてディオールの衣装を制作し、ディオールのファッションショーを行なった。さらに一九五五年にはファッション用語一万語を収録した日本で最初の本格的な服飾事典『図解服飾事典』（一九五五）を刊行するなどまさに日本のファッション界を構築した人物であった。

田中千代（旧名：松井千代子[7]）は、日本が西洋文化を吸収することで近代国家となることを標榜した明治から大正時代にかけて、その最先端で外交を担う外交官家庭に生まれた[8]。自宅での晩餐会の開催も多かった松井家では、装いや食事の作法など、西洋の上流階級の生活様式が日常として実践されていた。その一方で、両親が海外へ赴任していた千代の幼少期の大半の時間は、母照子の実家[9]、今村

家寿が住む高輪の自然豊かな広大な邸宅で過ごし、和風の環境の中で育った。海外で生まれ育った弟の明（パリ生、一九〇八―九四）や妹の貞子（ワシントン生、一九一〇―不明）とは使う言語や文化が異なり、家庭内がまさに異文化が接し合うコンタクト・ゾーンであるという特殊な環境だった。

さらに、幼稚園から小学一年生まで通った聖心女子学院［一九一〇（明治四三）年開校］と小学二年生から女学校卒業まで通った雙葉学園［一九一〇（明治四三）年付属小学校開校］は、共にキリスト教布教のために来日したフランス人修道女たちによって創設されたばかりの新しい学校であった。フランス人修道女が、布教のため献身的に、日本社会と折り合いをつけながら、キリスト教的価値観に基づくフランスの教育を施した学校生活もまたコンタクト・ゾーンであったと言えよう。

雙葉女学校卒業後の一九二四（大正一三）年には、理学博士で子爵の田中阿歌麿（一八六九―一九四四）の長男で経済地理学者の田中薫（一八九八―一九八二）と見合い結婚する。薫の祖父、田中不二麿（一八四五―一九〇九）は岩倉遣欧使節に文部理事官として随行し、文部大輔や外交官を歴任後、司法大臣を務め、妻の須磨は洋装し鹿鳴館で社交界の一員となるなど、明治国家の中枢にいた。その息子で薫の父、阿歌麿はスイスで学んだ湖沼学の研究者であった。研究者一家のリベラルな田中家の家風は、松井家とは違う形で西洋文化の影響を多分に受けていた。

薫は女性の社会的役割に対して先進的な理想を持っており、千代に積極的に社会参加をする場を与えた。千代は、長男久（一九二五―二〇二〇）を出産後、一九二七（昭和二）年から文化学院大学部[10]に通っている。薫は、日本で最初の女性ジャーナリストであり、教育者でもあった羽仁もと子（一八七三―一九五七）が創立した自由学園［一九二一（大正一〇）年］で教鞭を執っており、千代は薫の口添えで、自由学園でスピーチする機会や、羽仁が創刊した雑誌『婦人之友』へ寄稿する機会を得た（西村一九九四：五四）。その他薫と結婚後に登山を始めるなど、薫との結婚によって、千代は新しい世界を知り、自身の経験を講演や雑誌への執筆によって社会に還元する活動を、この時期から始めていた。

一九二八（昭和三）年から文部省在外研究員となった薫の洋行に伴い、千代も欧米へと向かう。薫の祖母、須磨の勧めでもあり、帰国後、社会に貢献できるよう何かを学んで帰るとの決心の上でのことであった。この間千代は、二人の重要な師（メンター）と出会う。一人はチューリヒの工芸芸術学校校長のオットー・ハース＝ハイエ（一八七九―一九五九）教授であり、バウハウス（一九一九年設立）のデザイン教育を構築したヨハネス・イッテン（一八八八―一九六七）の教えに基づく当時最新のモダン・デザインの本質を千代に指導した。入学試験として千代に二日間にわたり一枚の葉をスケッチさせ、写実的な表現から抜け出し、葉の本質まで見ることを悟った時にようやく千代に入学許可を与えたエピソードを自分の原点として、千代はくり返し語っている。「物は眼でだけ見ていては駄目です。心で見て又手だけで描いてはいけません。心で描いてください。そこに図案の心があり、頭があるのです」というハース＝ハイエの言葉は千代の座右の銘となった（田中千代　一九四二b：一四、田中千代編　一九八二：二四）。

もう一人はニューヨークのトラペーゲン・ファッション・スクールの校長エセル・トラペーゲン（一八八二―一九六三）である。当時、開校したばかりで、同校は創造的な教育だけではなく企業と直結した学校経営をしており、職業人としてすぐに役立つような総括的な指導内容だった（田中千代編一九八二：二四）。何より、当時トラペーゲンは画家の夫ウィリアム・ロビンソン・リーと共にアフリカから戻ったばかりで、彼女の民族装身具収集は千代の民俗衣装への関心を触発した。

アジア各地を寄港しながら欧州へ行き、一九三一（昭和六）年に帰国するまでの約三年間の欧米留学は、異文化と直接ぶつかり合うコンタクト・ゾーンであったと言えよう。そして西洋を妄信するのではなく、現地の人と交流し、客観的に観察してその知識や技術を吸収しつつ、西洋以外にもさらに広い世界があることを感知した千代の経験は、他の服飾関係者にはない最先端を行くものであった。

後に男爵となり外務大臣も務めた外交官の父と、莫大な資産家の娘で外交官の妻としてパリのオートクチュールを身につけた母を持ち、子爵の称号をもつ田中薫に嫁いだ千代の生涯は、当時の華族や上流階級の女性の典型的な生き方とは相異なるものであり、むろん庶民の女性の生き方ともかけ離れた、彼女にしかできないユニークなものであった。自己形成期にグローバルな視野と洋服デザインの技術を身につけた千代は、それを拠り所に、新しい価値観、新しいものを創造する力を手に入れたのである。

3　戦前・戦中――グローバルな活動の起点、鐘紡と日本衣服研究所

◉「ファッション・デザイナー田中千代」の誕生と鐘紡

千代はアメリカからの帰国船上で鐘紡紡績の前社長武藤山治(さんじ)の妻、千世子と知己(ちき)を得た縁から、一九三二(昭和七)年三月一一日に当時大阪・心斎橋に開設したばかりの鐘紡サービスステーションで仕事を始めた。この頃の千代の肩書は「顧問」や「デザイナー」[11]であったが、業務内容としては、鐘紡の布地を購入した人への無料裁断、注文服のデザインと採寸、そしてその手本となるショーウィンドーの飾りをするという仕事で、千代は自身の創作活動としてのデザインではなく、「まずは鐘紡の新製の布地を如何にして美しく使いこなすか、それを狙ってのデザインに道しるべを定め」(田中千代 一九四二b：二〇)ることから始めなければならなかった。その一方で、「私は洋裁という仕事を

完成してみようと決心しました。私に興えられた大きな仕事であると深く感じました。私は自分独特の洋裁というものを作り上げたい」（田中千代 一九四二b：一二三）という野心も持っていた。繁華街にあり歌舞伎座や松竹が近くにあるという場所柄、すぐに芸者や役者、ダンサーなどが顧客となった[12]。

ここで特筆すべきは、一九三六（昭和一一年）頃から千代は洋服だけでなく洋服地を使って、あわせの着物や綿入れの防寒羽織など「新興和装」を考案している点である（田中千代・薫 一九五二：一二四）。それ以前にも改良服の議論はあった。しかし「キモノの約束から解放された立場で、試作の範囲を越え、商品として外套に進出したのは、おそらくこの時が最初であった」と千代は回想している（田中千代・薫 一九五二：一二四）。「幅広であるので裁断は自由だし、必要なだけ切ってもらえる事に、きものの新しいデザインの世界を」千代は見出した（田中千代 一九五五：一四二）。洋服技術と思われているリボンやスモック、ピンタック、フリル、アップリケなどを和服の模様代わりに入れたり、自由に型紙をつくって、洋服的な裁断の技術を採り入れた。塩瀬（経糸を密にし、太い緯糸を用いて平織にした絹の厚地の羽二重）にハンガリー調のリボン刺繡をしたりしたものやシルバーグレイのサテンの裏を黒いレースの裏にして袷としたものなどがあったという。顧客の入江たか子、水谷八重子らが舞台で着用するなど、特別に新しいセンスを持つ人の間で愛用された（田中千代 一九五五：一四二）。画家の東郷青児（一八九七―七八）も戦前に夫人のために購入しており、戦後に会った際に今でも新しいからもう一度やってはと言われたことも千代の戦後の「ニューきもの」への取り組みを後押しした（坂口・吉岡・木下・田中千代・増田 一九五二：四五―四六）。

さらに鐘紡は千代を在外研究員として、一九三四（昭和九）年に一〇か月間、パリのエコール・ドゥ・ゲール[13]に派遣した。再び一九三七（昭和一二）年にも、欧州各地の市場調査とパリの芸術および技術の国際博覧会出品のために千代を送り出した。鐘紡はこの時パリの博覧会で新興和装やテキスタイルで金賞を受賞しており、千代は自身の研究の一環としてヨーロッパの民俗衣装の収集も行なった。千代が鐘紡の武藤夫人と出会ったのはまさに運命であったと言えよう。戦前から世界に市場を拡大していたグローバル企業の鐘紡と千代のグローバルな衣文化への関心は合致するところが多かった。[14]鐘紡の当時の社長、津田信吾（一八八一―一九四八）が思い描いた「世界中の人に鐘紡の布を着せたい」という大構想（田中千代編　一九八二：二二）から、千代は現地で鐘紡の綿布がどのように使用されているのかなどについて調査が可能となったのである。

◉民俗衣装研究と日本衣服研究所での活動（アジア、アフリカ、南米での民俗衣装調査）

鐘紡と並んで戦前のもう一つのグローバルな活動が、夫薫との共通の関心であった民俗衣装研究で、それは日本衣服研究所設立へと結実した。一九四〇（昭和一五）年三月に大阪帝国大学理学部繊維科学研究所内に日本衣服研究所が発足し、伊藤忠商事の専務取締役社長の伊藤竹之助が理事長、同大学医学部教授の梶原三郎、薫、同大学理学部教授・呉祐吉（繊維科学研究所長）が常務理事、千代が所長、他に六名の女性研究員[15]という人員構成で、幹事や顧問、評議員には、関西を代表する繊維産業や百貨店の幹部、官僚ら錚々（そうそう）たる顔ぶれが名を連ねた。[16]

明治維新以降、日本人の装いがいかにあるべきかという議論は活発に展開されていた。一九二九（昭和四）年には生活改善同盟会の衣服改善運動の一部を継承する形で陸軍被服本廟（ほんびょう）内に「被服協会」が設立された。被服協会は生活の向上よりもむしろ繊維資源の確保に焦点をあて、国防上、国家経済上、個人経済上の観点（井上　二〇〇一：一〇三）から民間人の服装の制定に関与した（井内　二〇一〇：七六―

九九）。一方、日本衣服研究所は、世界の衣文化に関する研究や繊維産業の海外展開を標榜し、大きく三つの柱が立てられた。第一に衣服の経済地理学的研究（実物標本の収集、整理、比較、展覧会等）、第二に服飾の研究（被服素材の適応性の研究、衣服の意匠および裁断等、服飾文化に関する研究）、第三に衣服衛生（被服資材の衛生学的開発、衣服の衛生学的検討）である。[17] 同研究所が発行した彙報[18]と写真資料[19]によると、同所は繊維の性能に関する研究を行ない、世界の民俗衣装を調査収集し、その成果は講演会や二つの展覧会を主催、四つの展覧会[20]に資料を貸し出すという形で伝えられた。同所の一大プロジェクトとして、千代は単身、一九四〇（昭和一五）年七月二六日に神戸から大阪商船「報国丸」の処女航海に便乗し、東アフリカでスワヒリ族の衣服を収集の後、タンザニア、アルゼンチン、ブラジル、パナマ、ロサンゼルスなどを歴訪し、持参した日本の着物と引き換えに約五〇〇〇点の衣装を一二月一八日にもち帰るという調査を行なった（伊藤　一九四一：六）。工芸品や土産物を買うのではなく、実際に出会った人が着用しているものを物々交換するのである。それは相手の身体を取り込み、自分の身体を皮膚レベルで世界化していくコンタクト・ゾーンと言えるのではないか。

【図1】「民族と衣服」展／展覧会会場入口
田中千代旧蔵写真（帝京大学大学院日本史・文化財学専攻所蔵）

　この調査で千代が収集した民俗衣装は、「民族と衣服」展として、一九四一（昭和一六）年に大阪、東京、神戸、福井の四つの百貨店で展示され、それは世界一周を旅するように各地の気候や文化、服の構造の違いを紹介する内容であった【図1、図2】。

この時、世界的に見ても民俗衣装の学術的な研究は皆無に等しく、衣服の分類方法が存在しないという問題に直面する。[21]

二回目の展覧会は、翌一九四二（昭和一七）年から一九四三（昭和一八）年にかけて、大阪、東京、京都、神戸の四つの百貨店を会場に「大東亜共栄圏の衣生活展」として開催された。[22]「大東亜共栄圏建設の指導民族たる日本人と協力民族たる東亜諸民族の衣生活上の相互関係を明らかにするべく、日本衣服協会が苦心蒐集した衣服標本を中心とし、衣に関する研究の一部も加え、ここに「大東亜共栄圏の衣生活」

【図 2.1】「民族と衣服」展／シンガポール
田中千代旧蔵写真（帝京大学大学院日本史・文化財学専攻所蔵）

【図 2.2】「民族と衣服」展／南米
田中千代旧蔵写真（帝京大学大学院日本史・文化財学専攻所蔵）

展覧会を開催する」と会場入口に掲示されたように、同展は大東亜共栄圏構想を名目に開催された。[23]
ここで重要なのは、そもそも日本人が何を着るべきかという議論がなされつつも結論が出ていない状況下に、今度はアジア諸国に普及する衣服を考案しようとしている姿勢である。
当時、この展覧会を見た田中千代洋裁研究所に在籍していた村田珣子は「欧米の文化が最も新らしいものと考えていた私達に、今このような南方、又は蒙古にも、力づよい、自然な文化を見出したのだ」と感想を書き残している（村田 一九四二：七四）。
欧州航路の寄港地で興味をもち、着手した民俗衣装研究は、鐘紡というグローバル企業の世界戦略や大東亜共栄圏構想という帝国主義思想が千代に貴重な調査の機会を与え、民族学的な方法を採り入れながらはじまった。そして千代は「大きな意味の衣服（図案、裁断、裁縫、衣服の衛生、衣生活風習、服装歴史の研究）そして将来目指す衣服への研究が認められ、その立場が他の科目の研究者と同等にまで認められる日を、次の時代のこの研究者のために齎せなければならないとねがっています」（田中千代 一九四二b：二四）との問題意識を持っていた。

◉田中千代の位置

戦後、洋裁文化を千代と共に牽引した杉野芳子や伊東茂平も、戦前から活動を開始している。「洋装の普及」という大きな目的は共有されていたが、活動の動機や目指すところは三者三様であった。

杉野芳子は、アメリカ滞在や関東大震災を経験し、洋装を一般的な日常着として普及させるためには洋裁の技術を教えなければならないという義務感から教師として仕事を始めていた（杉野 一九九七：六七―六九）。一九一三（大正二）年に単身アメリカへ渡り、一九一四（大正三）年に建築家の杉野繁一（しげいち）とニューヨークで結婚後、一九二〇年（大正九）年に帰国（杉野　一九九七：二六二）。一九二六（大正一五）年四月にドレスメーカースクールを開校し、一二月七日には杉野は読売新聞に日本で最初の洋裁講座を毎週連載し始め（杉野　一九九七：七九―八二）、一九二九（昭和四）年五月には『婦人公論』に「洋裁講座」や「洋裁相談」の連載を始めた（杉野学園七十年史編纂委員会一九九五：一三八）。さらに勉強するため、杉野は一九三七（昭和一二）年七月から翌年二月までニューヨークやパリへ短期留学し（杉野　一九九七：二六三）、帰国後「デザイナー養成科」を開設した（杉野一九九七：一六六―一六七）。

一方、伊東茂平は、洋服の構造への興味を出発点に、構成学などを取り入れながら独学で伊東式と呼ばれる立体製図法を確立し（伊東衣服研究所　一九九六：一七四）、洗練された美しいデザインを生み出したが、生涯、海外へ渡航することはなかった。

つまり、洋服（＝西洋）という枠組みを越境し、脱西洋中心主義的な視野で日本人の装いについて考え、デザインすることのできる人物は千代をおいていなかったのである。

4　高度経済成長期――「世界服」としての「ニューきもの」の創造と民俗衣装

◉ニューきものとティナ・リーサ賞

太平洋戦争で大敗を喫し焦土と化した日本において、女性たちは洋裁学校へと殺到し、洋裁ブームが到来した。千代の洋裁学校も戦後すぐに再開され、学生数は飛躍的に増加していった。洋裁教育、洋服デザインの第一人者として千代は社会からその活躍が求められ、多忙を極めた一方で、戦後から五〇年代にかけて特に千代が個人的に情熱を傾けたのは「ニューきもの」と民俗衣装であった。「戦争中いやでも、衣服の機能性や、動態美を知った日本婦人が、お人形のような在来のキモノにまんぞくできる訳はないし、文化日本の再建は、日本独特なキモノの美にとって、世界に生きる道が開かれるよい機会でもあると考え、私もこの仕事に一層生き甲斐を感ずるようにな」(田中千代・薫 一九五二：一二四)り、千代は戦前から取り組んでいた新興和装に「ニューきもの」という名前をつけて取り組んだのである。そして、それに手ごたえを感じていた千代は、「私は、新しいキモノは、日本人より先に、欧米人が着るようになり、日本に逆輸入されることになるかも知れない」(田中千代・薫 一九五二：一二四)と期待を込めて記している。つまりこれは、千代の「ニューきもの」は、アメリカに象徴される西洋文化と着物(＝日本文化)のコンタクト・ゾーン、なかでも今度は「西洋→日本」ではなく、「日本→西洋」という逆方向のベクトルが動いた新しい展開であったと言えるのではないか。

さらにこの時期、アメリカ人ファッション・デザイナーで織物研究家であったティナ・リーサ(一九一〇—八六)が日本の古い織物に興味を持ち、日本人若手デザイナー育成を目的に一九四九(昭和二四)年にはティナ・リーサ賞を設けた。「日本の生地と手法を活かした洋装のデザインの勉強」を奨励するティナ・リーサと毎日新聞社が主催するこの賞の創設に、千代も関わっていた。各国の民俗衣装に取材し、アメリカのデザイン界の行き詰まりの打開を日本に求めたティナ・リーサの動きも、千代の民俗衣装に対する態度と同様であり、また、日本のファッション界から見れば、「西洋人が日本文化へ越境」しアメリカのデザインを打開するという点で、逆のコンタクト・ゾーンの流れであったと言えよう。

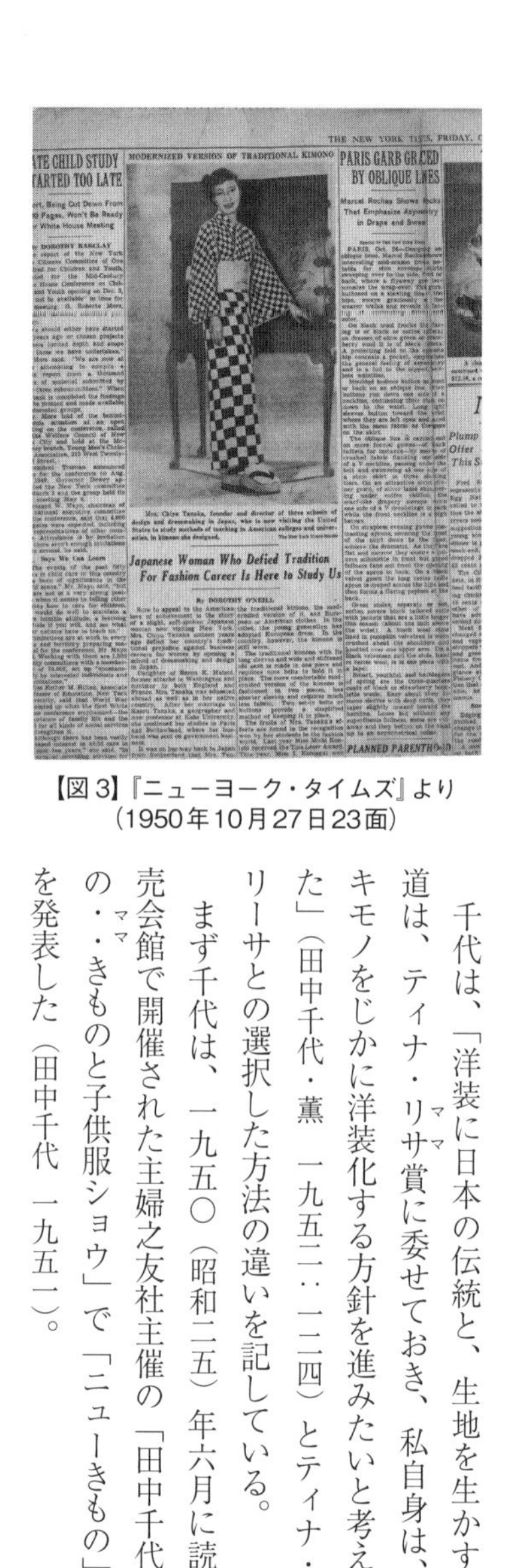
THE NEW YORK TIMES, FRIDAY,

MODERNIZED VERSION OF TRADITIONAL KIMONO

Mrs. Chiyo Tanaka, founder and director of three schools of design and dressmaking in Japan, who is now visiting the United States to study methods of teaching in American colleges and universities, in kimono she designed.

Japanese Woman Who Defied Tradition For Fashion Career Is Here to Study Us

By DOROTHY O'NEILL

PARIS GARB GRACED BY OBLIQUE LINES

Marcel Rochas Shows Frocks That Emphasize Asymmetry in Drape and Sweep

PLANNED PARENTHOOD

【図3】『ニューヨーク・タイムズ』より（1950年10月27日23面）

千代は、「洋装に日本の伝統と、生地を生かす道は、ティナ・リサ賞に委せておき、私自身は、キモノをじかに洋装化する方針を進みたいと考えた」（田中千代・薫　一九五二：一二四）とティナ・リーサとの選択した方法の違いを記している。

まず千代は、一九五〇（昭和二五）年六月に読売会館で開催された主婦之友社主催の「田中千代の・・きものと子供服ショウ」で「ニューきもの」を発表した（田中千代　一九五二）。

これは特に東京在住の米人の間に反響があったので、その年の秋、私が渡米する時までに、二十余点を新に製作し、この仕事を力づけて下さる猪熊弦一郎画伯夫妻の紹介で、折から訪日中のイサム・野口さんの意見もきき、心を決めてこれをニューヨークに持って行ったのである。(24)

ニューヨークでは、ニューヨーク・タイムズに認められ、数回のファッション・ショーと、第一回国際ファッション・レヴュウ参加は予想以上の反響を呼ぶことができた。殊に、国際ファッションショーに参加を許されて、各国一流デザイナーが、その国の伝統を現代の世界の流行の中に巧みに生かしていること、この方向に懸命の知恵を傾けていること等を知ったのは大きな収穫だった。そして在来のキモノそのままの美は、歌舞伎や、能と同様の限界においてしか、世界の人には鑑賞してもらえないものであって、キモノが世界に生きる道は、はっきり別な一つの創造の道でなければならないという信念を固めることができた。
それ以来、私の「新しいキモノ」の仕事は、第三の段階に入った。それは、内外の生地、手法、技術、構造、裁断などの区別にとらわれず、美と人間性とによって純粋の立場で「着もの」を創作することである。私の視野は急に広々として。私にはキモノと洋装の区別が、もはや必要ではなくなったからである。（田中千代・薫　一九五二：一二四―一二五）【図3】

さらに、千代はこのエッセイで「私は日本人のためにではなく、欧米人のために新しいキモノをデザインする楽しみを感ずるようになった。今年（一九五二年三月）第二回国際ファッションショーのために製作して、アメリカに空輸した作品からは、はっきり、欧米人が着ることを建前としてデザインした」（田中千代・薫　一九五二：一二五）と自負している。さらに、千代が目指すところは、「先ず私共の固有の服を世界の衣服へとけこませる事が、人類に共通な美の意識を高める上にも、生活感情を一つにして、民族間の文化的理解を深めるためにも必要であると信じてい」ると指摘し、その情熱を書き残している（田中千代　一九五三a：四四）。

国内でも「新しいキモノ」は一つのムーヴメントとなる。一九五三（昭和二八）年一一月、婦人画報社から『美しいキモノ』が刊行され、千代に加えて大塚末子（一九〇二―一九八）、小沢喜美子（一九一四―八三）らを中心に一九六六年頃に下火となるまで、五〇年代には勢いを持って新しいきものの創造が展開された（神山・岡本　二〇〇九：一一六）。

◉民俗衣装の紹介と普及

・『私の衣服研究』（一九四八年）

「ニューきもの」や洋裁教育に力を入れる傍ら、千代は、戦前の民俗衣装調査の成果を含めたグローバルな視野でまとめた自身の服飾観を『私の衣服研究』（一九四八）として出版した。千代はここで、人類と衣服の歴史、構造と発展、衣服と身体、衣生活、民俗衣服収集の旅についてなど時間と空間を超越した衣服の普遍性と、その一方でローカルな場所で発展を遂げる衣服の土着性について論じている。西洋の衣服をいかに日本の服装に翻訳するかという点に主眼を置いていた当時の洋裁教育者やデザイナーにはない、大きな視点で包括的に論じられた啓蒙的な書籍であった。

・「世界風俗ショー」（一九四九年）

『私の衣服研究』出版の翌一九四九（昭和二四）年に千代は大阪、東京、高松にて、今度は「世界風俗ショー」を開催[25]した。戦後のファッションショーブームの興隆期に、民俗衣装を紹介するショーはおそらくこれが最初のものであった。当時の代表的な婦人雑誌であった『婦女界』、『ホーム』、『婦人世界』、『婦人生活』、『婦人公論』、『婦人倶楽部』、『主婦の友』、『婦人画報』の八誌が後援する強力な体制で、なかでもこのショーの実現には、婦人画報社の熊井戸立雄の協力があった。北南米、ヨーロッパ、東南アジアの衣装五五点を生徒が纏（まと）いランウェイを歩いたこのショーに、各回四〇〇〇人の観客が押し掛けた。

以降、千代は「地球は着る」（一九七八年）に至るまで民俗衣装をテーマとするファッションショー[26]を繰り返し行ない、民俗衣装の特徴や魅力を伝えつづけた。準備に膨大な労力と経費がかかるショーをこれほど多く開催したのには、ファッションを普及するメディアとして総合芸術的な空間を創出し、観客に感動を与えつつライヴでメッセージを伝えるファッションショーに、千代は何よりもの魅力を感じていたのであろう。満席の熱気に包まれた会場で、ステージに熱い視線を向ける観客の姿が写真に残されている。

・『婦人画報』での民俗衣装特集

さらに一九五三（昭和二八）年の『婦人画報』では、千代は巻頭カラー連載「きものの歴史」として、古代エジプト時代から近代までの西洋服飾史をテーマに記事を執筆し、一九五八年の『婦人画報』（二月号）では、千代は二五頁にわたる大特集「世界の民俗衣装」（田中千代 一九五八：一八―四二）を執筆した。(27)

ここで重要なのは、千代が民俗衣装から着想を得たモダン・デザインの作品を発表しつつ、民俗衣装とその現代への応用の可能性について、写真やイラストをもちいて一般読者にわかりやすく伝えている点である。当時、千代の活動については、学生から皇室まで幅広い層の女性たちが関心をもっており、身近にはない民俗衣装を、千代は婦人雑誌をとおして全国に普及させた。

◉戦後のアーティストたちの思想――岡本太郎、勅使河原蒼風、イサム・ノグチ

千代のこうしたグローバルな視野は、当時の日本のファッション界においてはユニークなものであったが、戦後、日本の前衛芸術を標榜するアーティストたちとは共鳴していたと言えよう。

たとえば岡本太郎は、戦争直後の日本を「重い過去のカラから脱皮して、生まれかわったように、

若々しく、新しい文化をうちたて、世界にのり出していくように見えました。すべてのものが動揺し、混乱し、模索し、しかしそこからなにか新しいヴァイタリティがのびていくような希望が燃えていた激動する時代の生気です」〔岡本　一九五四（一九九九）：五一〕と描写し、「今日の新しいものは、西洋とか東洋とかいう特定の区域のものではなくなって、世界的になっています。だから、それらはおたがいに共通のもの、そしてわれわれ自身のものなのです。世界は近代にいたって、初めて真に世界的になりました。そして近代芸術は、この歴史的な運命を、かがやかしく担っているのです」〔岡本　一九五四（一九九九）：七二〕と記述している。これは「世界服」の創造を標榜していた千代の根底にあった思想と一致する。[28]

またそれは、戦前から前衛的ないけばなを追究し、草月流を創設した勅使河原蒼風（一九〇〇―七九）の「いけばなを他の芸術と並び称される表現にまで高めていきたいと願」い「床の間から離脱していくその将来を展望し、自由で広大な夢をたくしながら、この伝統表現を広い視野のもとに置いて追及していた」〔勅使河原　一九九八：八〕姿とも相通じる。蒼風は一九五二年の千代のファッションショーで共演した経験もあり、五〇年代から六〇年代にかけて、いけばなを欧米へ持って行き、世界的に活躍するアーティストとして高い評価を受けた。

そして、千代と交流のあったイサム・ノグチは、敗戦後、荒廃の中でノグチにアドバイスを求めた日本人に対して、「日本人はおたがいのために働き、自分たち自身の共同体の生活を発展させるべきであり、そのなかで諸芸術は果たすべき独自の貢献をするだろうと。日本人だれもが大きな関心を抱いている国際的な芸術界がそれなりの寄与をするだろう、とぼくは考えた」〔ノグチ　一九五〇：一一二〕と書き残している。

5　田中千代のグローバルな視野(ヴィジョン)の社会的意義

以上、概観したように、千代の脱西洋中心主義的な思想は、西洋の装いを正確に理解し、それを人々に伝えるだけでなく、西洋や日本という枠組みを越境して、地球規模の近代服の創造を模索する態度へと繋がっていった。その活動の一端が、千代の民俗衣装研究と「ニューきもの」の展開であった。異文化を直接経験する機会が限られていた戦前から、千代はさまざまなコンタクト・ゾーンにあえて身を置くことにより、グローバルな視野を獲得し、戦後には自由と共にそれを実行する力も身につけた。それは同時代の前衛的かつ大きな視点から自分たちの活動を捉えていた岡本太郎や勅使河原蒼風といったアーティストたちの思想とも共鳴するものであった。

脱西欧中心的でグローバルな視野で活動する田中千代という存在があったからこそ、日本のファッションは短期間のうちに世界を標榜する土壌が形成されていったのではないだろうか。今後はさらに丁寧に田中千代の思考と活動、社会への影響を掘り下げつつ、脱西洋中心主義的な志向が現代に至るまで、いかに日本のファッションを深化させてきたのかについて考察したい。

◉注

（1）比較文学者メアリー・ルイーズ・プラットが著書『帝国のまなざし——旅行記とトランスカルチュレイション』において定義した概念（Pratt 1992）。異質な文化が出合い、衝突し合い、お互いに格闘しあう社会的空間を指す。

（2）田中千代と薫夫妻は「民族」ではなく「民俗」という言葉を用いた。そこには「複雑絶妙な衣生活の中で、〔民俗衣装は〕地域的に発生したもので、国別でも、人種別でもない、それらと地域とが複雑に結びついた、あるグループが生み出した衣服」であるという考えが反映されており（田中千代 一九五八：三〇―三一）、夫妻は収集方針として、あえて現地の庶民が実際に着用していた生活着にこだわった。本章においてもそれを尊重し「民俗」を使用している。

（3）一九四〇年一一月一日に勅令第七二五号として『国民服令』が交付即日施行されたが、条文はわずか六条で、勅令は国民服とは何かを示しているが、着用の義務は銘打たれてはいないと井上は指摘している（井上 二〇〇一：四四）。女性は、一九四二年二月に標準服やもんぺの着用が推奨された。

（4）「衣服に限らず二〇世紀後半に日本の社会が創り出したものの面白さは、日本人の精神性や美意識に由来するのではなく、歴史的あるいは地理的な要因からもたらされた日本の社会のユニークさに由来する」とし、「「日本らしさ」は「カワイイ」や「ロリータ」や「アヴァンギャルド」のような表象にあるのではなく、ましてや精神性にあるのでもなく、それを可能にした社会のあり方にあ」り、その土台を形成した時期が「洋裁文化の時代」であるとした。洋裁文化を「場」として捉え、デザイナー、洋裁学校とミシン、ファッション誌、洋裁店とファッションショーなど「そこにどのような「行為者」たちがどのような関係性を切り結んだかを考え、洋裁文化を取り巻く社会構造を明らかにし」た社会学的な研究である（井上 二〇一七：三七）。

（5）他に安城寿子が二〇一五年に執筆した博士論文「近代日本服飾とモードの関係をめぐる歴史的研究」がある。ここでは筆者同様、一九七〇年代以前の日本のファッション研究が空白であることに疑問を感じ、「日本服飾とモードの関係の歴史がどのようなものであったかという明確な問いがたてられてこなかった」という問題意識から、①日本服飾とパリ・モードの関係を、戦前に日本の百貨店がモードを打ち出すシステムを確立し、②一九三〇年代には田中千代が二冊の著作によってモードを踏まえた新しい洋服のデザインのための方法論を具体的に提示したこと、また、③同じ頃、斎藤佳三が着物でも洋服でもない新しい服飾の提案「オルターナティヴ」を標榜した議論を行なったこと、そして④戦後の一九五〇年代には日本におけるクリスチャン・ディオールの受容について分析した。田中千代は一九三〇年代のパリ・モードを正確かつ具体的に日本に普及したファッション・デザイナーとして分析されている。

（6）鐘紡は綿布の販売部門強化のため、一九三一（昭和六）年一〇月に「鐘紡サービス」を設立し、新製品の販売・

広報を行なった。神戸に本店を置き、海外市場開拓と輸出を担う貿易部と国内の販売・広告を担当する二部門があった。内地部は大阪（心斎橋店）と東京（銀座店）を中心に鐘紡サービスステーションを展開した。一九三一年からは世界各地の三〇か所に市場情報の収集と販売促進のための駐在員派遣と支店設置を進めた（鄭　一九九八：三六）。

（7）雙葉小学校の一九一九（大正八）年の小学校卒業名簿および同窓会名簿には「松井千代子」の名前で掲載されている。田中薫と結婚後、一九二五年に『婦人之友』に寄稿したのを皮切りに千代の執筆活動が始まるが、一九三五年頃までは、「田中千代子」と「田中千代」の両方の名前で寄稿されている。

（8）千代の父、松井慶四郎は、慶応四（一八六八）年に大阪に生まれ、東京帝国大学法科大学卒業後、外務省に入省。朝鮮、アメリカ、イギリス、フランスに赴任し、日英同盟等歴史的な条約の調整・交渉を担当した。一九一九年のヴェルサイユ条約締結の功績により男爵となった。一九二四年の清浦内閣時の外務大臣を務めた。一九四六（昭和二一）年没。父松井慶四郎については、自伝（松井　一九八三）が残されている。慶四郎の自身の生い立ちや外交官としての業績について具体的に書かれているが、妻や千代についてはほとんど記述がない。

（9）母今村照子は銀行家今村繁三（一八七七―一九五六）の妹。父清之助（一八四九―一九〇二）は信濃国伊那郡出身の実業家。一八七一年には渋沢栄一らとともに日本で最初の株取引証券所の発起人の一人となり、兜町に「角丸証券」を設立した。一八八三―八六年に陸奥宗光らと共に欧米諸国を旅し、鉄道事業に興味を持ち株取引などで日本の鉄道界の王者に君臨した。その後一八八八年には今村銀行を設立した。兄の繁三は東京高等学校師範学校中学、ケンブリッジにある全寮制パブリックスクール、リース校を経て一八九九年には英国トリニティ・カレッジ（ケンブリッジ大学）へ進学し一九〇二年には文学士となる。父が急逝したため日本へ戻り莫大な資産と今村銀行を引き継いだ。姉（清之助の長女）は串田万蔵（当時百十九銀行、現三菱銀行事務員）に嫁ぐ。

（10）一九二一（大正一〇）年に西村伊作によって設立され、大学部は一九二五（大正一四）年開設。

（11）田中千代は日本で最初に「デザイナー」という肩書を用いており、パスポートの職業欄に「デザイナー」と書き、意味の理解できなかった警察にスパイと間違えられ、一九三八（昭和一三）年には三池の警察で取り締まりも受けている（田中千代　一九五五：四九―五〇）。

（12）たとえば顧客には女優の入江たか子、水谷八重子、森律子、森赫子（かくこ）がいた（坂口・吉岡・木下・田中千代・増田　一九五二：四六）。

(13)パリのファッション・スクールESMOD(エスモード)で三代目の校長マダム・ゲールに一九三四(昭和九)年一月から一〇月まで教えを受けた(田中千代編 一九八二:二九)。

(14)鐘紡は国の基幹産業の一つである繊維産業の大手として、一八八六(明治一九)年の創業以来、綿糸、綿布を生産し、一八九五(明治二八)年以降は中国向けに綿糸輸出、一九〇五(明治三八)年には生地綿布輸出を開始していた(鄭一九九八:一六)。第一次世界大戦の大活況はさらなる市場拡大をもたらし、インド、朝鮮などのアジア諸国への進出や、一九二八(昭和三)年には南米ブラジルで会社を立ち上げ、アフリカ、中東へも輸出するなど鐘紡は世界規模で事業を展開していたのである(鄭 一九九八:二一)。

(15)渡邊淑子、中山美恵子、森善子、山本晴子、中尾英子、頼藤登美江の六名が研究員であった(日本衣服研究所、一九四一『日本衣服研究所彙報第一号』九月二〇日、三八頁)。

(16)一九三八(昭和一三)年一一月二〇日に新大阪ホテルにて開催された大阪帝国大学繊維科学研究所学術講演会では梶原三郎(衛生学)とともに薫と千代は、衣服に関する衛生、地理的環境、輸出貿易に関する講演を行なった[日本衣服研究所(一九四一)『日本衣服研究所彙報第二号』一〇月二〇日、一頁]。それが発展し日本衣服研究所が発足された。一九四〇(昭和一五)年三月二三日に大阪倶楽部で開催された発起人総会の出席者は、杉道助(大阪商工会議所会頭)、小寺源吉(大日本紡績株式会社社長)、関桂三(東洋紡績株式会社副社長)ら、関西の繊維業者の中心人物たちがいた[日本衣服研究所(一九四一)『日本衣服研究所彙報第一号』九月二〇日]。

(17)「民族と衣服」展写真より(帝京大学大学院日本史・文化財学専攻所蔵)。また、『日本衣服研究所彙報第一号』一九四一年九月二〇日、三八頁には下記の趣意書が掲載されている。「「衣」に関する真に科学的にして、実際的なる研究に着手せんとするものであり」「更生の方面では、国民体育、労働能率、新資源の利用、国民服、新日本服の創生、裁断の合理化、衣服の経済、衣服の衛生、日本文化の表現等の問題を取り上げ、輸出振興の方面では、輸出織物の適否、輸出相手国に於ける用途、裁断技、相手国の民族および経済地理等の問題に就き、専ら実物標本に就いて研究し、関係業者の信頼すべき相談所たらしめるにあるのです。私共は東洋に於ける生産の中心たる大阪に此の研究所を設立し、微力ながら、日本文化に貢献し、兼ねて我国女性文化の一躍たらしめる念願であります」。

(18)『日本衣服研究所彙報』は、第一号[一九四一(昭和一六)年九月二〇日]、第二号(一九四一年一〇月二〇日)、第三号[一九四三(昭和一八)年二月]、第四号(一九四三年九月二五日)と発行され、うち第三号は『衣服の研

究と調査』という一般書籍として目黒書店より出版された。
(19) 渋谷ファッション&アート専門学校と帝京大学大学院(日本史・文化財学専攻)は日本衣服研究所時代の写真を所蔵している。
(20) 「大南洋博覧会」(北海道旭川新聞社主催、一九四一(昭和一六)年七月二七日〜三月一六日)、「東亜民族と衣服展」[小倉市興亜服飾研究会主催、一九四二(昭和一七)年二月一一日〜三月五日]、「新鋭機展」[大阪高島屋百貨店、一九四二(昭和一七)年二月一一日〜三月五日]、「大東亜戦争と民族展」[大阪毎日新聞社主催、大阪大丸百貨店、一九四二(昭和一七)年三月一〇日〜二二日]の四つの展覧会に衣服関係の資料や標本を貸し出した[日本衣服研究所『衣服の研究と調査(日本衣服研究所彙報第三号)』一九四三(昭和一八)年二月、一二二頁]。
(21) 地理学の百科事典のようなドイツ語文献、Berghaus' Physikalischer Atlas VII. Abt. Volkerkunde no. V Bekleidung,1892を参照したとある(田中薫 一九四一:一七、二一)。
(22) 大阪心斎橋店(一九四二年一〇月二七日〜一一月一日)、新宿伊勢丹(一二月一日〜一三日)、大丸京都[一九四三(昭和一八)年一月一九日〜二四日]、神戸大丸(二月二日〜七日)の四会場にて開催された。
(23) ①衣服様式、②衣服と生理的気候、③大東亜諸民族の衣服、④衣服参考品、⑤働き着、⑥大東亜共栄圏の衣服試案、⑦衣料資源と消費量に関する統計図、⑧大東亜諸民族の衣生活に関する写真という八つの章構成であった。そして、冒頭の「衣服の基本構造分類」では民俗衣装を地理学的な分類ではなく初めて①裸型、②貫頭衣、③筒型、④肩掛型、⑤衽型、⑥立体型という基本構造から分類し、衣服の構造と地理的分布が分かりやすく示されたのである。同展の直前に、薫は「衣服学」という新しい学問の樹立構想を研究所の彙報に提言しており、前述した衣服の六つの類型はそこで初めて提示されたものであった。
(24) このイサム・ノグチ、猪熊弦一郎夫妻との座談会(一九五〇年七月六日、於東中野・モナミ)の様子は、『装苑』一九五〇年九月号、二四―二六頁に掲載されている。
(25) 各会場の開催日時は以下のとおり。大阪・朝日会館(一九四九年五月一五日一〇時、一四時)、東京・共立講堂(一九四九年一一月八日一三時、一七時)、高松体育館(一九五〇年五月七日)。詳細は拙稿(本橋 二〇一八:二五二―二五四)を参照のこと。
(26) 千代は一九五五(昭和三〇)年に「田中千代世界の民俗衣服ショー」(大阪・中之島中央公会堂、大阪女学院、神戸・山手学園)、一九五七(昭和三二)年一一月に創立二五周年記念「世界の民俗衣装ショー」(芦屋学園、東京パンテオン劇場、福岡電気ホール、名古屋名鉄ホール）、一九六〇（昭和三五）年にNHKテレビ「世界の民俗衣装ショー」、一九六二（昭和三七）年一一月に創立三〇周年記念ショー「田中千代新作品と世界の民俗衣装」（東京・サンケイホール、大阪・フェスティバルホール、名古屋・名鉄ホテル、福岡・電気ホール）、一九六四（昭和三九）年に「世界の人々の衣装と最近の服装の動き――東京オリンピックを終えて」（田中千代芦屋学園、東京学園）、一九六八（昭和四三）年に「世界の衣服――民俗衣装・人間・風土・宗教・くらし・知恵」（田中千代芦屋学園、東京学園）、一九七八年六月「地球は着る」ファッションショー（東京・帝国劇場、大阪・フェスティバルホール、名古屋・名鉄ホール）を開催した。

（27）千代は民俗衣装を①腰衣型　巻型　筒型（サロン型）、②貫頭衣型（ポンチョ型）、③袈裟型（ショール型）、④きもの型（寛衣型）、⑤ズボン型、⑥クローク型（立体的な外套型）に分類している。

（28）岡本の「これからの芸術が、人類共通の世界的課題に、こたえなければならないことはたしかです。これは、われわれが当面する、もっとも新鮮であり、今日的な課題です。このことをつかみ取らないかぎり、これからの芸術の問題にはならないのです」［岡本　一九五四（一九九九）：一九六］はまさに千代が自身のデザインにおいて、常に念頭に置いていた課題に他ならない。だからこそ、グローバルな視野、グローバルな活動を追求したのである。

◉参考文献

芦屋市立美術博物館編、一九九一、『田中千代展――服飾のパイオニア』芦屋市立美術博物館。

安城寿子、二〇〇五、「近代日本服飾とモードの関係をめぐる歴史的研究」お茶の水女子大学人間文化研究科提出博士論文。

井内智子、二〇一〇、「昭和初期における被服協会の活動――カーキ色被服普及の試みと挫折」『社会経済学史』七六―一九九。

伊東衣服研究所、一九九六、『伊東茂平　美の軌跡』婦人画報社、一七四。

伊藤竹之助、一九四一、「開会の辞」日本衣服研究所『日本衣服研究所彙報第二号』一九四一年一〇月二〇日、六。

井上雅人、二〇〇一、『洋服と日本人――国民服というモード』廣済堂出版、三七、四四。

――、二〇一七、『洋裁文化と日本のファッション』青弓社。

岡本太郎、一九五四／一九九九、『今日の芸術』光文社。

神山麻衣・岡本陽子、二〇〇九、「雑誌『美しいキモノ』に見るきものの変遷（第二報）」繊維機械学会誌『月刊せんい』一月号、第六巻、第一号、二六―三〇。

後藤洋子、二〇一三、「田中千代の服飾観」『服飾美学』第五六号、一九―三六。

ゴードン、アンドルー、二〇一三、『ミシンと日本の近代――消費者の創出』大島かおり訳、みすず書房。

坂口儀蔵・吉岡新一・木下勝治郎・田中千代・増田とみ、一九五二、「カネボウと共に二十年」田中千代監修『緑紅』第四号、学校法人田中千代服装学園、四〇―四七。

杉野学園七十年史編纂委員会、一九九五、『杉野学園七十年史』学校法人杉野学園、一三八。

杉野芳子、一九九七、『杉野芳子　炎のごとく』日本図書センター（底本、『自伝　炎のごとく』一九七六、講談社）。

鈴木彩希、二〇二〇、「戦後日本における着物の改良をめぐる流行創出の試み――田中千代の「ニュー・きもの」を中心に」服飾美学会編『服飾美学』第六六号、五七―七六。

田中薫、一九四一、「地理学上より見たる衣服」日本衣服研究所『日本衣服研究所彙報第二号』一九四一年一〇月二〇日、一七、二一。

田中千代、一九四二a、「巻頭言　更に新しい歩みを！」田中千代編『田中千代洋裁研究所「五周年記念」』田中千代洋裁研究所、一。

――、一九四二b、「追憶」田中千代編『田中千代洋裁研究所「五周年記念」』田中千代洋裁研究所、一一―一五。

――編、一九四二c、『田中千代洋裁研究所「五周年記念」』田中千代洋裁研究所。

――、一九四八、『私の衣服研究』婦人画報社。

――、一九五一、『千代のアメリカン・スタイル・ブック』主婦之友社。

――、一九五三a、「三つのテーマ」田中千代監修『緑紅』第五号、学校法人田中千代学園、四一―四四。

――、一九五三b、「エジプト時代」『婦人画報』一九五三年四月号（五八四号）、九。

――編著、一九五五、『図解服飾事典』婦人画報社。

――、一九五五、『皇后さまのデザイナー　モード随筆』文藝春秋新社。

――、一九五八、「特集　世界の民俗衣装」『婦人画報』一九五八年二月号（六四二号）、三〇―三一、一八―四二。

――・田中薫、一九五二、『私たちの生活手帖』、婦人画報社。

――、森脇雅子・飯田倭枝・本間登・木田鶴・佐藤多恵子・植田貞子、田中政子、一九五二、「学園十五年の歩み」田中千代監修『緑紅』第四号、学校法人田中千代学園、一八―二六。

田中千代学園編、一九八二、『五〇周年・田中千代学園』第四号、学校法人田中千代学園。

田中雅一、二〇一八、『誘惑する文化人類学――コンタクト・ゾーンの世界へ』世界思想社。

常見美紀子、二〇〇七、『桑沢洋子とモダン・デザイン運動』桑沢文庫、桑沢学園。

鄭安基、一九九八、「一九三〇年代鐘紡の多角化とグループ展開」京都大学『経済論叢別冊　調査と研究第一六号』一六、二一、三六。

勅使河原宏、一九九八、「草月と戦後日本の芸術運動」『草月とその時代一九四五―一九七〇』芦屋市立美術博物館、千葉市美術館。

西村勝、一九九四、『田中千代　日本最初のデザイナー物語』実業之日本社。

ノグチ、イサム、一九五〇、「日本で展示した最近の作品」『イサム・ノグチ　エッセイ』二〇一八、北代美和子訳、みすず書房。

松井慶四郎、一九八三、松井明編『松井慶四郎自叙伝』刊行社。

村田珣子、一九四二、「大東亜共栄圏の衣生活展を見て」田中千代監修『田中千代洋裁研究所「五周年記念」』田中千代洋裁研究所、七四。

本橋弥生、二〇一八、「田中千代とファッション・ショー――戦後から一九五〇年代を中心に」『国立新美術館研究紀要』第五号、二四〇―二七六。

Pratt, Mary Louise, 1992. *Imperial Eyes: Travel Writing and Transculturation*, New York and London: Routledge.

第一一章　越境するヒロシマ・ナガサキ
――グローバルな記号の流通と変容

根本　雅也

1　ヒロシマ・ナガサキという記号

二〇一九年一一月二四日、ローマ教皇フランシスコは長崎、広島を訪れた。広島平和記念公園での演説には次のような一節が含まれていた。

ここ〔広島〕で、大勢の人が、その夢と希望が、一瞬の閃光（せんこう）と炎によって跡形もなく消され、影と沈黙だけが残りました。一瞬のうちに、すべてが破壊と死というブラックホールに飲み込まれました。その沈黙の淵から、亡き人々のすさまじい叫び声が、今なお聞こえてきます。さまざまな場所から集まり、それぞれの名をもち、なかには、異なる言語を話す人たちもいました。そのすべての人が、同じ運命によって、おのおぞ（ママ）ましい一瞬で結ばれたのです。その瞬間は、この国の歴史だけでなく、人類の顔に永遠に刻まれました[1]。

カトリックの長であるローマ教皇が訪れたこと、そして彼がそこで起きた出来事を「人類」の歴史として捉えていることは、広島・長崎に投下された原子爆弾の災禍が、日本国内のみならず、世界にとって重要な意味を持つことを示唆している。

実際、ヒロシマ・ナガサキという地名は核兵器の災禍を経験した場所として知られ、世界から人々が集まる。広島平和記念資料館の外国人の年間入館者数[2]は、一九七九年度に初めて五万人を超え、二〇〇二年度以降はほぼ毎年一〇万人以上となり、二〇一五年度以降には三〇万人を超えている。また、広島市が公開している過去一〇年間の海外からの賓客訪問実績[3]によれば、平和記念式典に参列する各国大使を含め、毎年五〇名から一〇〇名程度の要人が広島を訪れている。その中にはローマ教皇のように国家元首級の要人もいる。

また、同時に、広島・長崎に起きた出来事は、日本国外へと積極的に伝えられてきた。広島市・長崎市は世界平和連帯都市市長会議（現平和首長会議）の設立と活動に尽力し、海外での原爆展の開催の実施・協力するなどして、核兵器の災禍の経験を共有してきた。また原爆被爆者たちは、自ら海外を訪れ、自分の体験や核兵器廃絶の想いを語ってきた。

ヒロシマ・ナガサキは世界に知られる地名であり、核兵器の災禍を指す記号でもある。核兵器が持つ圧倒的な破壊力と放射線という特殊性は世界の人々に影響を与え、さまざまな行動を促してきた。ヒロシマ・ナガサキは「平和」や「反核」の国際的なシンボルとされ、広島市・長崎市は自らをそのように形づくってもきた。

もともと、原子爆弾の災禍をめぐっては、その破壊の規模や人体への影響を調べる物理学や医学などの研究が中心になされてきた。社会科学においても、原爆を体験した被爆者が抱える諸問題およびそれらの関連性の解明が目指されてきた（濱谷 二〇〇五など）。

しかし、時間の経過とともに、地域研究としての日本研究の中で、原爆の記憶のあり方が注目されるようになった。そこでは、広島・長崎の災禍をめぐる言説の存在が明らかにされ、日本のナショナリズムとの関係が議論されるようになった（Dower 1996; 直野 二〇一五; Yoneyama 1999 など）。

他方、アメリカ研究においても原爆の記憶が論じられている。原爆を投下したアメリカでは日本とは異なる言説が形づくられており、その歴史的編成が探られてきた（Boyer 1996; Lifton and Mitchell 1995; 斉藤 一九九五）。特に研究に拍車をかけたのは、一九九〇年代に起きた国立航空宇宙博物館（ワシントンDC）の展示をめぐる論争である。同館における、広島に原爆を投下した戦略爆撃機エノラ・ゲイと投下後の広島・長崎の惨害の展示企画をめぐって激しい論争が行なわれたことで、原爆の記憶に焦点が当てられた（Hogan 1996; Harwit 1996; Linenthal 1996 など）。

このように、原爆の記憶は、日本という国を越えて語られる、トランス・ナショナルなものでもある。この点から、日本国外に原爆の災禍を伝える動きに着目する研究も近年なされつつある（川口 二〇一三; Zwigenberg 2014）。

本章の目的は、広島・長崎に投下された原爆の災禍が世界においてどのように伝えられているのかを探ることで、ヒロシマ・ナガサキという記号のグローバルな流通のあり方を検討することにある。そのために本章が着目するのは、ヒロシマ・ナガサキに関する展示である。展示は一つの表象であり、そこには出来事の解釈が反映される。本章では、具体的な事例として、広島平和記念資料館、シンガポールの博物館、アメリカのローカルな追悼記念行事、そして国際協力機構（JICA）の海外協力隊員たちによる原爆展を取り上げ、ヒロシマ・ナガサキにどのような意味が見出されているのかを探る。その上で、本章の議論がグローバル・スタディーズにどのような関連を持つのかを検討する。なお、筆者のこれまでの研究の経緯から、長崎よりも広島に関連する事象を多く扱う。

2　核兵器の災禍――広島平和記念資料館

まず、被爆地における原爆の災禍の表象を探るため、広島平和記念資料館を取り上げる。[4]

現在の広島平和記念資料館は、東館と本館という二棟の建物によって構成される。二〇一七年に東館が、二〇一九年に本館がそれぞれリニューアルされて公開された。見学の順路は、まず東館一階の入口から入り、同館の二階に上がって簡単な導入展示を見た後、通路を渡って本館の展示を見学するようになっている。そして、本館を一周して、もう一度東館に戻って展示を見るつくりになっている。

本館の入口には「被爆の実相」という文字が掲げられている。そこではまず「八月六日の惨状」にまつわる物が展示される。熱線や火災によって溶解した金属塊や変形した建物の一部、爆風によって飛び散ったガラス片が刺さった壁などが原爆の威力を映し出す。次の展示は「被爆者」と題されている。「魂の叫び」というタイトルのもとで、遺品などとともに、故人の肖像写真と名前、その人物の被爆状況や亡くなる際の様子や、関係者の語りの引用が示される。これらの遺品とその説明には、被爆者の体験と遺族の心情が表わされている。その後に続く、「生きる」という展示には、生き残った被爆者の苦しみが描かれる。たとえば、「N家の崩壊」という展示は、原爆が一つの家族を崩壊させていく過程を描き出す。原爆によって火傷(やけど)を負った父親は働くことが叶わず、病苦と貧困の悪循環に陥る。代わりに働いた妻も亡くなり、長女は学校を休んで働き始める。入退院を繰り返し、医者からも見放された父親はとうとう生きる気力を失い、「N家の崩壊」は父親の死をもって終わりを告げる。

東館は「核兵器の危険性」と「広島の歩み」という大きく二つの展示に分かれている。「核兵器の危険性」という展示は、原子爆弾の開発、広島に投下された歴史的な背景、「熱線」「爆風」「放射線」という原子爆弾のエネルギーとその影響が示されている。また「核の時代から核兵器廃絶に向けて」というタイトルのもとで、冷戦期の核開発競争や核実験、核兵器不拡散条約などが説明される。「広島の歩み」の展示では、広島市の復興や平和の取り組み、核兵器反対の動き、そして「被爆体験」の継承・伝承の取り組みなどについて説明される。東館には、展示を補完するように、タッチパネル式のモニターが置かれている。来館者は「原子爆弾の開発と投下」「原子爆弾とは何か」「戦時下の広島と戦争」「広島の復興　さまざまな支援」など、自分の関心に沿って学ぶことができる。

広島平和記念資料館の展示が映し出すのは、大きくは、核兵器によってもたらされる被害と核兵器廃絶のメッセージであろう。資料館の導入展示には次のように記されている。

一発の原子爆弾が、無差別に多くの命を奪い、生き残った人々の人生も変えました。広島平和記念資料館は、被爆資料や遺品、証言などを通じて、世界の人々に核兵器の恐怖や非人道性を伝え、ノーモア・ヒロシマと訴えます。

資料館が資料や証言を通じて伝えようとしているのは「核兵器の恐ろしさや非人道性」であり、そこから導き出される「ノーモア・ヒロシマ」である。「ノーモア・ヒロシマ」は抽象的ではあるものの、そこに核兵器に反対するメッセージが含まれることは疑いないだろう。

他方、核兵器に焦点を当てた展示は、アジア・太平洋戦争という歴史的文脈について多くを語ることはない。本館の展示は、八月六日の惨状や被爆者が受けた苦しみ、遺族の悲しみという個々人の視点に当てる一方、その経験にいたる戦争という歴史については東館の展示の一部にとどまっている。「本館」と「東館」という名称それ自体が示唆するように、あくまで資料館の展示の中心は「本館」、つまり原爆の災禍だといえよう。

3 日本の支配からの解放——シンガポールの博物館における歴史展示

原子爆弾は戦争においてアメリカが日本に対して使用したものである。この点から、原爆の災禍はアジア太平洋戦争という歴史的文脈の中で語られる。

シンガポールは、一九四二年二月から一九四五年八月までの三年半にわたって、日本軍の軍政下におかれた。一九四一年一二月八日、日本軍は、ハワイの真珠湾攻撃とほぼ同時に、マレー半島に侵攻した。シンガポールは、当時イギリスの植民地であり、多くの陸海軍が駐留する要塞であった。一九四二年二月八日、当時の陸軍中将・山下奉文（ともゆき）の指揮のもと、日本軍はシンガポールに侵攻し、二月一五日、イギリス軍中将アーサー・E・パーシヴァルは降伏を宣言した。

日本の占領下に入ったシンガポールは昭南島と改称された。日本の占領によってシンガポールの人々の生活は大きく変わった[5]。それまでの流通システムは損なわれ、シンガポールは急速に食料不足に陥った。配給制度が敷かれ、闇市が横行し、経済は極度のインフレーションになり混乱した。人々の中には強制的に移住させられ、農業に従事させられるものもいた。一九四五年八月に日本が敗戦し、約三年半にわたる日本の統治は終わりを迎え、シンガポールは再びイギリスの行政下に置かれた。

今日のシンガポールにおいて、日本の占領は負の記憶として表象される。シンガポール国立博物館（National Museum of Singapore）では、シンガポールの歴史について四つの時代区分をしている。第一は植民地期前の「シンガプラ（Singapura 1299–1818）」であり、第二はイギリスの植民地期（Crown Colony 1819–1941）となる。第三の時期が「昭南島（Syonan-To 1942–1945）」となっており、その後が「シンガポール（Singapore 1945–現在）」となる。日本の占領は他の時代区分の期間と比べて圧倒的に短い（三年半）にもかかわらず、四つの時代区分の一つを占めている。このことは、シンガポールにおいて日本の占領がその期間の短さにもかかわらず歴史的に重大な出来事であることを映し出している。

シンガポール国立博物館の歴史展示室（History Gallery）には、「日本の占領」という大きな見出しの下で「『日本（Rising Sun）』占領下の生活」という小見出しの中で次のように説明されている。

略奪を止めるため、日本の権力者たちは容疑者たちを捕まえ、打首にし、その首を見せしめとして公に晒した。また彼らは「大検証」作戦を実行し、共産主義者や抗日分子を洗い出そうとしたといわれている。実際には、これは華僑（かきょう）のコミュニティを対象とした粛清であった。

占領下においてシンガポールの人々は食料や燃料不足、配給、そしてさまざまな苦難を経験した。彼らは日本語を学ばなくてはならず、それは学校においては強制された。日本人はまた、日本のニュースや戦争映画を見せたり、軍歌を広めることで、自分たちの文化や軍国主義のイデオロギーを普及させようとした。

日本による占領という苦難は、シンガポール国立アーカイヴ（National Archive of Singapore）による展示「日本占領を生き抜く――戦争とその遺産（Surviving the Japanese Occupation: War and its Legacies）」にもよく表われている。この展示の一画にクイズ形式のビデオ・ゲームがある。ディスプレイに現われる三人のキャラクターのうち、一人を選ぶとストーリーが始まる。華僑と思（おぼ）しき男性を選んでみると、この男性が自転車に乗って、日本の兵士たちの前を通り過ぎるというエピソードが流れる。「どうする？」という問いかけのもと「A．兵士に近づいたら自転車を降り、兵士一人一人にお辞儀する」「B．止まることなく自転車で通り過ぎる」の二択が出される。Bを選ぶと「戻るように指示される。平手打ちをくらい、彼らにお辞儀させられる」という説明が出る。また、次のシーンではキャラクターの父親が農場を経営していて、その手伝いをしているときに、日本軍が現われ、作物の半分をよこすように命令される。それに対して「A．彼らの要求を断り、交渉を試みる」「B．従う」の二択が出され、Aを選択すると、「柱に縛り付けられ、ひどく殴打される。傷がもとで死ぬ」という文章が出て「ゲーム・オーバー」となる。こうしたエピソードは、市民のオーラル・ヒストリーをもとに構成されており、該当部分の記録もみることができるようになっている。

日本の占領期が負の記憶として表象されることと対応するかのように、広島と長崎への原爆の投下は占領の終結をシンボライズするものとして描かれる。たとえば、先に挙げた「日本占領を生き抜く」の展示室には、年表が記され、日本が降伏し終戦を迎えた年に対しては原爆のキノコ雲の写真が大きく使われる。

また、シンガポール南部のセントーサ島にあるシロソ砦（Fort Siloso）は、イギリス軍がシンガポール防衛のために作ったもので、日本軍が捕虜収容所として使用し、現在は戦争博物館となっている。その中にある「降伏の部屋（The Surrender Chamber）」は、シンガポールの戦いにおけるイギリス軍の降伏と一九四五年の日本の降伏を伝えている。イギリス軍が降伏した一九四二年二月八日から始まり、日本の占領期について説明がなされ、時系列で展示が進む。

「降伏の部屋」の展示の一角に、薄暗い照明の場所がある。ぼんやりと見えるのは、廃墟となった広島の街、原爆ドームの前に一人の男性が立っている写真である。ナレーションが始まる。ヨーロッパでの戦争が終わり、日本との戦争に連合軍の力が注がれるようになったこと、連合軍が日本が占領している島々を一つずつ落としていったこと、そしてソ連が満洲へ進軍したことが述べられ、照明が暗転し、真っ暗になる。そこに米軍の爆撃機B29の機体を模した光が映し出され、爆弾が投下される音が聞こえる。突如爆発音とともに強い光が映し出され、再び暗転する。しばらくその状態が続いた後、部屋が明るくなり、勇ましい金管楽器の音楽とともにニュースが流れる。「一九四五年八月六日、アメリカは原子爆弾を投下した。それは史上初めての核兵器攻撃である。B29『スーパー・フォートレス（Superfortress）』のエノラ・ゲイが広島上空まで飛び、その爆弾――リトル・ボーイ――を投下した。都市は破壊された」。その後で、ナレーションに切り替わり、長崎にもう一つの爆弾が投下されたこと、そして日本の天皇が戦争の終わりを告げたことが述べられる。

このように、シンガポールにおいて原爆の投下は、しばしばアジア・太平洋戦争の終結、そして日本の占領からの解放をシンボライズするのである。(6)

4　核被害——アメリカ・オレゴン州における追悼記念行事

アメリカでは、シンガポールと同様に広島・長崎への原爆投下は歴史的文脈の中に位置づけられることが多い。アメリカと日本の戦争は日本の真珠湾攻撃に始まり、広島・長崎への原爆投下で終わるという歴史観がある。[7] ロバート・J・リフトンとグレッグ・ミッチェルによれば、アメリカ政府を中心に形づくられた「公式の物語（official narrative）」は、原爆投下が戦争を終わらせたこと、そしてその結果多くの人々を救ったとして、その行為を正当化してきた（Lifton and Mitchell 1995）。

一方、「公式の物語」とは異なる視点から、原爆の災禍を捉えようとする人々もいる。その中には、広島・長崎の犠牲者の追悼を試みる行事もある。

オレゴン州アッシュランド（Ashland）では、ヒロシマ・ナガサキに関する追悼記念行事が行なわれていた。[8] アッシュランドはオレゴン州南部にある小さな町である。このヒロシマ・ナガサキの徹夜祭（Hiroshima-Nagasaki Vigil）は、一九八〇年代半ばに始まり、以後毎年行なわれてきた。一九八〇年代のアメリカというのは、反核平和運動が全国的に盛り上がっていた時期である（Wittner 2009）。この行事は、もともとピース・ハウス（Peace House）という地元の平和団体によって主催されていた。ピース・ハウスは、一九八二年に設立され、非暴力主義を掲げて、核兵器反対と戦争反対に取り組んでいた。ヒロシマ・ナガサキの徹夜祭もその一環であった。

しかし、冷戦の緩和そして終結とともに状況は変わる。ピース・ハウスはヒロシマ・ナガサキの徹夜祭を継続するものの、彼らの活動の焦点は核兵器から離れ、中央アメリカに対するアメリカの干渉や貧困問題といったその他の社会問題に移っていった(9)。

　二〇一〇年、筆者はアッシュランドを訪れ、ヒロシマ・ナガサキの徹夜祭に参加した。主催者はピース・ハウスから別団体に代わっていた一方、核エネルギーに焦点が当たっていた。この年の徹夜祭は「核のない世界のための市民行動（Citizen Action for a Nuclear Free World）」というテーマのもと、街の中にある小さな広場で八月六日と七日に開かれ、関連行事が九日に行なわれた。六日午前八時にオープニング・セレモニーが開かれ、七五名以上の人が参加した。八時一五分にはベルが鳴らされ、参加者は黙禱（もくとう）した。アッシュランド市長の挨拶の後、大きな蝋燭（ろうそく）に火がともされる。地元の平和合唱団が「原爆を許すまじ」を含むいくつかの曲を歌う。日本の太鼓の演奏がなされた後、近隣に住む広島出身の原爆被爆者が話をする。九日は別の場所にて終わりのセレモニーが開かれる。そこでは、反核を象徴するひまわりの花を小川に浮かべる儀式が行なわれる。

　二〇一〇年の徹夜祭は、アメリカ国内の核問題に焦点を当てていた。たとえば、広場では「核の迷路（Nuclear Maze）」と題された展示が行なわれた。そこでは、核エネルギーと核兵器の歴史について情報や写真が提示された。その展示は広島や長崎の原爆の被害者だけではなく、原発事故やウラン採掘、核施設の風下住民（ダウン・ウィンダー）といったアメリカ国内の核問題を取り上げていた。

　アメリカ国内の核問題とヒロシマ・ナガサキを結び付けようとする姿勢は、八月五日に地域の図書館で開かれた小さなシンポジウムにも表われていた。そこに登壇したパネリストの一人は「アメリカ国内のヒロシマ・ナガサキの被害者」という題目のもとでダウン・ウィンダーについて語った。他のパネリストの一人はネイティヴ・アメリカンで、ウラン鉱山採掘とその諸問題について話した。多くのウラン採掘場所は、ネイティヴ・アメリカンの居留地にあり、彼らはウラン採掘に従事するなどして病気になったという。このように、徹夜祭に関わる人々は、放射線の問題に焦点を当てることで、アメリカ国内の「ヒロシマ・ナガサキ」を強調し、核問題を批判的に取り上げたのである。ヒロシマ・ナガサキの徹夜祭に表われたのは、ヒロシマ・ナガサキがアジア太平洋戦争という歴史的文脈から抽出され、自らの国や地域の問題の中に位置づけなおされているということだ。この行事では、ヒロシマ・ナガサキが日本とアメリカの戦争の中で起きた出来事というよりも、核兵器を含む核問題の一つとして捉えられている。そして、その核問題というのはアメリカという国が直面しているものでもあった。つまり、そこではもともとの歴史的文脈からの脱文脈化とローカルな文脈への文脈化がなされているといえよう。

5　暴力と復興——国際協力機構による原爆展

歴史的文脈からの脱文脈化とローカルな文脈への文脈化は、国際協力機構の海外協力隊員によって開催される原爆展にも表われている。

独立行政法人国際協力機構（ジャイカ）は、もともと半官半民の組織として設立された。海外協力隊は、ジャイカの著名な派遣ボランティア事業であり、「国際協力の志を持った方々を開発途上国に派遣し、現地の人々とともに生活し、異なる文化・習慣に溶け込みながら、草の根レベルで途上国が抱える課題の解決に貢献する」ことをねらいとしている。(10)

ジャイカは、二〇〇四年以降、海外協力隊員が派遣先の国で原爆展を開催することを促してきた。最初の原爆展は、内戦の影響が色濃く残る中米のニカラグアで行なわれた。四人の青年海外協力隊員たちが偶然にも広島県出身であり、「広島の経験を通してニカラグアの人びとに平和の大切さを伝えるとともに、復興への希望を持ってもらいたい」と考えたという。二〇一五年四月までに、海外協力隊員による原爆展は、六二カ国、一二七回開催されている[11]。

二〇一四年には、ルワンダで原爆・復興展が開催された。その経緯や内容は、ジャイカのウェブサイトにて報告されている。東アフリカにあるルワンダは、フツ族とツチ族の間の対立から内戦が起こり、一九九四年に大規模な虐殺が起きた。日本へと逃れたルワンダ人女性カンベンガ・マリールイズはルワンダの教育支援を行なうＮＧＯを日本で立ち上げた。彼女は内戦が起こる前に広島平和記念資料館を訪れており、母国ルワンダで原爆について伝えたいと願っていた。カンベンガは二〇一二年に広島で講演した際に、広島市ジャイカ・デスクの職員と出会う。話を聞いた職員は、カンベンガにルワンダで原爆・復興展の企画を持ちかけた。その結果、ルワンダに派遣されていた海外協力隊員三〇名の協力を得て、ルワンダで原爆・復興展が開催されることとなった[12]。

原爆・復興展は、二〇一四年八月六日から一〇日まで、ルワンダの首都キガリで行なわれた。「復興展」とされているように、この展示は、原爆による被害を伝えるだけではなく、そこからの復興の経験を伝えるという目的を持っていた。広島平和記念資料館から貸し出されたポスターや、広島に投下された原子爆弾の模型が展示され、海外協力隊員によるガイド、ＤＶＤの上映、折り紙の鶴の作り方のワークショップなどが行なわれた。また、期間中には、インターネットを通じて、広島の被爆者とルワンダの虐殺の生存者の交流や、ルワンダの高校生たちと広島の学生たちの交流がはかられた。八月一五日には、内戦で両親や親族を殺され孤児となった地元のミュージシャンとともに平和追悼コンサートを実施した。これらの行事には、合わせて約八百名が参加したという。

原爆・復興展を企画し、開催時には現地を訪れた広島市ジャイカ・デスクの職員は現地からのレポートを発信しており、そこにはイベントの内容や来場者の反応などが記されている[13]。翻訳などの点で記録の正確さに留意しなければならないものの、職員の視点から現地の様子を生き生きと伝える貴重な資料となっている。以下、この資料にもとづいて記述する。

原爆・復興展において一つの大きなイベントは、ルワンダの虐殺を生き延びた生存者と広島の原爆被爆者の対話であった。原爆被爆者が体験を語り、そしてルワンダの虐殺の生存者が自身の体験を話した。このルワンダの生存者は、次のように被爆者に伝えたという。

今ルワンダは、ヒロシマ・ナガサキと同様に、ルワンダ人が一丸となって平和に進んでいけるよう、努力している。ルワンダもあなたたちと同じだ。日本という見本があるからこそ、ルワンダも再建に向かって歩んでいける。一生懸命働くという見本。その姿を見ながら、努力を続けていきたい。私たちの見本になってくれてありがとう[14]。

また、広島市ジャイカ・デスクの職員は、海外協力隊員の協力を得て、来場者に話を聞いている。その中には、ルワンダの虐殺と原爆の災禍の類似性を指摘するものがある。「ルワンダとヒロシマは、歴史は違うが同じだ。家族を失った苦しみ、全て失ったところから立ち上がる苦しみ。こうやってお互いの歴史を共有することはとても大切。理解が深まった」「なぜ20年で広島はこんなに発展したんだ？　ルワンダもこうならないといけない[15]」といった感想は、ルワンダに起きた虐殺と原爆の災禍の経験をつなぐ見方であろう。それは暴力的な出来事と復興という捉え方である。

ジャイカによる原爆展は、ヒロシマ・ナガサキの災禍を世界に伝えるアクションである。だが、それは現地の文脈に沿って行なわれる。内戦や虐殺という暴力と核兵器という暴力をつなぎ、そこからの復興のシンボルとしてヒロシマ・ナガサキを提示する。そこでは、アジア太平洋戦争という歴史的文脈は後景へと退き、ヒロシマ・ナガサキは暴力の経験とそこからの回復の道標としてシンボライズされているのである。

6　ヒロシマ・ナガサキの多義性と文脈化――越境を支えるもの

ヒロシマ・ナガサキは世界に知られる地名であり、核兵器の災禍を指す記号である。しかし、その核兵器の災禍が何を意味するのかが問われれば、その答えは国や地域、さらには解釈する個人や組織によって異なる。広島平和記念資料館は、核兵器の被害に焦点を当て、そこから核兵器反対のメッセージを紡ぎ出している。シンガポールの歴史展示では、ヒロシマ・ナガサキは日本による支配からの解放を告げるものとして描かれる。アメリカのオレゴン州アッシュランドにおける追悼記念行事は、ヒロシマ・ナガサキを、アジア太平洋戦争という歴史的文脈ではなく、アメリカ国内の核問題と接続する。ジャイカの原爆展は、開催する地域で起きた過去の暴力とヒロシマ・ナガサキを結び付け、災禍からの復興という希望を提示する。

ヒロシマ・ナガサキという記号の越境を支えるのは、その意味の多義性と文脈化であろう。ヒロシマ・ナガサキが核兵器の使用とその災禍を示す一方で、その出来事の意味は、現地の歴史や問題関心といったローカルな文脈によって変容する。逆にいえば、そうした文脈化を可能にし、多義性が成立していることが、ヒロシマ・ナガサキのグローバルな流通を促し、支えているともいえよう。

こうした流通のあり方に課題がないわけではない。それは核兵器の災禍を世界に知らせる一方で、何かを忘却する可能性を孕(はら)んでいるからだ。そのことはアジア太平洋戦争という歴史的文脈を後景へと退ける可能性だけではない。原爆被爆者の中には、自分が原爆に遭ったことや、身近な人の死に何ら意味を見出すことができない人がいる。その点では、ヒロシマ・ナガサキの意味が世界各地の関心によって多義的になる中で、体験者である原爆被爆者がどのように考え、何を伝えてきたのかをあらためて理解することが今後ますます重要な課題となるように思われる。

7　グローバル・スタディーズへの／からの接続
——問題に焦点を当てること（issue-focused）が拓く研究の可能性

最後に、グローバル・スタディーズという視点から本章について述べたい。本章とグローバル・スタディーズの接点は、一見、明白なようにみえる。なぜなら、本章で取り扱った現象は、ヒロシマ・ナガサキという出来事が世界にどのように流通しているのか、そのありようを探るものであり、それはグローバル・スタディーズの対象として適切なようにみえるからだ。また、それは西欧中心主義ではない（de-Eurocentric）グローバル化の一つとして興味深い事例を提供してもいる。

一方で、筆者は、本章で検討した事象が研究の対象として浮かび上がる過程にも、グローバル・スタディーズの特徴があると考えている。筆者は、グローバルな事象を当初から研究の対象としていたわけではなく、むしろ調査研究を積み重ねていく中で結果としてそこに接続した。つまり、本章で取り上げた事象は、グローバル・スタディーズの特色の一つである、問題に焦点を当てること（issue-focused）の研究過程で現われてきたのである。

もともと筆者は広島市をフィールドとして核兵器の災禍をめぐる言説の歴史的編成とともに、その社会に生きる原爆被爆者たちを微視的な視点から捉えようとしてきた。その延長線上で、アメリカに住む原爆被爆者への聞きとり調査を始め、オレゴン州にも被爆者の聞きとりのために訪れた。そこで、本章でも検討したアッシュランドの追悼行事に出会った。日系アメリカ人のコミュニティとは関係のないところで生まれ、またアメリカの「公式の物語」とは異なる形で編成された展示のあり方に触れ、ヒロシマ・ナガサキがどのようにグローバルに流通するのかに関心を持ったのである。

問題・対象を追い続けること、そして目の前の現象を理解しようとすることから、新たな問題が立ち上がってくる。本章においては、その過程から生まれた成果（問題）の一つが「ヒロシマ・ナガサキの越境」というテーマであった。問題に焦点を当てることは研究をさまざまな方向に切り拓き、発展させる。それはグローバル・スタディーズの原動力の一つであり、可能性だといえるのではないか。

◉謝辞
本研究はＪＳＰＳ科研費（09J05681, 26780270, 17J05691）および公益財団法人トヨタ財団研究助成プログラム（D12-R-0761）の助成を受けたものです。

◉注
（1）『日本経済新聞』二〇一九年一一月二四日、「教皇『原子力の戦争使用は犯罪』広島のスピーチ全文」、https://www.nikkei.com/article/DGXMZO52552700U9A121C1CC1000（最終閲覧：二〇二一年一月二九日）。

（2）広島市、二〇二〇年四月七日最終更新、「年度別総入館者数及び外国人入館者数等」、https://www.city.hiroshima.lg.jp/uploaded/attachment/112311.pdf（最終閲覧：二〇二一年一月二九日）。

（3）広島市、二〇一九年一〇月二一日最終更新、「広島市への海外からの賓客訪問実績」、https://www.city.hiroshima.lg.jp/soshiki/49/10543.html（最終閲覧：二〇二一年一月二九日）。

（4）本節の記述は、広島平和記念資料館の展示について検討した拙稿（根本　二〇二一）にもとづく。展示の内容については、筆者の観察調査をもとにしている。

（5）日本軍政下のシンガポールの生活については、シンガポール・ヘリテージ・ソサエティより本が出版されている（Lee 2017）。また華僑の虐殺を中心とした史料集に（許・蔡編　一九八六）がある。

（6）シンガポールにおいて、原爆の投下が日本の占領という歴史的文脈の中で捉えられる傾向にあるとはいえ、もちろんその他の見方がないわけではない。たとえば、二〇〇七年のプライマリー・スクール（日本の小学校と同様）の五年生の社会科の教科書（Ministry of Education, Singapore 2007: 42-43）には原爆の投下についてイラスト付きで説明されている。その一節には「広島に原爆が投下された時、多くの人々が家族や愛する人々を失った。毎年八月六日には広島の人々が世界平和を祈っている。彼らは、自らの平和の願いを表わす灯籠を川に浮かべる」と記されている。

（7）国立アメリカ歴史博物館にある「自由の犠牲――アメリカ人と戦争（The Price of Freedom: Americans at War）」の展示では、原爆投下を表現する見出しとして「最後の爆発（The Final Blow）」となっている。

（8）本節の記述は、アメリカにおける原爆に関する記念行事を取り上げた拙稿（Nemoto 2019）の記述にもとづく。

（9）ピース・ハウスの活動の焦点の変化は、彼らのニュースレターに表われている。もともとニュースレターの名前は「核反応」を意味する『ニュークリア・リアクション（Nuclear Reaction）』であったが、一九八九年に少し文字を削って『クリア・アクション（Clear Action）』となった。

（10）独立行政法人国際協力機構、更新日不明、「ＪＩＣＡボランティア派遣事業」、https://www.jica.go.jp/activities/schemes/volunteer/index.html（最終閲覧：二〇二一年一月三一日）。

（11）独立行政法人国際協力機構中国国際センターが作成した、「世界にヒロシマ・ナガサキを伝えるＪＩＣＡボランティアによる原爆展」というパンフレットに記載されている。同パンフレットはジャイカのウェブサイトより入手できる。https://www.jica.go.jp/activities/schemes/volunteer/ku57pq0000ln3me-att/genbakuten_01.pdf https://www.jica.go.jp/activities/schemes/volunteer/ku57pq00000ln3me-att/genbakuten_02.pdf（最終閲覧：二〇二一年三月五日）。

（12）独立行政法人国際交流機構、最終更新日不明、「原爆・復興展 in ルワンダに託す思い」、https://www.jica.go.jp/publication/mundi/1411/ku57pq00001o0ghh-att/06.pdf（最終閲覧：二〇二一年三月五日）。

（13）独立行政法人国際交流機構、最終更新日不明、「ルワンダ滞在記」、https://www.jica.go.jp/chugoku/topics/2014/ku57pq00000diuoo-att/ku57pq00000diuwd.pdf（最終閲覧：二〇二一年三月五日）。

（14）独立行政法人国際交流機構、最終更新日不明、「【4】ヒロシマの被爆者、ルワンダの虐殺生存者が、スカイプでお互いの体験を語りました」、https://www.jica.go.jp/chugoku/topics/2014/ku57pq00000diuoo-att/ku57pq00000diuud.pdf（最終閲覧：二〇二一年三月五日）。

（15）独立行政法人国際交流機構、最終更新日不明、「【3】ルワンダ原爆・復興展オープニングセレモニー開催！」、https://www.jica.go.jp/chugoku/topics/2014/ku57pq00000diuoo-att/ku57pq00000diuu2.pdf（最終閲覧：二〇二一年三月五日）。

◉参考文献

川口悠子、二〇一三、『広島の「越境」――占領期の日米における谷本清のヒロシマ・ピース・センター設立活動』東京大学大学院総合文化研究所提出博士論文。

許雲樵・蔡史君編、一九八六、『日本軍占領下のシンガポール――華人虐殺事件の証明』田中宏・福永平和訳、青木書店。

斉藤道雄、一九九五、『原爆神話の五〇年――すれ違う日本とアメリカ』中央公論社。

直野章子、二〇一五、『原爆体験と戦後日本――記憶の形成と継承』岩波書店。

根本雅也、二〇二一、「広島平和記念資料館――原爆の災禍から何を学ぶのか」蘭信三・小倉康嗣・今野日出晴編『なぜ戦争体験を継承するのか――ポスト体験時代の歴史実践』みずき書林。

濱谷正晴、二〇〇五、『原爆体験――六七四四人・死と生の証言』岩波書店。

Boyer, Paul. 1996. “Exotic Resonances: Hiroshima in American Memory.” In *Hiroshima in Memory and History*, edited by M. J. Hogan, 143–167. New York: Cambridge University Press.

Dower, John W. 1996. “The Bombed: Hiroshimas and Nagasakis in Japanese Memory,” In *Hiroshima in Memory and History*, edited by M. J. Hogan, 116–142. New York: Cambridge University Press.

Harwit, Martin. 1996. *An Exhibit Denied: Lobbying the History of Enola Gay*. New York: Copernicus.

Hogan, Michael J. 1996. "The Enola Gay Controversy: History, Memory, and the Politics of Presentation." In *Hiroshima in Memory and History*, edited by M. J. Hogan, 200–232. New York: Cambridge University Press.

Lee, Geok Boi. 2017. *Syonan: Singapore under the Japanese 1942–1945*, New Edition. Singapore: Singapore Heritage Society.

Lifton, Robert J. and Greg Mitchell. 1995. *Hiroshima in America: Fifty Years of Denial*. New York: Grosset/Putnam.

Linenthal, Edward T. 1996. "Anatomy of a Controversy." In *History Wars: The Enola Gay and Other Battles for the American Past*, edited by E. T. Linenthal and T. Engelhardt, 9–62. New York: Holt Paperbacks.

Ministry of Education, Singapore. 2007. *Interacting with Our World: Singapore under Foreign Rule*. Singapore: Marshall Cavendish Education.

Nemoto, Masaya. 2019. "Remaking Hiroshima and Nagasaki: Local Commemorations of Atomic Bombings in the United States." *Journal for Peace and Nuclear Disarmament* 2, no.1: 34–50. DOI: 10.1080/25751654.2019.1638338

Wittner, Lawrence S. 2009. *Confronting the Bomb: A Short History of the World Nuclear Disarmament Movement*. Stanford, CA: Stanford University Press.

Yoneyama, Lisa. 1999. *Hiroshima Traces: Time, Space, and the Dialectics of Memory*. Berkeley: University of California Press.

Zwigenberg, Ran. 2014. *Hiroshima: The Origins of Global Memory Culture*. Cambridge: Cambridge University Press.

第一二章　グローバル〈災害（ディザスター）〉スタディーズ試論
――不可視化された被災者・被災地をめぐって

山﨑 真帆

1　グローバルな共通課題としての災害

本章が扱うのは、太古より人類が恐れてきた「災害」であり、社会科学的パースペクティヴから災害現象にアプローチする研究領域としての災害研究（ディザスター・スタディーズ）であり、災害研究としての筆者自身の研究実践である。二〇世紀後半以降、世界各地で大規模化・頻発化が指摘されてきた災害は、現代の地球社会が抱えるグローバルな共通課題であるといえる。なお、災害の定義については、後述するようにさまざまな見方ができるものの、一般的には、自然災害と人的災害（公害、産業災害、戦争など）に大別される。二〇二一年三月現在、世界中で猛威を振るっているCOVID－19などの感染症が、災害の一つとして論じられることも多い。

経験的に知られていることであるが、災害時には、被害を受けた被災地にヒト・モノ・カネなどさまざまな資源が集中する（ラファエル 一九八九：二三、関谷 二〇〇八：二二一）。被災地を訪問する〝ビト〟には、警察・消防・自衛隊など救助者、ボランティアやＮＰＯ・ＮＧＯ、報道関係者に加え、多くの調査関係者も含まれる。後述するように、本章の執筆を担当する筆者も、東日本大震災（二〇一一年）をきっかけに災害の被災地を訪れ、不可視化された被災者・被災地という課題を見出し、災害研究に取り組むこととなった一人である。

さて、本書の主題はグローバル・スタディーズの生成、展開、実践である。上述したように、災害は今日のグローバル社会が抱える課題であるから、本書において災害現象を取り上げることに違和感はないだろう。しかしながら、災害研究はどうだろうか。なぜ本書において災害研究について語らねばならないのだろうか？　その意義について読者に納得していただくには、災害研究の成り立ちを紐解く丹念な回答が必要となろう。こうした回答を試みることが本章の課題であり、また起点であることを明示したところで、まずは、筆者自身の研究実践の轍（わだち）を辿ることから始めたい。

2　不可視化された被災者・被災地――東日本大震災、被災の実態から

震災後、停電、断水、店、銀行、病院、仕事～様々な面で何ヶ月も苦労したのに、この町では家がある者は〝被災者〟扱いされない。町民全員が被災者です。〝被災〟の定義は？

私の家では被害はなく、全壊した家族、二世帯、八人を受け入れたが、ストレスや、不担（ママ）は多大なものでした。あまり誰も感謝してくれず、当然としか想われず、何の補助もない。家がある

からいいじゃない。その通りですが私達も被災者です。小さくなって生活していました。私だけですか？

（出典）南三陸町「『南三陸町の復興まちづくり』に関する意向調査結果」自由意見欄

二〇一一年三月一一日、太平洋三陸沖を震源とする日本観測史上最大規模の巨大地震が発生した。この地震と地震に伴い発生した巨大津波、原子力災害、およびその後の余震が、東北地方を中心とする東日本に甚大な被害を与えた【図1】。震災の名称は、閣議決定により「東日本大震災」とされた。

【図1】津波により甚大な被害を受けた宮城県気仙沼市の様子（2011年5月、筆者撮影）

発災時、東京にある大学の学部二年生だった筆者は、テレビ画面に映る被災地の苛烈な状況を目の当たりにし、同年五月から、がれき撤去などに従事する災害ボランティアとして、宮城県沿岸の津波被災地域に通い始めた。その後、当時復興支援を行なっていたNPOに入会し、二〇一三年六月から約二年間、駐在スタッフとして宮城県北東部に滞在しつつ、支援活動に取り組んだ。

同法人における主な活動内容は、狭隘な仮設住宅に暮らす子どもたちへの学びの場、遊びの場の提供であった。活動先は、南三陸町や気仙沼市、石巻市といった、東日本大震災によって一躍有名になった宮城県沿岸部の自治体で

【図２】宮城県地図（出典：国土地理院地図をもとに筆者加筆）

あった一方で、筆者らの生活拠点は内陸の登米市に置いていた【図2】。なお、登米市内の仮設住宅団地においても支援活動を行なっていたが、同市の仮設団地はすべて、南三陸町からの避難者を対象としたものであった。支援活動に取り組むなかで、登米市民との交流も深まったが、こうした人々は筆者らと同じく支援者の立場にあった。そうしたなかで耳にしたのが、「登米市はB級被災地だから」という自虐的な表現であった。このような災害の現場での体験を原点に、登米市民に上記のような葛藤をはらんだ表現をさせた被災地のコンテクスト（文脈）の探究から始まり、特定の被災者・被災地が「固定化」、それ以外が「不可視化」されていく過程と災害復興の関係を研究課題として設定するに至る、筆者の研究実践が始まったのである。

当時、筆者は支援者兼学生として、支援と調査の往還のなかで自らが居合わせた被災の現場の実態を捉えようと試みた。東日本大震災は、地震、津波、原子力発電所事故などが重なった複合災害といわれるが、被害の甚大さから、注目を集めたのは津波、原発事故の被災地であった。一方で、観測史上最大規模の地震そのものがもたらした被害も大きく、宮城県では、内陸の栗原市で最大震度七を観測している。同市に隣接する登米市でも、震度六強の揺れによって二〇〇〇棟を超える建物が全半壊するなどの被害を受けた。しかしながら、発災後の登米市は「被災地」として扱われる代わりに、沿岸部津波被災地支援の前線基地となり、自衛隊や消防、警察に多くの土地を提供した。その後も数年間にわたって、沿岸部、特に隣接する南三陸町からの避難者を千人単位で受け入れる、「受け入れ側」となった。一方、東日本大震災により甚大な津波被害を受けた南三陸町は、震災報道を機に知名度が急上昇した「象徴的な被災地」（松山 二〇一三）であり、登米市内に建設された仮設住宅四八六戸に入居したのは同町からの避難者、すなわち「象徴的な被災者」であった。「登米市はB級被災地だから」という言葉は、こうしたコンテクストにおいて発出されたものであった。

こうした、被災後の登米市と南三陸町、あるいは両自治体の住民におけるさまざまな葛藤についての調査を重ねるうちに、「象徴的な被災地」たる南三陸町のなかでも、被災という現象をめぐる葛藤が生じていたことが明らかになった。

災害は空間的な広がりを持ち、衝撃を全面的に受ける地域もあれば、影響が少ない地域もある（ラファエル 一九八九：二二）。被災自治体という単位でみても、一帯に均質な被害がもたらされることはなく、被災状況は住民や個々の地域によってさまざまである。南三陸町においても、津波被害・地震被害を含めた住家の罹災（りさい）率は約六割と、自宅への被害を免れた住民も多い。同町では、発災後、津波被害を受けなかった地域の人々が避難所や自宅に津波避難者を受け入れ、支援者として立ち回った。こうした人々は、ライフラインの断絶や食料、物資の欠乏などといった発災後の窮乏（きゅうぼう）、家族や親戚（しんせき）、知人らを亡くすなどの喪失体験を津波被災者とある程度は共有しながらも、「震災」「復興」といったテーマが調査研究、報道において取り沙汰（ざた）されるなかで、後景に退いていく。

彼らは災害をどのように経験したのか、そして彼らの経験は災害復興においてどのように位置づけることができるのか。大学院進学後の筆者は、こうした問いを追究しようと、南三陸町でフィールドワークを実施してきた。そうしたなかで辿りついたのが、本節冒頭に引用したような叫びであり、被災者／非被災者の境界線上に自らを位置づける彼らの葛藤であった。現在筆者は、このような災害の現場における実態に見出した「特定の被災者・被災地の『固定化』とそれ以外の不可視化」という研究課題に、災害研究の立場から取り組んでいる。

さて、グローバル・スタディーズを主題とする本書において、なぜ災害研究について語るのか。本節の最後に、冒頭の問いに対してまずは簡潔に回答を示しておこう。それは筆者が、災害研究を、グローバル・スタディーズがとる一形態であると考えるためであり、本節で見てきた自身の研究実践についても、災害研究であると同時に、グローバル・スタディーズでもあるもの、すなわちグローバル〈災害（ディザスター）〉スタディーズの実践として位置づけているためである。筆者は、グローバル・スタディーズそのものとして、災害研究について語りたいと考える。それは単に、災害がグローバルな共通課題であるからではない。早々に種明かしをしてしまえば、それは、研究領域として形成・更新されてきた災害研究の成り立ちが、グローバル・スタディーズのそれとパラレルに進行してきたためにほかならない。

それでは、次節から第五節を使って、災害現象の捉え方の変容や災害のグローバル化といった観点との関係に注目しながら、災害研究の成立・展開過程について、記述していきたい。

3　災害研究の成立――到達点としての「災害対応の合理的制御」

本節では、先行研究の記述[1]をもとに、災害研究の成立過程について整理していく。

災害研究は、災害多発国で必要に迫られて発達してきたという流れがあり、カナダやフランス、日本などでも先駆的な業績が見られたが、特に中心的舞台であり続けてきたのがアメリカである。災害研究の源流としては、一九一七年にカナダのハリファックス港で起きた爆発事故を扱った、アメリカのサミュエル・ヘンリー・プリンスによる『カタストロフィと社会変化』に言及する研究書が多い[2]（Prince 1920）。

その後、災害研究促進の大きな契機となったのは、戦災研究の要請であった。とくに、第二次世界大戦中のドイツおよび日本に対する空爆の効果検証を目的とした「アメリカ戦略爆撃調査」を中心に、ストレス状況下における人間行動の分析と都市機能の調査研究が行なわれ、災害研究を形作る基礎的なデータが蓄積された。

続く一九五〇年代は、シカゴ大学の国立世論センターなど、複数のアメリカ国内の大学が継続的かつ大規模な災害研究に着手した、アメリカ災害研究の台頭期であった（山本 一九八一：九八）。秋元律郎によれば、この時期は自然災害に襲われたコミュニティの経験的な調査を踏まえて、災害時の個人レベルでの心理的反応と行動の分析を中心とした研究が展開された。分析の時間的視野は、ほぼ発災直後の応急期に集中していたとされる（秋元 一九八二：二二一―二二六）。なおこうした研究は、冷戦の勃発という情勢を背景に、データ、資金あるいは研究組織の側面からも、戦時期の爆撃への応用を想定する軍や国防関係の省庁などとの結びつきにおいて展開した(Quarantelli 1987)。

さて、一九六〇年代は、社会科学の立場から災害を研究する世界で最初の研究所であるオハイオ州立大学災害研究センターや、コロラド大学行動科学研究所を中心とする精力的な活動がみられる、災害研究の成長期であった(山本 一九八一:九八)。この時期には、自然災害から人的災害や技術的災害へと徐々に研究対象が拡大し、分析の中心が、災害の社会過程におけるコミュニティの変動と組織対応に移行していく。分析の時間軸も幅が広がり、発災前から発災後時間を経た長期的影響までを包含するようになる(秋元 一九八二:二二一—二二六)。こうした当時の災害研究は、例外的に人類学者、心理学者、地理学者らの参画があったものの、エンリコ・クアランテリら組織論的アプローチをとる社会学者が主導していた(Quarantelli: 1987 & 1994)。そのなかで災害現象は、各自がそれぞれのディシプリンにおける問題意識にしたがって参加する「学際的研究フィールド」(大矢根 一九九二:一三四)として扱われていた。

一九七〇年代に入ると、過去の災害研究の総括が行なわれ、体系化が図られていく。ケーススタディからの脱却と一般性の向上に加え、アメリカを起点とした国際間共同研究の推進と研究データの標準化を通した、研究内容の高度化が目指された(山本 一九八一:九九)。秋元によれば、この時期は、従来の研究枠組みに加えて、予知や政策との対応に関する研究が展開し、前災害期を組み入れた災害の社会過程の研究が蓄積された(秋元 一九八二:二二二—二二六)。また、「社会科学の全ディシプリンが災害研究に手を染めていると言っても過言ではない」(山本 一九八一:一〇一)ほどに災害研究に携わる研究者数とディシプリン数が増大し、ディシプリン間の学際研究も活発化した。一方で、爆発・オイル流出、アメリカ・ペンシルヴェニア州スリーマイル島原発事故(一九七九年)が引き起こした放射能汚染など、一九七〇年代後半より顕著となったいわゆる人的災害の飛躍的増大を背景に、自然災害を中心に展開してきた災害研究の関心も多面化していく。

続く一九八〇年代から一九九〇年代初頭にかけては、それまでの研究をベースにしながら、合理的な判断と選択をする人間像に基づいた「災害対応の合理的制御」に向けて理論的・実践的な研究が繰り広げられ、それが政策体系や防災システムの設計に活かされていった（浦野 二〇〇七ａ：一九）。たとえばアメリカでは、カリフォルニア州の北部で発生したロマプリータ地震（一九八九年）や、同国のハリケーン史上、最大規模のものの一つであるハリケーン・アンドリュー（一九九二年）などを対象とした研究の成果を背景に、災害予防から災害時の緊急対応、災害直後の緊急復旧までをカバーする防災体制が連邦緊急事態管理庁（ＦＥＭＡ）などを核として構築された。

こうして、アメリカを中心に成立してきた災害研究において、災害は各ディシプリンの二次的な関心から研究のコアとなり、各ディシプリンにおける知を動員していった。災害から生命や資産、人々の暮らしを守るための合理的な災害対応こそが目的となり、予知や警報のシステムが構築され、政策過程とも絡んだかたちで、防災体制の研究が進展した。

一方でこの時期までの災害研究は、あくまでも地震など異常な自然現象や火災といった災害因（ハザード）による衝撃とそれが社会に影響を及ぼしていく過程を中心に研究が組み立てられていた。主たる関心は、予知や警報システムの構築によってこうした過程がどのように変化するか、被害の軽減につながるか、という点にあり、「眼前」の災害現象、被災事象（大矢根 一九九二：一三四）を把握しようとするものであった。こうした災害研究の枠組みは、一九九〇年代に入ると、別の研究潮流の台頭を受けて、ドラスティックに組み替えられていく。

4 「災害とは何か」――災害現象の問い直しと研究枠組みの更新

前節で見てきたような災害研究の潮流に対して、一九九〇年代以降は、災害前の社会に内在する構造、文脈に強い関心を寄せる別次元の研究が展開された。その一翼を担ったのは、災害人類学の第一人者であるアンソニー・オリヴァー＝スミスら人類学者であった。こうした視点の源流は、一九七〇年代頃にまで遡る。

一九七〇年初頭から一九八〇年代中庸にかけて、南米ではペルー大地震（一九七〇年）やグアテマラ地震（一九七六年）といった大地震が次々と発生し、地域社会は多大な人的被害に加え、甚大かつ長期的な社会的影響を受けた。また、「最初に地震がきた。次に雪崩だ。そして次に……災害だ！」（Oliver-Smith 1986: 106）という住民の言葉に現われているように、災害からの復興（この場合は都市移転の計画）も、かえって人々の生活に対する災厄として捉えられた。こうした災害に対して、人類学者らの手により、被害発生プロセスのみならず、そこからの復旧・復興についても対象とする研究が進められた。そのような研究によって明らかになったのは、地震の壊滅的な被害や復興による悪影響の背景にある、植民地支配下における開発を通じた地域独自の社会・経済・文化的安全装置の破壊や、先進国の技術に基づく政府や国際機関による「上からの」「画一的な」介入という文脈だった（Oliver-Smith and Hoffman eds. 1999; 木村 二〇一三）。

こうした〝非先進国〟を対象とした研究の台頭を受けて、一九八〇年代後半以降の災害研究においては、「災害とは何か？（What is a disaster?）」という問いかけ（Quarantelli 1998）が繰り返し行なわれた。

災害研究が災害現象を対象とする研究領域である以上、この問いへ回答していこうとする営み、すなわち災害現象の捉え方、定義の問い直しは、災害研究の枠組みを更新することとなる。以下では、災害認識の変化を補助線として、前節とは別の角度から、災害研究の展開過程について見ていきたい。

そもそも、二〇世紀前半までの災害に対する認識は、人為的な要素の薄い個々の「自然現象」であり、突発的・偶発的な性格が強く、あくまで一時的な・異常時の出来事（室井 二〇〇六：一一、金子 二〇一四：二二）であるという捉え方が支配的であった。主要な研究課題はそれを「いかに制御するか」であって、工学的・技術的なアプローチが要請され、社会科学における災害は周辺的な研究課題であった。しかしながら、二〇世紀後半以降、チェルノブイリ原子力発電所事故（一九八六年）に代表されるように人的災害が飛躍的に増大する一方で、災害はさまざまな人為的・社会的要素が絡んだ「社会的」現象であるという認識が深められていった。すなわち地震や火災といったハザードそれ自体は災害ではなく、人々や社会を脅威にさらすことによって初めて災害となるという理解の仕方であり、自然災害と人的災害という分類の意義が薄らいだ。自然災害のなかに潜む人為性が意識化されたのであり、こうした認識の深化に伴って、前節で述べたような研究領域としての災害研究が生成されてきたのである。

災害研究の枠組みにおいて当初提示されたのは、脅威を伴う実際の衝撃、出来事（イベント）があり、それによって社会の基本的な機能が妨げられるという災害の理解であり（浦野 二〇〇七a：二〇）、災害認識の時間的視野は、焦点であった衝撃の前後に限られていた（第三節参照）。一方で、同時期の地理学や地球物理学（地震学、気象学、火山学など）では、ハザードに焦点をおき、自然環境のプロセスに付随して起こる人々への影響として災害を捉えた（たとえば、Perry 2018）。それを受け、一九八〇年代に地理学の分野において提起されたのが、脆弱性との関係で災害を定義する視点であった。脆弱性とは、情報セキュリティ、心理学など、非常に広範囲な分野で使用されている「弱さ」を表現する言葉である。地理学における脆弱性のパラダイムでは、災害は極端な物理的出来事が脆弱な人間集団と接触することで生まれるとされ（たとえば、Wisner et al. 2004）、脆弱性はそれぞれの人々が置かれた災害への晒されやすさを指す。ここから、地理学においても社会のなかに災害を位置付ける視点が台頭していく。

他方、本節で見てきた人類学者らの研究成果を踏まえ、災害を、ハザードを契機としながらも、平時から社会に内在する構造的諸要素との結びつきのなかで展開するもの（たとえば、ホフマン、オリヴァー＝スミス編著 二〇〇六）、すなわちプロセスとして捉えようという視点が、災害研究においても形成されていった。こうした視点から、歴史的に構築され、社会的・政治的・文化的文脈のなかに埋め込まれた地域固有の脆弱性の実態が実証的に解明されていき、この脆弱性との関係で災害が概念化されていった。このようにして、一九九〇年代以降、災害研究において脆弱性に注目する視覚が形成されていく。

脆弱性への着目は、いわばそれまでの災害研究を批判的に乗り越えようとする営みであった。こうした脆弱性論には、①被害を拡大する（広義の）社会的な要因を明らかにすること、②「脆弱な（脆弱性という属性をもった）個人あるいは集団」を見つけ出し、エンパワーすることという異なる方向性がみられる（木村 二〇一三：二四）。本節で取り上げてきた地理学者や人類学者たちは①の立場から、さまざまな脆弱性の構造をどちらかと言えば定性的に見出そうとするのに対し、②は脆弱性を定量化・指標化し、政策や開発プロジェクトのなかに取り込むことで実践的に状況を改善しようとするもので、

「災害対応の合理的制御」という文脈での災害研究の展開（第三節）と親和的である。

一方で、脆弱性概念には、貧困、資源や教育・訓練の欠如などネガティヴなイメージが付きまとい、人々を受け身の存在として捉える傾向がある。人類学者らは定性的な調査を通じて、統計指標化された脆弱性に基づく政策やプロジェクトが、現地との間で生みやすい乖離を指摘したが、その方向性のひとつが、外部からの指標としての脆弱性概念の持つ受動性の批判と、住民やコミュニティの主体性の重視であった（木村 二〇一三：二五）。この視覚において駆使されたのが、同じ災害によって被害を受けた多くのコミュニティのなかでも、復興の早いコミュニティ（あるいは、そうしたコミュニティが持つ力）に着目するレジリエンス概念であった。レジリエンスは、もともとは物理学の用語であり、「外力による歪みを跳ね返す力」を指すが、これがさまざまな分野において援用されるなかで、定義が多様化している。災害研究において、レジリエンスは、災害の発生する背景的要因に着目しつつも、脆弱性を促進させる客観的な環境や状況に着目する視点からは見落とされがちな、地域固有の「文化や社会的資源」のなかにその地域を「復元＝回復していく原動力」を見ようとするもの（浦野 二〇〇七d：三二）として捉えられており、脆弱性と共に、近年の災害研究、防災政策におけるキーワードとなっている。

5　災害研究の展開——リスクへの注目と災害のグローバル化

前節では、災害認識における変容が、相互作用的に災害研究の枠組みを更新させてきたプロセスを見てきたが、本節では、加速するグローバル化のなかで展開する、災害研究の現在について描出する。

さて、二〇世紀末から今日の地球社会においては、バングラデシュのサイクロン（一九九一年）、スマトラ島沖地震津波（二〇〇四年）、ハリケーン・カトリーナ（二〇〇五年）、四川大地震（二〇〇八年）、ハイチ地震（二〇一〇年）、冒頭でも取り上げた東日本大震災（二〇一一年）、フィリピン・レイテ島に上陸した台風ハイエン（二〇一三年）など、巨大災害が相次いで発生している。災害による被災者数や経済被害額の推移をみると特にアジアでの被害が増大しており、背景要因としては、地球規模の温暖化・気候変動に加えて、急激な都市化など、社会の側における変化が指摘されている。こうしたなかで、災害研究の重要な課題として認識されるようになったのは、災害リスクの軽減と管理であった[3]。

社会学の分野では、現代社会を近代の産業発展がもたらしたリスクが蔓延する「リスク社会」と位置づけ、分析することが試みられてきた（たとえば、ベック 一九九八）。アンソニー・ギデンズは、こうしたリスクを自然等に起因する「外部リスク（external risk）」と、原子力発電所に代表されるような「人工リスク（manufactured risk）」とに大別したが（ギデンズ 二〇〇一）、災害研究は、「人工リスク」としての地球温暖化が、世界各地で異常気象をもたらし、巨大な災害を発生させていることなどを指摘することで、「外部リスク」の社会的構築性を明るみに出してきたと言える。すなわち、グローバル化が加速する現代社会における災害リスクは、「外部」ではなくグローバルな社会的広がりにおいて構築されるのであり、災害によって生じる影響も、このグローバルなシステムを媒介にしながら、多様なかたちで現われる。昨年（二〇二〇年）来、我々が経験してきたCOVID−19の世界的大流行からも明らかなように、現代社会においては、災害を拡大させるのも、それをコントロールするのも、グローバルなシステムなのである（浦野 二〇〇七c：一七六）。ここにおいて、現代の災害研究における課題として、災害のグローバル化という現象が立ち現われてくる。

災害のグローバル化とは、いかなる意味を有しているのであろうか。もとより「災害」はローカルな現象である一方で、国境にかかわらず生じるが、前述したように、二〇世紀末以降、災害は世界規模で大規模化、頻発化し、国境を越えた被害をもたらしている。しかしながら、近年の災害研究によれば、社会的現象としての災害のグローバル化は、こうした単なる大規模化にとどまらず、本書の議論の核であるグローバル化を背景に、多面的に展開しているものである（たとえば、Alexander 2006; 田中二〇〇七／二〇一八）。ここでは、田中重好（二〇〇七）の議論を軸に、デイヴィッド・アレクサンダー（Alexander 2006）の指摘についても触れつつ、その実態に迫りたい。

田中（二〇〇七：一九六―一九七）は、①経済のグローバル化、②情報のグローバル化、③支援のグローバル化、④移動と観光、⑤基本的人権概念のグローバル化の五つの社会的局面から、災害のグローバル化について説明している[4]。なお、田中（二〇一八）は上記の他、防災対策のグローバル化についても言及している。本章では、この防災対策のグローバル化を第六の局面とし、特に①、②、③、⑥についてそれぞれの様相を見ていきたい。

まず①経済のグローバル化については、産業活動のグローバル化に対応して、ローカルな災害がグローバルな産業的連関性を切断することが指摘されている。具体的には、工業用原料の生産地や部品の生産地での災害が、それに関連した製造業にグローバルな影響を与えることを指す。

続いて、②情報のグローバル化は、災害のグローバル化の最も顕著な局面である。この点は、アレクサンダーも強調しているが（Alexander 2006）、情報通信技術の発達により、災害の情報や映像が瞬時のうちに全世界に伝えられ、世界中の人々が災害を「間接的に体験する」ことを意味する。そしてこの情報のグローバル化は、③支援のグローバル化を促進する。たとえば、二〇〇四年に発生したスマトラ島沖地震津波の際、ニュース映像により津波を間接的に体験した世界中の人々から、災害支援が大量に届けられた。世界各国政府が表明した支援額は二二億六千万ドルであり、災害史上最高額に達した。また、アレクサンダーも指摘するように（Alexander 2006）、こうしたグローバルな支援においては、非政府組織の台頭が顕著である。たとえば、上記のスマトラ島沖地震津波では、非政府部門を通じた寄付額は四二億ドルに達したとされ、政府の支援額を上回る。人員面でも、軍隊による物資輸送などが行なわれる発災直後の応急段階を過ぎると、非政府組織の職員がはるかに多かったという。アレクサンダーはその背景として交通手段の発達に言及するが（Alexander 2006）、こうした非政府組織、あるいは国際機関が急伸したことにより、災害支援は国境を越えて行なわれるようになり、それまで国内で十分な災害支援が実施されていなかった地域に、十分な、時には十分すぎるほどの災害支援がなされるようになった。

⑥防災対策のグローバル化では、上記のスマトラ島沖地震津波後に国際協力プロジェクトとしてインド洋津波警報システムが整備され、二〇一一年一〇月に運用が始まった例が挙げられている。この点については、後述するインターナショナルな防災研究の記述とも関連する。

以上が田中（二〇〇七）に基づき描出した災害のグローバル化の実相であるが、こうした過程が進行するなかで、災害現象の実態を把握し、対応しようとする災害研究も、グローバル化した災害を対象とすることとなり、否応なしにその地平が広げられていく。その一例が筆者自身の研究実践であり、まさに災害研究の枠組みが更新されようとする場に参画することとなっている。この点についての記述は次節に譲り、本節の最後に、災害がグローバル化する現代社会における災害研究の課題について、「国際防災の一〇年」のようなインターナショナルな防災研究を確立する必要性を指摘する田中（二〇〇七）の議論をもとに、簡単に触れておきたい。

「国際防災の一〇年」は、災害発生後の応急対応、復旧の取り組みから事前の取り組みへと国際社会の関心をシフトさせ、特に開発途上国における自然災害による被害を軽減することを目的とし、一九九〇年より、国連を中心に一四〇以上の政府機関の参画を得て進められた。中間年の一九九四年には、横浜市において防災分野初の国際会議である「国連防災世界会議」が開催され、成果文章である「横浜戦略」において、災害の予防と準備の重要性や、地球規模の防災体制の確立が必要であるとの基本認識が示された。その後も、二〇〇五年には神戸市で第二回国連防災世界会議が開かれ、国際的な防災指針である「兵庫行動枠組」が採択された。二〇一五年には、第三回国連防災世界会議（於仙台市）において、「仙台防災枠組二〇一五―二〇三〇」が採択されている。この「仙台防災枠組」は、「期待される効果とゴール」において、あらゆるレベルにおける脆弱性の予防・削減、災害リスクの削減、レジリエンスの構築、向上が言及されるなど、近年の災害研究の成果が反映されたものとなっている。

一方で、田中（二〇〇七：二〇〇）は、こうしたインターナショナルな防災体制の確立と同時に、地域に根差した防災体制の必要性についても強調する。第三節で見てきたように、社会的現象としての災害は、地域固有の文化、社会において展開していく。地域に内在する諸要素は絡み合って固有の脆弱性を形成し、また、レジリエンスの源ともなる。したがって、標準化された防災システムをそのまま導入するのではなく、地域の社会的条件に「適合した」（田中　二〇〇七：二〇〇）防災体制のあり方を考えることが重要となるのである。上述した災害研究の展開を鑑みれば、この課題に対して、これまで蓄積された知見、形成された視点が活きることは明白であるし、また、その延長線上に、政府機関のみならず地域住民や非政府組織などの多様なステークホルダーの参画を得た、グローバルな防災体制の確立を目指すことができるだろう。

さて、第三節～第五節の記述から、研究領域としての災害研究は、災害の現場における要請——災害現象の実態を把握して、人々の命、暮らしを守るための研究の要請——を受けて成立し、各ディシプリンにおける知を動員して発達してきたこと、また、災害現象の捉え方の変化、あるいはグローバル化の進展に伴う災害現象自体の変化に応じて、その枠組みを絶えず更新・再生成してきたことが明らかになった。一方で、脆弱性やレジリエンスに代表される、災害研究の発展によってもたらされた数々の知見が、災害から人々を守るためのさまざまな実践的研究を生み出したことも確かめられた。

すでに述べたように、災害研究の対象たる災害はもとよりグローバルな課題ではあるが、本章において示された災害研究における思考と実践の絶えざる往還と枠組みの問い直し、トランス・ディシプリナリーなアプローチ、こういったことは、災害研究がまさにグローバル・スタディーズそのものであることの証左であろう。

こうした災害研究のあり様を背景に、筆者は本書を構成する一章において、災害研究について語ることとしたのである。

6　グローバル〈災害〉スタディーズ試論——不可視化された被災者・被災地

本章の最後に、本節では、グローバル〈災害〉スタディーズ試論として、第二節で詳述した筆者の研究実践において見出された研究課題「被災者・被災地の不可視化」について、災害研究という研究領域の生成過程に関するこれまでの議論を踏まえつつ論じ、その意義について述べておきたい。

第二節で明らかにしたように、象徴的な被災地である南三陸町において、津波被害を受けなかった地域の人々は、発災後の窮乏、喪失体験を津波被災者とある程度は共有しながらも、被災者になりきれないという葛藤を抱えていた。本節ではまず、「被災者」の定義、すなわち「誰までが被災者か」という点について、先行研究をもとに掘り下げたい。

そもそも、「被災」という現象は、本来、無数に線引きが可能である。個人や世帯の単位でみれば、住家への被害の有無、身体への影響の有無など、自治体や地域のレベルでみれば、死者行方不明者数や全壊家屋数など、さまざまな尺度があり、「有り無し」の単純な二項対立で捉えることはできない（山崎二〇二〇：二一）。むしろ濃淡やグラデーションといった概念で捉えるべきものであり、したがって、ある災害において「誰までが被災者か」、「どこまでが被災地か」などと被災者・被災地の「範囲」を問うことは困難である。そこで、災害による影響の程度によって、被災者、被災地を分類しようとする試みがなされてきた。

たとえば、スティーブン・W・ドゥダシクは、既出のペルー大地震（一九七〇年）の被災者を四つのグループに分類した（Dudasik 1980: 331–336）。①「破壊による被災者（Event victims）」は、地震などの災害の影響を直接受けた者であり、②「影響を受けた被災者（Context victims）」は、地震などの災害がもたらす直後の急性的な物理的・社会文化的環境により、影響を受けた者を指す。③「周辺的被災者（Peripheral victims）」は、災害発生時に被災地域に居合わせたわけではないが、被災地域と強い関係を持ち、その結果として影響を受けた者であり、④「進入被災者（Entry victims）」は、支援団体の職員やボランティアなど、直接的な被災地域に外部から集まってきた者である。この研究のように、近年は、死や破壊、喪失といった被災者の経験を共有する救助者やボランティアら支援者もまた、被災者として捉える傾向があるが、一方で、こうした人々のストレス体験は認識されないままのことが多く、彼らは「隠れた被災者」になるとされる。すなわち、彼らの「被災」経験は不可視化されていくのである。

それでは、ある特定の被災者・被災地が不可視化されていくメカニズムは、一体どのようなものであろうか。ラファエル（一九八九：三四七）が、旱魃や飢饉による緩慢な災害よりも風水害や地震などの方が関心と援助を集めやすいこと、政治的な理由から特定の被災者が無視されることなどについて言及しているように、それは、さまざまな要因が絡み合った複雑な過程であることが想定される。本章では、紙幅の関係もあり、第五節で言及した災害のグローバル化と関係づけながら、被災者・被災地の固定化とそれ以外の不可視化のメカニズムの一端の解明を試みたい。

本章冒頭でも触れたように、災害時には、被災地にヒト・モノ・カネなどさまざまな資源が集中する。関谷直也は、これを「過集中」と呼んだうえで、「見方を変えれば『被災地域の固定化』ともいうことができる」と指摘する（関谷　二〇〇八：二二一―二二二）。すなわち、上記で見てきたように、被災地の「範囲」が曖昧であるなかで、ある特定の地域、人々に資源が集中していけば、その過程で被災者・被災地が固定化され、それ以外の地域、人々が不可視化されていくのである。では、こうした〝特定の地域、人々〟はどのように見出されていくのだろうか。関谷は、日本国内の事例をもとに、その要因として「報道の過集中」に言及する（関谷　二〇〇八：二二二）。

発災後、多くの報道関係者も被災地に集まるが、報道では、「悲惨さ」を強調するために典型的な映像が必要であり、被災地のなかでも特に被害の大きい場所に集中するという（関谷　二〇〇八：二二二）。なお、特定の地域へ報道が集中する要因については、被害の大きさ以外にも、アクセスの問題や、取材拠点との近接性などが指摘されている（たとえば、松山 二〇一三）が、こうした報道の過集中の結果として、支援物資、義援金などの「支援の過集中」という現象が発生する。発災直後においては特に、支援が被災地のなかでも中心的に報道されている自治体に偏るのである（関谷 二〇〇八：一二二、沼田他 二〇一三：一一）。

そしてこうした傾向は、災害のグローバル化を背景に加速する。田中（二〇〇七：一九七—一九八）は、支援がグローバル化するなかで、援助が特定の災害、さらに、特定の被災地に集中し、地域社会を混乱させる「支援バブル」ともいえる状態を引き起こすことを指摘する。また、さまざまな政府・非政府組織が独自の思惑のもとに行なう支援は、監視機関の不在のなかで公平性を欠き、ある地域には支援が大量に投下され、隣の地域にはほとんど援助が行なわれないこともある。そのため、支援そのものが地域格差や階層間格差を拡大させる危険性があり、「見捨てられた災害」や「見捨てられた被災者」を出現させる。エドワード・ジラルデ（二〇〇五：九二）が報告するように、こうしたグローバルな支援の現場においても、マスメディアの報道が支援を左右しており、メディアによって自分たちの被災状況を取り上げられることは、「当たりくじを引く」と表現される。

筆者の調査対象地である南三陸町は、津波による甚大な被害に加え、被災し、安否不明だった佐藤仁町長が生還していたこと、その町長が積極的にメディアに露出したこと、東北地方の被災地では、天皇・皇后（当時）の初めての訪問先であったことなど（松山 二〇一三）を背景に、発災直後からマスメディアにおいて大々的に取り上げられ、「象徴的な被災地」となっていった（松山 二〇一三）。こうした報道の集中を背景に、南三陸町は、小規模な自治体であるにもかかわらず、総額六億五九二八万円（町受付分、二〇一一年一〇月三一日時点）もの義援金（仙台市、石巻市に次ぐ県内三番目の金額、受付件数については二七五四件で一番目）の提供を受けるなど、他の自治体に比して相対的に多くの支援を受けた。

また、外務省によれば、東日本大震災発災後、日本政府は、一二六の国・地域・国際機関から緊急物資や寄付金（総額一七五億円以上）を受け取り（二〇一二年二月六日時点）、少なくとも一六か国における四三のＮＧＯ団体が来日し（二〇一一年五月一七日時点）、日本国内で支援活動を行なったとされる。南三陸町は、イスラエルから医療支援チームの派遣を受けたり、町内唯一の公立病院の再建に際し二〇億円以上の寄付金を台湾赤十字経由で受け取るなど、こうしたグローバルな支援の主要な対象ともなり、現在もこうした国・地域との交流事業を展開している。

上述してきた先行研究の成果から、南三陸町が象徴的な被災地として固定化されていくプロセスの一端が明らかになったといえよう。しかしながら、筆者の問題意識はその先、すなわち象徴的な被災地の内部において、特定の被災者が不可視化されていく力学と、彼らにおける災害経験のあり方、そして象徴的な被災地の災害復興において彼らの経験を位置づけることにある。ローカルな対象地域からグローバルな問題を論じようとする、この課題に取り組むにあたっては、地域社会に内在する諸要素への着目が不可欠であり、今後は、脆弱性やレジリエンスといった災害研究の知見を踏まえて議論を展開することとなろう。

こうしたグローバル〈災害〉スタディーズの研究実践は、蓄積された知見を踏まえつつ、新たな知見を提示することで、絶えずその枠組みを更新してきた災害研究の生成の場に、参画しようとする試みとして位置づけられる。

ただし、このような筆者の取り組みは、あくまでグローバル〈災害〉スタディーズの「試論」にすぎない。その先には、グローバル・スタディーズの展開を踏まえたうえで災害研究の枠組みを乗り越えていくこと（あるいはその逆）といった、グローバル〈災害〉スタディーズが、本章で述べたその成り立ちゆえにおのずから内包する、さらなる課題が開かれるだろう。今後もフィールドワークを軸にグローバル〈災害〉スタディーズに取り組み、こうしたクリティカルな課題に挑戦していきたいと考える。

◉注

（1）第三節の全体的な構成については、浦野（二〇〇七a／二〇〇七b）を参考としている。

（2）一九一七年一二月六日、ハリファックス港で、大量の火薬を積載した貨物船が別の貨物船と衝突事故を起こした。その影響で発生した火災が積み荷の火薬に引火し、大爆発が生じた。爆発や、爆発に伴って生じた津波により、ハリファックスの街は壊滅的な被害を受け、死者は約二〇〇〇人にも上った。プリンスの論文では、参与観察や聞き取り調査をもとに、この事故がハリファックスにもたらした影響の実相や、そこからの復興プロセスが再構成されている。

（3）災害によるリスクは、一般に、災害を引き起こすハザードの発生確率、災害に曝されている人口の割合、レジリエンス指標を組み込んだ社会の脆弱性の関数として算出される。ハザードが自然現象である場合、コントロールは困難であるため、リスクを軽減するためには、建造物の耐震化や老朽化した社会基盤の更新といったハード面、災害時に備えた各種計画の整備、防災教育や訓練といったソフト面、両面からの対策によって社会の脆弱性を低減させることが必要であることが、指摘されてきた。

（4）災害のグローバル化に関して、局面別の整理の仕方と表現については、田中（二〇一八）を参考とした。

◉参考文献

秋元律郎、一九八二、「解説・災害社会学の系譜」秋元律郎編『都市と災害（現代のエスプリ181）』至文堂。

浦野正樹、二〇〇七a、「災害研究の成立と展開」大矢根淳・浦野正樹・田中淳・吉井博明編『災害と社会1　災害社会学入門』弘文堂。

――、二〇〇七b、「災害社会学の岐路――災害対応の合理的制御と地域の脆弱性の軽減」大矢根淳・浦野正樹・田中淳・吉井博明編『災害と社会1　災害社会学入門』弘文堂。

――、二〇〇七c、「都市社会とリスク」大矢根淳・浦野正樹・田中淳・吉井博明編『災害と社会1　災害社会学入門』弘文堂。

――、二〇〇七d、「脆弱性概念から復元・回復力概念へ――災害社会学における展開」浦野正樹・大矢根淳・吉川忠寛『災害と社会2　復興コミュニティ論入門』弘文堂。

大矢根淳、一九九二、「社会学的災害研究の一視点――被災生活の連続性と災害文化の具現化」『年報社会学論集』第五号。

金子祥之、二〇一四、「洪水常習地帯の災害文化と生活環境史――利根川・荒川水系の地域社会を対象として」早稲田大学大学院人間科学研究科提出博士論文。

ギデンズ、アンソニー、二〇〇一、『暴走する世界――グローバリゼーションは何をどう変えるのか』佐和隆光訳、ダイヤモンド社。

木村周平、二〇一三、『震災の公共人類学――揺れとともに生きるトルコの人びと』世界思想社。

ジラルデ、エドワード、二〇〇五、「世界から忘れ去られた被災者たち」『ナショナルジオグラフィック日本版』第一一巻第一二号。

関谷直也、二〇〇八、「災害報道の負の効果」田中淳・吉井博明編『災害と社会7　災害情報論入門』弘文堂。

田中重好、二〇〇七、「災害におけるグローバル化」大矢根淳・浦野正樹・田中淳・吉井博明編『災害と社会1　災害社会学入門』弘文堂。

――、二〇一八、「スマトラ地震調査から復興研究へ――後」（日本災害復興学会設立一〇周年記念企画「復興とは何かを考える連続ワークショップ」講師資料）、日本災害復興学会ホームページ。https://f-gakkai.net/wp-content/uploads/2020/09/20180929ws05tanaka2.pdf（最終閲覧：二〇二一年一月三一日）

沼田宗純・原綾香・目黒公郎、二〇一三、「災害報道の unbalance による義援金とボランティアへの影響」『生産研究』第六五巻第四号。

ベック、ウルリヒ、一九九八、『危険社会――新しい近代への道』東廉・伊藤美登里訳、法政大学出版局。

ホフマン、スザンナ・M、アンソニー・オリヴァー＝スミス編著、二〇〇六、『災害の人類学――カタストロフィと文化』若林佳史訳、明石書店。
松山秀明、二〇一三、「メディアが描いた震災地図」丹羽美之・藤田真文編『メディアが震えた――テレビ・ラジオと東日本大震災』東京大学出版会。
室井研二、二〇〇六、「災害の都市社会学――学史的整理と課題」『香川大学教育学部研究報告第I部』第一二八巻。
山﨑真帆、二〇二〇、「住家への津波被害を免れた人々における東日本大震災からの『復興』――津波被災自治体南三陸町における『被災者だけど被災者じゃない』住民の経験から」日本災害復興学会論文集第一五号特集号「復興とは何か」。
山本康正、一九八一、「一九七〇年代後半のアメリカにおける災害研究」『社会学評論』第三一巻第四号。
ラファエル、ビヴァリー、一九八九、『災害の襲うとき――カタストロフィの精神医学』石丸正訳、みすず書房。
Alexander, David. 2006. "Globalization of Disaster: Trends, Problems and Dilemmas." *Journal of International Affairs* 59, no. 2 (Spring/Sumer).
Dudasik, Stephen W. 1980. "Victimization in Natural Disaster." *Disasters* 4, no.3.
Quarantelli, Enrico Louis. 1987. "Disaster Studies: An Analysis of the Social Historical Factors Affecting the Development of Research in the Area," *International Journal of Mass Emergencies and Disasters* 5.
——. 1994. "Disaster Studies: The Consequences of the Historical Use of a Sociological Approach in the Development of Research," *International Journal of Mass Emergencies and Disasters* 12.
——, ed. 1998. *What is a Disaster?: Perspectives on the Question*. London: Routledge.
Oliver-Smith, Anthony. 1986. *The Martyred City: Death and Rebirth in the Andes*. Albuquerque: University of New Mexico Press.
Oliver-Smith, Anthony, and Hoffman, Susanna Martina, eds. 1999. *The Angry Earth: Disaster in Anthropological Perspective*. New York: Routledge.
Perry, Ronald W. 2018. "Defining Disaster: An Evolving Concept." In *Handbook of Disaster Research*, edited by Havidán Rodríguez, William Donner and Joseph E. Trainor. Cham: Springer.
Prince, Samuel Henry. 1920. *Catastrophe and Social Change: Based upon a Sociological Study of the Halifax Disaster*. New York, London: Columbia university.

Wisner, Ben, Piers Blaikie, Piers M. Blaikie, Terry Cannon, and Ian Davis. 2004. *At Risk: Natural Hazards, People's Vulnerability and Disasters*. London; New York: Routledge.

第一三章　外国人労働力としての難民認定者の観光業への登用可能性
――オーストラリアの地方部での誘致策にみる日本社会への政策的示唆

小野塚　和人

1　地方部の人口減少と労働力不足への対応策としての難民認定者の受け入れ

日本の地方部において、若年層が主要都市部に流出し、住民の高齢化が進み、全体の人口が減少を続けていく中で、地方部の現地社会と地域経済をいかにして運営し、維持していくことが可能であるのか。日本社会の人口減少が、今後さらに急加速していく中で、これからの地方自治体や地域社会のあり方をどのように構想できるのか。日本の人口は、二〇二〇年代に六二〇万人減少し、二〇三〇年代には追加で八二〇万人、さらに、二〇四〇年代には九〇〇万人減少する見込みである（千葉県の人口は六二七万人、東北地方の総人口は八六六万人であり、これらの数値にほぼ等しい。毛受　二〇一七：二二―二三）。人口減少と高齢化は、日本に限らず、世界各地の「先進国」に共通する問題である。世界の「先進国」では、この事態に対して、どのような方策を採用し、対応してきているのか。

地方部での人口が減少する中で、深刻な労働力不足が発生している。外国人労働力の受け入れを通じて地域活性化（地方創生）を図る場合に、受け入れる現地社会の側にとって、何が課題となるのか。近年、農林水産業や製造業、サービス業といった広範な分野の運営において、技能実習生が低賃金労働力として少なからぬ役割を果たしていることが報道されるようになってきている。また、二〇一九年四月一日の改正出入国管理法の施行から特定技能制度が導入され、実質的な単純労働力の受け入れもなされてきている（『日本経済新聞』二〇一九年三月二一日、四月一日）。特定技能一号制度は、五年間を上限として、人手不足が発生しているとされる指定一四分野に対して、労働力の補塡を試みる施策である。一部の分野（建設業と操船・舶用工業）は特定技能二号として、永住権にも開かれている。現在、このような形態でなされている外国人労働力の受け入れは、地域社会の抱える諸問題の解決につながるものであるのか。

現在、世界の「先進国」の一部において、難民認定者を外国人労働力として地方部に意識的に受け入れる試みが実施されている。難民認定者（あるいは、難民認定を希望する人々）を新しい住民として受け入れて、労働力として登用することは、地域活性化の方策としても、人道支援のあり方としても革新的であり、意義のある試みである。難民認定者が自らの職を得て、収入を得ることによって、自らの生活を統御でき、将来を設計できる感覚を持つことは、難民認定者にとっての広い意味での生活の質の向上につながる[1]。

その先駆的な試みを第二次世界大戦直後から実施してきたのがオーストラリア（以下、豪州とする）である。豪州は、歴史的に移民や難民認定者を地方部に配置させて、内陸部などの開発を担わせてきた（関根 一九八九）。イギリスや北欧諸国でも難民認定者を地方部に振り分ける仕組みは存在する。

しかし、その施策の主たる目的は、難民認定者の受け入れに関連した主要都市部の負担の軽減と社会問題の発生の回避にあり、積極的な地域活性化の方策として難民認定者を地方部に配属させているわけではない（Andersson et al. 2010, Schech 2014）。豪州社会では、難民認定者を新しい市民として統合し、生産的な労働力としての社会貢献を明示的に期待している（小野塚 二〇二〇）。

本章の目的は、豪州社会における難民認定者の地方部への受け入れ実践に関する知見をもとに、日本の地方部の主要産業のひとつともいえる観光業において、難民認定者を受け入れ、労働力として登用する可能性を考察することにある。本章でも示すように、観光業では人手不足が指摘されており、特に「宿泊業」は、先述の特定技能一号にも指定されている。しかし、日本国内の観光業における外国人労働力に関する考察は端緒についたばかりである。現在、確認できる学術成果は、日本の大手宿泊業者における外国人労働力の雇用に関する実態を調査した吉田雅也（二〇一九）、特定技能制度における「宿泊業」の在り方を検討した山口恵子（二〇一九）に限定されている。日本の観光に関連した先行研究は、外国人労働者に関連した事象をほとんど扱っていない。これまでの研究の多くに「外国人」が登場するものの、その「外国人」は観光客であり、観光業の担い手とはされていない[2]。本章は、これまでの日本の観光業に関する研究に対して、外国人労働者（特に難民認定者）の視点を取り入れることにより、独自の貢献を意図する。

本章の構成は以下のとおりである。第一に、地方部にて難民認定者を受け入れ、労働力として登用し、定住の成功を実現させたヴィクトリア州ニルの事例を考察する。通年に及ぶ雇用機会の存在に加えて、現地住民を含めた関係者間の協力関係が新しい住民の定住を促進させたことを示す。定住支援の過程で、難民認定者の居場所が創設され、祭典といったイベントも現地社会の公認のもとで開催されており、いずれも観光資源となっていることを論じる。第二に、豪州社会の知見を観光業に応用し、日本の観光業における難民認定者の登用可能性を考察する。観光業は非熟練労働力の集積で成立していることに加えて、外国語対応や自文化の発信を通じて国外出身者の魅力と強みを発揮できることから、難民認定者は多様な分野での活躍が期待できることを示す。第三に、日本の地方部に難民認定者を招聘する上で、現地社会の側に求められる条件を豪州での研究成果をもとに考察する。この諸条件を充足した上で、新しい住民として外国人労働者を誘致する場合において、地域社会の抱える諸問題は解決に向かう可能性を有することを示す。

2 難民認定者を地方部に招聘する試みと観光資源化
——ヴィクトリア州ニルにおけるカレン人難民の労働力登用を事例に

豪州社会は、難民認定者を毎年一万三千人前後受け入れてきている。特に、二〇一〇年代の前半にシリアと周辺地域から難民が大量に流出したときには、一年あたりの受け入れ枠を二万人近くにまで拡大させて対応した。確かに、豪州政府が主導する「パシフィック戦略」が日本国内でも報道されたり、論考の対象となることもある。この「パシフィック戦略」とは、船舶で到来する庇護申請者（難民認定を希望する者）を近隣の島嶼国であるナウルなどの施設に収容し、審査の間、待機を命じる施策である。しかし、豪州政府は難民を継続して受け入れており、受け入れ人数を削減していないことは強調すべきである。受け入れた難民認定者は、生産的な労働力として、豪州社会に最終的に参加することが期待されている（小野塚 二〇二〇）。この難民認定者は、豪州の主要都市部だけでなく、一部の地方自治体において招致がなされており、新しい住民として、労働力として、現地社会を支えている事例が複数存在する。

その代表的な事例がヴィクトリア州のニルにおけるカレン人難民の誘致事業である[3]。ニルは州都メルボルンから北西四〇〇キロに位置する、人口約二三〇〇人の農村である。ニルでの主要産業のひとつはカモ肉の加工業であり、現地の加工業者であるラブアダックは、二〇一〇年からミャンマー（ビルマ）東部出身のカレン人難民認定者をメルボルン西部から呼び寄せ、事業の拡大に成功した。結果、ニルの人口二三〇〇人のうち、カレン人は全体の一割の二〇〇人程度を占めるまでになった。カレン人の移住が開始される以前に実施された二〇〇六年の国勢調査の時点では、ニルの海外生まれの住民の割合は五・五％（ヴィクトリア州内で二三・七％、全国では二二・二％）と低く、国外出身者はイギリスやニュージーランドなど、「文化的に近接」する地域からの移住者で占められていた。

カレン人難民を受け入れるに至った背景には、二〇〇〇年代に入ってから、ラブアダックが求人広告を複数回掲載しても、労働力の確保ができない事態を経験していたことに起因する。経営者であったジョン・ミリントンは、労働力を確保できない中で、南アフリカから技術労働者を招聘したこともあった。ミリントンは、ヴィクトリア州の難民支援団体の会合に招待された際、カレン人難民がメルボルン西部に身を寄せていて、雇用機会もなく、英語力の壁に阻まれて、日常生活のさまざまな場面で困難に直面していることを初めて知ることになった。

ミリントンは会合に参加した直後に、カレン人難民を自らの職場で雇用し、支援することを思い立った。当時ラブアダックは、国内外の需要拡大に伴って、企業規模を拡張させていた。熟練分野から非熟練分野に至るまで、年齢性別を問わず多様な雇用機会が社内に存在していた。そして、ミリントン夫妻はヴィクトリア州の移民・難民支援団体であるAMES（エイムス）の協力を得ながら、メルボルンのカレン人難民コミュニティに対して移住説明会を開催し、ラブアダックの雇用機会と現地社会の特色について説明を行なった。構想から着手に至るまで、時間はかからなかった。翌月にはカレン人家族の五世帯が試験的に移住し、そこから徐々にメルボルンからニルへのカレン人の移動が起こり始めた。

ミリントン夫妻は新しい住民に対する支援を全面的に行ない、現地の関係者とも良好な協力関係を構築していった。カレン人を招聘するにあたって、ミリントン夫妻は、現地の主要な関係者（現地行政、警察、医療機関、教育機関など）に対して協力を要請した。そして、現地住民にボランティアとして世話役（メンター）を引き受けてくれるように依頼して回った。ミリントン夫妻は単にカレン人に雇用機会を提供するだけでなく、住居を事前に確保した。さらに、労働者の子どもたちの学校の宿題を自宅で手伝うなど、カレン人の生活を多面的にサポートしていった。カレン人労働者が高等教育を受けることを希望する場合には、会社として許可を出して、支援を行なった。

地域社会においても、ニル生涯学習センター（Nhill Community Learning Centre）がカレン人住民への支援を行なった。このセンターは、新しい住民に向けた英語クラスを開講すると共に、現地社会への適応に困難を感じていた帯同者（特に女性）のための居場所を提供していった。この帯同者のための拠点は、現在、パウ・ポー（Paw Po）と呼ばれ、情報発信の場となっているとともに、カレン人が用いる布地を使用した製品を手工業で生産・販売して、現金収入を得る場所となっている。(4) そして、パウ・ポーは団体ツアーを受け入れており、観光資源としても機能している。パウ・ポーの当初の目的は、帯同者の集う場所の提供であり、観光資源として売り出すことを意図していたわけではない。

この他に、カレン人が主体となるイベントも、現地社会の公認のもとで開催されている。ニル生涯学習センターの支援のもとで、一月にカレンニューイヤーのイベントが実施されている。また、三月にはハーモニーフェスティバルが開催されている。ハーモニーフェスティバルは豪州各地で実施されており、主に移民が自文化を発信する機会となっている。これらのイベントは州内外からの観光客を誘引する要因となっている。

このような支援の実践と並行して、メルボルンからニルに向けて、カレン人が次々に移住を開始することになる。ニルでのカレン人住民は、二〇一一年一一月の時点で約七〇人、二〇一二年二月で約一五〇人、二〇二〇年には二〇〇人近くの所在が確認されている。二〇一四年時点では、現地の子どもの数は六五人増加し、三〇人のカレン人の子どもが現地の学校に通学し、九世帯が住居を取得した。さらに、二〇一四年時点で、五四人のカレン人がラブアダックに雇用されていて、うち二一名が勤続三年以上となっている。また、十数名のカレン人がラブアダック以外での雇用機会を得ている。カレン人の移住により、人口減少が抑止されると共に、若い世代を確保することができた。

現地経済に関連した影響について、第一に、カレン人の定着が地域総生産の増加にも貢献している。二〇〇九年度から二〇一三年度の五年間で、現地社会に四一四九万豪ドルの経済効果がもたらされ、同期間に七〇・五ものフルタイムの雇用機会が生まれた。二〇二〇年には一億五〇〇〇万豪ドルの経済効果が生まれているとする試算も出ている。第二に、海外からの住民の受け入れは失業率の増加をもたらさなかった。ニルでの失業率は、二〇〇六年の国勢調査で二・八％（ヴィクトリア州内で五・四％、全国で六・九％）、受け入れ開始後の二〇一一年で同じく二・二％（同州内で五・五％、全国で五・六％）、二〇一六年で三・六％（同州内で六・六％、全国で六・九％）と低水準で推移していた。この背景には、移住先での雇用機会の存在に加えて、自治体全体の人口が減少傾向にあり、労働力不足が発生していたことが挙げられる。

3　観光業における難民認定者の労働力登用の可能性

◉地方部の観光業に必要な労働力の特性と難民認定者の適合性

日本の地域活性化（地方創生）を語る際に、観光業の意義は継続して言及されてきている。二〇一六年三月に日本政府が発表した「明日の日本を支える観光ビジョン」では、「観光は『地方創生』の切り札であり、国を挙げてわが国の基幹産業へと成長させる」としている（守屋・後藤 二〇一六：七、観光庁 二〇一六：二）。国土交通省成長戦略会議（二〇一〇：二―三）は、「観光産業は、特に地方においては、幅広い雇用が期待できる唯一の分野といってもよく、観光振興は、日本の地域社会にとって、生き残りをかけた大きな政策課題」であるとまで論じている。しかし、それにもかかわらず、宿泊業における客室係、調理師（補助を含む）、客室清掃員、外国語対応要員をはじめとして、観光業での広範な労働力不足が指摘されている（観光庁 二〇一九：六四―六五、二〇一七：七、日本銀行甲府支店 二〇一九：三―五、小林 二〇一六：一八）。

労働力不足を経験する地方部の観光業において、難民認定者を登用することは考慮に値する選択肢である。冒頭にも示したように、特定技能制度のなかに「宿泊業」が含まれてはいるが、観光業の担い手は日本出身の労働者（現地住民）であると前提されている。このことは、日本国内の観光業に関する既存の研究が外国人労働力に関連した事象を扱ってこなかったことにも表われている。国外に目を向けると、外国人労働者が宿泊施設や観光地の運営を支えていることは一般的に見られる。豪州のホテルでも、アジアやアフリカ出身の移民労働者が、客室清掃や調理場補助といった「裏方業務」を担っていることが多い[5]。

観光業は非熟練労働力の集積で成立している。これは日本の地域活性化（地方創生）を語る際に、観光業の意義が継続して言及される理由のひとつでもあるだろう。観光業は機械による代替が困難な分野でもある。仮に機械化が可能であるにしても、特に人に見える分野においては機械による代替は進みにくい。機械による作業よりも、人間による手作業の方がおもてなしの精神を表現しやすい部分もあるからである（ビジネスホテルや空港における自動チェックインを想起されたい）。

観光業が労働力の絶対数を必要とすること、さらに、難民認定者が到着先で雇用を求めているにもかかわらず、就業に困難を伴うことが多いことからも、観光業は難民認定者への雇用機会を提供できる。出身国にて有していた専門資格が認定（あるいは再取得）されるまでの間、生活資金を得る手段として観光業に従事してもらうことは可能である。到着国において、その難民の有している専門資格が認知されるかどうかという問題は、世界各地で共通の課題である。専門資格が認定（ないし再取得）された後は、現地社会において専門能力を発揮してもらうことも可能である。たとえば、ニルでは、自動車整備工場にカレン人の労働者がいて、ヴィクトリア州内に居住するカレン人がその整備工を目指して集まってくるという事象が見られている。観光業での難民認定者の受け入れは、このような関連分野への波及効果も考えられる。

◉難民認定者の貢献可能な分野

観光業におけるさまざまな分野で、難民認定者は活躍が期待できる。第一に、宿泊施設等での顧客の対応（特に外国人観光客への応対）に難民認定者の人々を登用できるはずである。新型コロナウイルスの感染が拡大する以前は、地方部の観光地において、「トリップアドバイザー」やその他のSNSの口コミを見た外国人観光客が、特定の場所に大量に押し寄せるという現象が見られた。外国人観光客はガイドブックに掲載されている、いわば王道の観光地を訪れるだけでなく、インターネットの口コミによって、新しい場所に姿を見せるようになっている。たとえば、新潟県下越地方のある観光地の案内所では、外国語を話せるスタッフが一名のみであり、その人のもとに長蛇の列ができるという現象が見られたという。また、群馬県の北西部でも、タイから来た観光客が、スマートフォンの位置情報とにらめっこしながら在来線（各駅停車）に乗車していた場面に、筆者が遭遇したこともある。こうした外国語対応が必要となる場面において、難民認定者をはじめとした外国人労働者の人々はそのバックグラウンドに応じて、能力を発揮できる。仮に、英語を母語としなくても、日本人労働者よりも英語ができる可能性は充分にある。

第二に、顧客との接触が比較的生じない客室清掃業務など、慢性的な人手不足が生じている分野に難民認定者を登用することも可能である。このいわば「裏方業務」を接客に至る下積みの段階で担当してもらうことも一案である。この分野は、特に機械化が困難であることも多く、労働力の集積を必要とする。このような分野を難民認定者の最初期の雇用先として提供することは意義のあることである。なお、外国人労働者をこの分野に留めておくのではなく、必要に応じて職能訓練や就学の機会を提供したりするなど、キャリアアップの道を開くようにする必要性もある。

第三に、難民認定者の文化それ自体が観光資源となり得る。難民認定者は現地の観光業を労働力として支えるだけでなく、主体的に自らの強みを「国外に出自を有する者の事業活動（ethnic entrepreneurship）」によって発揮することも可能である。観光客は非日常的な経験を求めて観光行動に出る。難民認定者の織り成す空間は、非日常的な場となり得る。横浜の中華街や外国人居留地のような規模でなくとも、地方部の観光地で異空間（ヘテロトピア）を創出することは、観光資源として有効である（ニルのパウ・ポーやハーモニーフェスティバルはその好例である）。国外出身者たちが集住することによって、自らの文化（文化工芸品、食文化、演芸の上演など）を観光資源として売り出すことも可能となる。これらは観光客に対して、非日常的な経験を提供するものとなる。

国外出身者の文化資源が観光に用いられる事例は、日本国内でも見られるようになっている。千葉県成田市のタイの寺院では、祭典の際に多数の訪問客を得ている。東京の新大久保はコリアンタウンというこれまでの認識に加えて、東南アジア出身者の拠点となることによって、外国人労働者に加えて、観光客を引き寄せるとともに、独自の都市景観を生むに至っている（室橋 二〇二〇）。小規模ながらも、類似のことを地方部においても実現することは可能ではないか。

外国人労働者ないし新しい住民の文化を観光資源として用いる際には、新しい住民の社会経済的な地位向上とアイデンティティの肯定的な表現の手段とされるべきである。自らの観光資源としての発信が人権侵害を生んだり、違法行為を誘発したり、自らの存在を貶（おとし）めるような内容であってはならない。国外出身者としての他者性を消費し、搾取（さくしゅ）して良いという意味ではない。難民認定者を含めた外国人労働力は、新しい住民として対等に処遇されることが必要であり、彼らの他者性が消費されるだけで、現地社会からも放置されるのであれば、表層的な「多文化主義」にとどまり、「文化を食べる」行為になるだろう（ナラヤン 二〇〇四）。観光資源として用いる際には、新しい住民とその出身文化の肯定的な側面が正当に発信できるものである必要がある。

4　難民認定者を招聘する上で必要となる諸条件

◉事前計画の策定を通じた関係者間の同意の形成

難民認定者の招聘にあたっては、受け入れる現地社会の側が、現実的かつ具体的な事前計画を策定し、どのような人に何名来てほしいのか、何を担ってほしいのかを明確にする必要がある。その過程で、現地社会の関係者（在来の住民、雇用主、現地行政、教育機関、医療機関など）の同意を形成し、具体的な協力を得ることが求められる。難民認定者を招聘する場合に、難民認定者であれば誰でも良いというわけではない。通常の技術労働者と同じく、慎重かつ現実的な選考が必要である。事前計画の策定と、現地の関係者間での同意の形成過程において、以下の条件が求められる。[6]

第一に、観光業の需要が通年で存在していて、安定した雇用機会を提供できることである。仮に観光業に季節性があり、通年に及ぶ雇用を提供できない場合には、通年での雇用が必要な難民認定者というよりも、ワーキングホリデー労働者の方が適する場合もある。ただし、ワーキングホリデー労働者は短期滞在者であり、要件を満たせば、その場所から転出してしまう。難民認定者を新しい住民として招聘する上では、安定した定着を促す観点から、通年の雇用機会のある観光地が適切である。

第二に、住宅、交通手段、専門的な医療機関へのアクセスなど、新しい住民に必要なインフラやサービスを事前に確保する必要がある。住宅に関しては、各種の空き物件の利用が可能であると考えられる。ただし、交通手段の確保は、豪州でも困難な課題であり、公共交通機関の不足が農村部への移住を断念させた事例も存在する。この交通手段の確保は、心身のケアに関する専門的な医療サービスへのアクセスの問題とも直結している。専門的な医療サービスの提供は、地方部では困難な場合も多い。ニルでは、主要都市部での医療機関へのアクセスに関して、現地住民がボランティアベースで移動手段を提供してきたとされる。このような場合、ボランティアに対する資金援助などの補助的措置が必要になる。

第三に、観光地の現地社会の各成員が、難民認定者をはじめとした外国人労働者を対等な存在として捉え、公平に接し、処遇することが求められる。特に雇用主は、職場内環境の改善や福利厚生の充実に加えて、現地社会に対して橋渡し役（cultural ambassador）として、良好な関係の構築に向けた役割を担うことが望ましい（Boese 2015: 401, 407, 409）。雇用主による援助は、現地社会の支援サービス等の不足を補完する役割も果たす。近年の技能実習生の登用に見られるように、雇用主の都合の良いように安価に酷使して、労働者としての諸権利を認めないというのであれば、難民認定者を含めた外国人労働者は現地社会に定着しない。そして、現地の外国人労働力を安価に酷使すること自体が、観光地の評判を下げることにもつながり、観光客を遠ざけることにもなりうる。

第四に、新しい住民を地域社会に積極的に招き入れ、参加を促すとともに、自文化の発信や起業といった諸活動の機会を確保することが求められる。事前計画の段階で、移住者による新たな試みを妨害せずに育成できるかについても、在来の住民を含めた関係者間で同意を形成する必要がある。新しい住民による諸活動を肯定的かつ前向きな形で推進していくことは、移住者が主流の一市民として発言し、活躍する機会を得ることを意味する。

◉自文化の発信機会や居場所を提供することの意義——転出の抑止と現地社会への参加の促進

新しい住民の文化的な記念日に祭典やイベントを開催する権利を確保すること、さらに、移住者が集える居場所（先述のパウ・ポーのような場所に加えて、教会などの宗教施設も含まれる）を提供することは、観光資源としても有用となるだけでなく、新しい住民と現地住民の双方にとってプラスの意味を持つ。新しい住民の自文化の発信機会や居場所を提供することは、現地社会の分断を促進したり、在来の住民に対する脅威を増大させたりするように見えるかもしれない。しかし、かえってこうしたイベントや施設の存在が現地住民との調和を促進するという指摘もある（Jordan et al. 2010: 262–264, 274–275）。祭典やイベントの際には、現地住民への近況報告会や対話集会などが、その施設を拠点になされることも多いだろう。豪州社会では、エスニックコミュニティの祭典やイベントに対して、州政府が助成金を支給する制度が存在する。先に示したニルでの祭典も助成対象となっている。

新しい住民が実際に集える場所があることによって、その場を拠点として仲間・友人を作ることも可能になる。そして、新しい住民の新天地での孤立を予防できると共に、帰属感が醸成されやすくなり、転出を抑止することにつながる。特に、熟練した労働者がその自治体から転出してしまうのは、雇用主にとっても地方自治体にとっても損失となる。転出時には、労働者本人に加えて帯同者も共に移動するため、人口の維持という目的も達成できなくなる。転出の要因は多様であるが、職場での問題の発生の他に、現地社会の提供する支援体制や各種サービスの不足、さらに、現地社会で自らが軽んじられたり、意思決定プロセスに参加できないといったことが挙げられる。新しい住民を地域社会に意識的に招き入れるとともに、自らの文化を発信でき、アイデンティティを維持できる場や機会を確保し、帰属感を持ってもらえることは、定住の促進に大きな役割を果たす。

外国人労働者を安価な労働力として酷使することは、一時的な人手不足を解消し、短期的に地域経済を浮揚させるものとはなるであろう。しかし、労働力不足への対応と人口減少への対処は、問題の位相が異なる。人口の維持や現地社会の存続を含めた地域活性化への方策として、外国人労働者を受け入れるにあたっては、移住してきた人々を放置しておいて良いのではない。これまでに示したような多様な支援策を講ずるとともに、現地社会の一員として意識的に招き入れる姿勢と実践が必要となる。これは難民認定者に限らず、技術労働者を招聘する場合も同様である。仮に、新しい住民が現地社会の成員であるという帰属意識を持てるのであれば、ボランティアベースでの諸活動にも参加してもらえる可能性が高まるであろう。新しい住民による地域社会でのボランティア活動への参加事例は、ニルでも複数報告されている。定住を推進するためのさまざまな試みがあって、外国人労働力を受け入れることによる地方部の抱える諸問題の解決は可能となっていくのである。(7)

5　観光業と地域社会の持続可能な運営に向けて

本章では、人手不足の生じている地方部における観光業の労働力として、難民認定者の登用可能性を考察してきた。第一に、本章では難民認定者を地方部にて雇用し、その新しい住民の定住を成功させたヴィクトリア州ニルの事例を考察した。安定した雇用機会の存在と、住民を含めた現地の関係者の協力関係がニルでの定着を促進させた。そして、難民認定者への定住支援の過程で、帯同者の居場所が創設され、観光資源にもなっている。また、現地社会の公認のもとで各種の祭典やイベントが開催され、州内外からの観光客を誘引している。

第二に、豪州社会での受け入れ実践をもとに、難民認定者は、観光業において全面的な活躍が期待できることを考察した。観光業での貢献可能な分野として、外国語対応といった接客業務、観光業を支える「裏方」の業務、さらに、観光資源として自らの文化を発信する諸活動などが挙げられる。専門資格が認定（ないし再取得）されるまでの間、最初の雇用先として観光業に就業し、認定後は現地社会での専門技能の活用も考えられる。

第三に、難民認定者を招聘するにあたって、詳細かつ現実的な事前計画の策定を通じて、関係者間での同意を形成することに加えて、現地社会での具体的な協力関係を構築することが求められることを示した。その上で、住宅や交通手段、医療などの各種サービスの整備が必要となる。そして、新しい住民を対等な存在として処遇することが求められる。移住者の居場所を提供し、自文化の発信などの諸活動の機会を確保することは、観光資源として有用なだけでなく、現地住民との交流を可能にする。また、このような環境の構築は、移住者の孤立を防ぎ、転出を抑止するとともに、地域社会への参加につながるものである。

人口減少が不可避となった時代状況において、日本の観光業と地域社会を持続的に運営させていくために、難民認定者を労働力として登用することは考慮に値する論点である(8)。各地方自治体が定住する人口を欲していて、不足する労働力の補塡を望んでいることを勘案すれば、観光業における難民認定者の受け入れと現地社会への統合は決してマイナスな発想ではない。ニルの事例で示したように、現地社会において新しい住民を迎えるためには、在来の住民や雇用主、行政をはじめとした現地の関係者が移住者を多面的に支援する試みが必要となる。事前計画の策定を通じて関係者の同意を形成し、選考を経た上で、難民認定者を誘致し、現地の労働に従事してもらうことは、地域活性化と人道支援の手段としても革新的な意義を有する。

最後に、観光業の振興や地域活性化の在り方を考えていくことは、グローバル・スタディーズそのものとなっている。観光は非日常を経験することである。非日常を求めて、先進国の観光客は容易に国境を越えている。そして、世界各地の観光の舞台において、非日常的な体験を提供する人たちも、現地住民に加えて、外国人労働者によって構成されている。特定技能制度に後押しされ、今後、日本の観光業でも外国人労働力の登用が進行するであろう。日本の観光業における将来の担い手として、国内出身者のみを想定することには限界が生じてきている。新しい担い手として、本章では難民認定者を提案した。

グローバル・スタディーズが今後発展していくためには、どのような社会を構想していけるかに関して、生産的かつ建設的に提示していく継続的な試みが必要になるのではないだろうか。この探究過程の結果として、研究成果は、国境を越えた視座を有するようになるのではないか。「グローバルな視点に立っていること」や「既存のディシプリンにとらわれないこと」をたてに、他者の研究成果や経済・社会活動を否定したり、切り捨てるのではなく、批判されるに値するような生産的かつ建設的な知見を生み出すことに、グローバル・スタディーズを含めた学術研究の価値は存在するのではないだろうか。

◉注
(1) 筆者の現在の課題のひとつは、西オーストラリア州とヴィクトリア州の農村部を中心的な事例に据えながら、外国人労働者としての難民認定者を地方部に招聘し、広義の地域活性化を図る試みの意義と限界を分析することにある。ここから、日本社会への応用可能性を考察している。

（2）日本国外の観光業での外国人労働者を扱った研究成果は、複数存在している。観光業における外国人労働者の登用に関して、国際労働機関（ＩＬＯ）による全体的動向のレポートとしてBaum（2012）、イギリスのポーランド人労働者を対象としたJanta et al. (2011a, 2011b)、スウェーデンのイラン人労働者らを扱ったZampoukos (2017) などが挙げられる。また、豪州におけるワーキングホリデー労働者の観光業や農業部門での就労を扱った学術成果に関しては、Onozuka (2018) にて先行研究の動向を考察しているので参照されたい。なお、北海道ニセコ地域の観光再興に見られるように、日本国内の観光業の企画立案において、国外出身者が例外的に関与することはある。

（3）本節の記述は、ABS (2006, 2011, 2016)、AMES and DAE (2015)、Bearup (2018)、Ferguson (2020)、Forde (2020)、McCormack (2016)、Romensky (2015)、Simons (2017)、VG (2019) に依拠している。詳細については、小野塚（二〇二一）を参照されたい。なお、本章の情報は新型コロナウイルスの感染拡大が発生する以前のものである。執筆時点では、豪州への渡航制限が実施されている。パンデミックによる影響の分析は、収束後の課題とする。

（4）この他にも、カレン人の集う場として、バプテスト教会による定期集会が催されている。

（5）豪州の地方部における宿泊施設や観光施設では、アジアや欧州諸国からのワーキングホリデー労働者が積極的に登用されている。この理由は、ワーキングホリデー労働者が低賃金労働力として、容易に雇用・解雇でき、季節性に対応していること、さらに、外国語対応が可能であることなどに拠る（Onozuka 2018）。

（6）本節の記述は、AMES and DAE (2015)、Piper (2017)、RAI (2018, 2019)、van Kooy and Wickes (2019)、van Kooy et al. (2019) に依拠している。詳細については、小野塚（二〇二一）も併せて参照されたい。

（7）外国人労働者の招聘だけが地域活性化に向けた唯一の選択肢というわけではない。日本出身のいわゆる就職氷河期世代、ロスジェネ世代の人たちを登用すること、非正規労働力となっている人々を雇用することも考えられる方策である。

（8）難民認定を申請している人たちに対して、居住年数の条件をつけた上で地方部に定住してもらい、政府が指定した分野で一定期間、就労してもらうことを、難民認定を受ける道筋のひとつにすることも一案である。豪州では、難民認定を希望する人の一部に発行される「一時難民保護ビザ（SHEVs: Safe Haven Enterprise Visas）」がある。このビザ制度は、五年間の有効期限のうち、三年半を地方部での労働に従事することを条件として、次の別種のビザの取得へとつなげるものである。次のビザを取得するためには、この期間は所得給付などの支援を受けることはできず、独立して生計を立てる必要がある（Reilly 2018）。SHEVs ビザを保有する者の立場は弱く、民間企業の雇用主から不当な搾取をされる可能性も指摘されている。類似の仕組みを採用しようとする場合に、労働環境の問題を回避する必要がある。そこで、観光業分野に関連する政府認定の労働機関を設定し、就労先とすることも考えられる。

●参考文献

小野塚和人、二〇二〇、「外国人労働者としての難民認定者に対する住宅支援——西オーストラリア州の主要都市部における定住支援策と住宅事情を中心に」『都市住宅学』（一一〇）九九—一〇七。

——、二〇二一、「オーストラリアの地方部における難民認定者の労働力登用——ビクトリア州ニルのカレン人招へいにみる受け入れ施策の考察」『グローバル・コミュニケーション研究』（一〇）近刊、印刷中。

観光庁、二〇一六、「明日の日本を支える観光ビジョン——世界が訪れたくなる日本へ」国土交通省観光庁（明日の日本を支える観光ビジョン構想会議）。

——、二〇一七、「観光産業における人材育成をはじめとした課題と今後の対応について（スライド資料）」国土交通省観光庁。

——、二〇一九、『「平成三〇年度観光の状況」および「令和元年度観光施策」（観光白書）』国土交通省観光庁。

国土交通省成長戦略会議、二〇一〇、『国土交通省成長戦略』国土交通省。

小林哲也、二〇一六、「日本のホテル産業の未来を担う人材の育成を」『観光文化』（二三〇）二八—二九。

関根政美、一九八九、『マルチカルチュラル・オーストラリア——多文化社会オーストラリアの社会変動』成文堂。

ナラヤン、ウマ、二〇〇四、「文化を食べる——インド料理をめぐる食文化の取り込みとアイデンティティ」テッサ・モーリス＝スズキ、吉見俊哉編『グローバリゼーションの文化政治』平凡社、二〇四—二四一。

日本銀行甲府支店、二〇一九、「県内宿泊業界における人手不足への対応——インバウンド需要の更なる拡大を展望して」日本銀行甲府支店。

室橋裕和、二〇二〇、『ルポ　新大久保——移民最前線都市を歩く』辰巳出版。

毛受敏浩、二〇一七、『限界国家——人口減少で日本が迫られる最終選択』朝日新聞出版。

守屋邦彦、後藤健太郎、二〇一六、「観光産業、宿泊産業、観光地における雇用の状況」『観光文化』（二三〇）七—

一三。
山口恵子、二〇一九、「宿泊業における技能の制度化――『外国人労働者』の『特定技能』による受け入れをめぐって」『アジア太平洋研究』（四四）四五―六〇。
吉田雅也、二〇一九、「ホテル産業における外国人材の活用状況と課題――国内ホテルチェーンの事例研究」『日本国際観光学会論文集』（二六）一九三―一九八。
ABS (Australian Bureau of Statistics). 2006. 2011. 2016. *Census Community Profiles* [Nhill, Victoria, Australia]. Canberra: ABS.
AMES and DAE (Deloitte Access Economics). 2015. *Small Towns Big Returns: Economic and Social Impact of the Karen Resettlement in Nhill*. Melbourne: AMES.
Andersson, R., Å. Bråmå, and E. Holmqvist. 2010. “Counteracting Segregation: Swedish Policies and Experiences”. *Housing Studies* 25 (2) pp. 237–256.
Baum, T. 2012. *Migrant Workers in the International Hotel Industry*. Geneva: International Labour Office.
Bearup, G. 2018. “How Refugees Saved a Town”. *The Weekend Australian Magazine*. July 21.
Boese, M. 2015. “The Roles of Employers in the Regional Settlement of Recently Arrived Migrants and Refugees”. *Journal of Sociology* 51 (2) pp. 401–416.
Ferguson, J. 2020. “Nhill is $105m the Richer for Taking Refugees”. *The Australian*. February 15.
Forde, N. 2020. “Annette Creek Working Closely with Local Nhill Communities to Foster Connections”. *Queen Victoria Women’s Centre Website*. https://www.qvwc.org.au/community/annette-creek-working-closely-with-local-nhill-communities-to-foster-connection（最終閲覧：二〇二一年一月二七日）
Janta, H., L. Brown, P. Lugosi, and A. Ladkin. 2011a. “Migrant Relationships and Tourism Employment”. *Annals of Tourism Research* 38 (4) pp. 1322–1343.
——. 2011b. “Employment Experiences of Polish Migrant Workers in the UK Hospitality Sector”. *Tourism Management* 32 (5) pp. 1006–1019.
Jordan, K., B. Krivokapic-Skoko, and J. Collins. 2010. “Immigration and Multicultural Place-Making in Rural and Regional Australia”. Luck, G., D. Race, and R. Black, ed. *Demographic Change in Australia’s Rural Landscapes: Implications for Society and the Environment*. Collingwood: CSIRO Publishing and Springer. pp. 259–280.

McCormack, C. 2016. *A Tiny Country Town's Unlikely Refugee Success Story*. Sydney: Amnesty International Australia.

Onozuka, K. 2018. "Going Somewhere? Going Nowhere?: Examination of Nobuaki Fujioka's Analysis of the Australia–Japan Working Holiday Maker Programme from an Interdisciplinary Perspective" *Waseda Journal of Asia-Pacific Studies* (34) pp.151–166.

Piper, M. 2017. *Refugee Settlement in Regional Areas: Evidence-based Good Practice*. Sydney: Department of Premier and Cabinet, State of New South Wales.

RAI (Regional Australia Institute). 2018. *The Missing Workers: Locally-led Migration Strategies to Better Meet Rural Labour Needs*. Canberra: RAI.

——. 2019. *Steps to Settlement Success: A Toolkit for Rural and Regional Communities*. Canberra: RAI.

Reilly, A. 2018. "The Vulnerability of Safe Haven Enterprise Visa Holders: Balancing Work, Protection and Future Prospects". *University of New South Wales Law Journal* 41(3) pp. 871–900.

Romensky, L. 2015. "From Tragedy to OAM for One Woman from Nhill". *ABC News*. June 9. https://www.abc.net.au/local/photos/2015/06/09/4251844.htm（最終閲覧：二〇二一年一月二七日）

Schech, S. 2014. "Silent Bargain or Rural Cosmopolitanism? Refugee Settlement in Regional Australia". *Journal of Ethnic and Migration Studies* 40 (4) pp. 601–618.

Simons, M. 2017. "The Karen Road to Nhill". *SBS Culture* https://www.sbs.com.au/topics/voices/culture/feature/karen-road-nhill（最終閲覧：二〇二一年一月二七日）

van Kooy, J. and R. Wickes. 2019. "Settling Migrants in Regional Areas Will Need More than a Visa to Succeed". *The Conversation*. April 1. https://theconversation.com/settling-migrants-in-regional-areas-will-need-more-than-a-visa-to-succeed-114196（最終閲覧：二〇二一年一月二七日）

van Kooy, J., K. Wickes, and A. Ali. 2019. *Welcoming Regions*. Melbourne: Monash University.

VG (Victorian Government). 2019. "Nhill's Karen Community Sews Business Success". Melbourne: VG. https://www.vic.gov.au/nhills-karen-community-sews-business-success（最終閲覧：二〇二一年一月二七日）

Zampoukos, K. 2017. "Hospitality Workers and the Relational Spaces of Labor (Im)mobility" *Tourism Geographies* 20 (1) pp.49–66.

第一四章　非ヨーロッパ世界におけるオペラ受容の歴史と現在[1]
――ベトナムを中心に

加納　遥香

1　ヨーロッパから非ヨーロッパ地域へのオペラ移入

オペラは一六世紀末のイタリア、フィレンツェに起源をもつとされており、ヨーロッパの政治、社会、文化と密接に結びつきながら形成、受容されてきた（パーカー 一九九九）。オペラはその歴史において、ヨーロッパから周辺地域に徐々に広がりを見せるとともに、西欧諸国の帝国主義、植民地主義的な勢力拡大にともない、ヨーロッパと非ヨーロッパの不均衡な関係のなかで非ヨーロッパ地域にも移入されていった。

非ヨーロッパ地域において、オペラはまず、ヨーロッパの権威を体現し、強化する機能を果たした。イタリア人作曲家ヴェルディ作曲のオペラ《アイーダ》の詳らか（つまび）な読解を行なったエドワード・サイードは、この作品の帝国主義的性格について論じている。イスマイル総督下のエジプトでは、一八六九年に完成するスエズ運河の開通を祝福するためにカイロ歌劇場が建設され、近代化が進められる都市の中心に位置するこの歌劇場で、《アイーダ》は初演された。サイードはこの作品が、異国趣味の、オリエンタル化された表象によって「エジプトを復元するヨーロッパの権威を体現」するものであり、大半がヨーロッパ人からなる観客のために構想された「帝国主義的スペクタクル」であったと指摘している（サイード 一九九八：二三五―二四三）。

《アイーダ》の事例が照らしだすのは、オペラの作品や上演、建築物にみられる、帝国支配そのものとしての働きである。他方で、非ヨーロッパ地域へのオペラの移入は、現地の人々によるオペラ受容の契機を生みだすことにもつながった。非ヨーロッパ地域の多くの国々の指導者は、独立した近代国家を建設していくプロセスにおいて、ヨーロッパの遺産であるオペラにいかに向きあうかという判断を迫られ、オペラに関する政策を決定してきた。

さらに近年、新たな動向として、オペラによって東アジアが存在感を放っていることが、日本経済新聞で報じられた（瀬崎 二〇一八）。この記事では、中国に大規模なオペラ劇場が相次いで建設されていることや韓国の歌手が国際的に活躍していることを踏まえ、「オペラのルーツたる欧州の劇場が公的助成の減少に苦しむなか、東アジアが新たな台風の目になるのか」と問いかけ、中国での大規模なオペラ劇場の増加によって「アジア全体が巨大なオペラ市場に成長する」可能性を指摘している。

本章では、二〇世紀から現在に至るまで、非ヨーロッパ世界においてオペラがどのように受容され、国や都市、人々によって利用されてきたのかを、地域横断的な視座と個別の事象の検討の双方から描きだしていく。第二節では、非ヨーロッパ地域におけるオペラ受容の事例を、国家単位で概観し、近代国家建設におけるオペラ政策と活動の状況の多様性を捉える。続いてその事例の一つとしてベトナムに焦点をあて、社会主義体制を採用する独立国家ベトナムにおけるオペラ政策とその下での活動を跡づける。第五節では、ベトナムの具体的状況の検討から得られた二つの視点――オペラ劇場をめぐる問題と、作品におけるナラティヴをめぐる問題――について、現代の非ヨーロッパ世界における動向と結びつけながら検討する。

本章がベトナムという個別の具体的事例に焦点をあてるのは、ミクロな視点からの実態の詳細な把握がグローバル・スタディーズにおいて不可欠であるという認識によるものである。第二節で示していくように、非ヨーロッパ世界におけるオペラ受容とは地域横断的に確認される事象であるが、それぞれの事象は個別の文脈におけるローカルな政治や文化実践があってこそ生起するものである。その固有性を捉えるためには、地域研究等の基礎を成してきた、当該の地域や国に特有の政治的、社会的、文化的状況を踏まえ、内部に働く独自の論理を読み解く作業が有効であろう。また、グローバルでマクロな動向を踏まえて固有の事例を読み解くことは、それをグローバルな文脈に位置付けると同時に、その固有の事象についての分析の視座を開かれたものにすると考える。

本章では筆者がこれまで調査を行なってきたベトナムの事例を取り上げ、具体的事象に対するローカルに根差した視点と俯瞰(ふかん)的でグローバルな視座の往復運動により、非ヨーロッパ世界におけるオペラ受容の歴史と現在を読み解いていく。

2　非ヨーロッパ世界におけるオペラ受容――各国の事例

非ヨーロッパ諸国は、オペラをどのように受容してきたのだろうか。本節ではいくつかの事例を取りあげて概観する。

はじめに、中国におけるオペラ受容の歴史を概観する。第二次世界大戦前の中国では、上海において西洋音楽が繁栄し、たとえばロシア大歌劇団のアジア・ツアーの巡演先にもなっていた（井口 二〇一九：一七六―一九二）。一九四九年に毛沢東の指導のもとで中華人民共和国が成立すると、北京を拠点とする中央政府直属の音楽院や交響楽団が設立された（Melvin and Cai 2004: 189; 近藤 二〇一七：一一九）。また、中央アジアをはじめとした社会主義圏では、オペラやバレエに積極的な政策をとっていたソ連の影響下でオペラ歌手の育成や作品創作が推進されており（Shin 2017）、中国においても一九五〇年代末から一九六〇年代初頭にかけて外国オペラ作品が翻訳上演され、創作面では伝統的な歌劇との融合を目指して西洋式オペラの受容が実験的に試みられていた。しかし文化大革命下（一九六六～七六）では西洋音楽に関する多くの活動は弾圧の対象となり、再び西洋音楽に対する肯定的な政策が展開されるのは文革の終焉、特に一九七八年の改革開放政策を採択した後のことであった。国際的なスタンダードにあわせるべく、外国オペラの原語上演が盛んに行なわれるようになっていった（Melvin and Cai 2004: 199, 209–210, 305）。

中国の音楽家たちの報告によれば、近年中国政府はオペラ創作に力を入れているという（石田 二〇一八：九―一〇）。また、西洋音楽を近代的、先進的なイメージを作り出す手段として捉え（Melvin and Cai 2004: 301）、中国の中央、地方政府は野心的に劇場建設に取り組んでいる。その先駆けとなったのが上海で、一九九八年に都市の近代化政策の一環で、フランスの建築家のデザインによる上海大劇院が開館した。北京では、一九五八年に大劇場の建設計画が立てられながらも中断していたが、改革開放後に再度計画が進められ、上海と同様に国際的な建築デザインのコンペティションを開催し、二〇〇七年に国家大劇院が完成した（Lu 2019, Xue and Li 2019）。

隣国日本では、明治期よりオペラ文化が受容され、世界からのオペラ団の招聘や国内でのオペラ制作、創作活動の長い歴史を有しているが、それらの活動は民間ベースで進められており、国（文部省）主催の初めてのオペラ公演が実施されたのは一九六七年のことであった（関根 二〇一一：六四）。オペラ劇場に関しては、伝統芸能のための国立劇場が竣工した一九六六年に、「伝統芸能以外の芸能の振興」を目的とした施設を建設する方針が示されたが、立地や設計をめぐる議論に時間を要し、一九九七年にようやく、初めての国立のオペラ劇場（新国立劇場）が誕生した（関根 二〇一一：一一八―一一九）。このように日本では、音楽家や一般の人々によるオペラの受容史に対し、政府の政策の歴史は浅く、またその度合いも低い状況がうかがえる。

次に、中東、アフリカ地域に目を移す。冒頭で取りあげたエジプトでは、カイロはイタリアやフランスからのオペラ団の巡回公演地となっていたが、一九五二年の革命後には、文化省によりオペラ団が建設され、エジプト人のみで西洋オペラ作品の翻訳上演が行なわれるようになり、現在までオペラ活動が継続されてきた（Pitt and Hassan 2021）。カイロ歌劇場は一九七一年に焼失するものの、日本の支援によって「教育・文化センター」として再建されて一九八八年に完成している。日本側の資料によれば、同施設は、情操教育や文化的教育の場とすることを目的としていたが、エジプトでは通称「オペラハウス」として知られてきたという（佐藤 一九九五）。ここには、エジプト政府がオペラ芸術に積極的な意義を見いだし、オペラ運営体制を整えて活用してきた様子をみることができる。

北アフリカに位置するアルジェリアでは、フランスの植民地支配下において、一八五三年にアルジェリア帝国劇場が竣工、その後消失と再建を経て一八八三年に市立劇場となり、ヨーロッパからのオペラ団の上演会場として利用されてきた。一九六二年の独立後にアルジェリア国立劇場となると、新生国家の文化政策のもとで演劇や舞踊の制作の場として活用され、オペラはほとんど上演されてこなかったが、二〇一六年に中国政府の全面的な寄付、中国人建築家の設計でアルジェリア・オペラハウスがオープンした（Petrocelli 2019: 13–24）。

以上の事例からは、植民地体制、帝国主義と一体となって非ヨーロッパ諸国に移入されたオペラ文化は、植民地支配の経験の有無や、冷戦期の社会主義の影響を多分に受けつつ、各国の国家建設のプロセスにおいて多様な歴史的経緯をたどったことがわかる。また、ポストコロニアルのモーメントにおいては、エジプトのようにオペラ文化を自らのものとしていく国、アルジェリアのように、創作や上演といった形での受容は見られない一方でオペラ劇場を活用する国など、ヨーロッパの遺産を活用する様子がうかがえた。

上記の事例にもみられる、近年相次いでオペラ劇場が建設されている点については、第五節で改めて取り上げることとし、以下では具体的事例として、ベトナムに焦点をあてる。地理的には日本や中国と同じアジアに位置するベトナムは、一九世紀半ば以降、フランスに侵略され、一八八七年に成立したインドシナ連邦の一部として植民地支配下に置かれた。第二次世界大戦期には日本軍がインドシナを占領し、日本が連合軍に降伏した直後に「八月革命」が起こり、一九四五年九月二日、ホー・チ・ミンによってベトナム民主共和国の独立が宣言された。しかしベトナムは国際的承認を得られず、フランスによる再占領が開始されたことで第一次インドシナ戦争へと突入した。一九五四年に締結されたジュネーヴ停戦協定により、南北ベトナムが分断され、この状態はベトナム戦争が終結するまで継続、一九七六年に統一国家としてベトナム社会主義共和国が成立した。同国ではその後、一九八六年にドイモイ（刷新）路線が採択された一方、共産党による一党独裁体制は現在に至るまで継続している。

植民地体制下のベトナムでは、一八九〇年代以降定期的なオペラシーズンが開催され、一九世紀末から二〇世紀初頭にかけて三つの大都市［サイゴン（現ホーチミン市）、ハノイ、ハイフォン］にオペラハウスが建設された。マイケル・E・マクレランによるハノイを対象とした研究によれば、植民地政府によるオペラ政策には、「文明化の使命」という理念の下でフランスの優越性を示し、フランス文化を祝福するという機能が、現地の植民者にとっては、本国との結びつきを確認し、強化するという機能が見いだされていた。しかし興行における輸送やコストの問題、現地のベトナム人の無関心などにより順調には進まず、植民地と本国の距離を顕在化させる結果となったという（McClellan 2003）。その一方で、植民地都市の中心に建設されたオペラハウスや、植民地時代におけるオペラ、また西洋音楽一般のベトナムへの移入は、独立後のベトナムの国家建設に少なからず影響を与えていくこととなる。

以下では、南北分断期に社会主義体制を採用した北ベトナム（第二節）と、統一以降のベトナム（第四節）を対象とし、オペラに関する政策とそれに基づく活動状況を跡づけ、社会主義体制下のベトナムにおいてオペラにどのような政策的意義が見いだされてきたのか、時代を追ってどのような変容をみせているのかを明らかにする。[2]

3　南北分断期の北ベトナムにおけるオペラ政策――対外的威信、対内的権威

植民地体制下のベトナムでは軍楽隊や管楽隊に参画したベトナム人や、一九二七年から一九三〇年の三年間開校された極東フランス音楽院にて学ぶベトナム人学生はいたものの、現地でオペラ上演を担う団体は結成されていなかった。一九四五年以降、演奏や作曲の経験があるベトナム人らが中心となって芸術団体が結成されていたが、オペラに関する組織整備が進むのは、南北分断後の一九五五年に北ベトナム政府が成立し、文化省が設置された後のことである。

文化省は一九五九年に交響楽団を、一九六一年に合唱団を設立し、その後、それらを合併させてベトナム交響・合唱・音楽舞踊劇場を設立した。これらの団体はいずれも、指揮者などの例外を除けば、すべてベトナム人から構成されており、設立にあたっての人材選抜や結成後の練習、公演は、北朝鮮やソ連などの社会主義諸国の専門家の協力を得て進められた。また、長期的な人材育成のために一九五六年に国立の音楽専門教育機関としてベトナム音楽学校を設立し、音楽の才能が見込まれる学生を社会主義諸国に派遣し留学させた。

この時期のベトナムにおけるオペラ事業では、独立後のベトナムにおける初めてのオペラ公演として、一九六一年にチャイコフスキー作曲《エヴゲーニイ・オネーギン》の翻訳上演が実施された。外国作品の上演は頻繁に行なわれたわけではなく、またベトナム戦争中には中断していたが、社会主義諸国の支援を得ながら、古典オペラ作品や社会主義国において創作された現代オペラ作品が制作、上演された。

創作面においては、自国の作品を生みだしていくことが目指されていた。一九四〇年代以降、ベトナム人共産主義者は文化・芸術に強い関心を払い、思想統制を図るとともに、文化の「民族化、大衆化、科学化」、「社会主義的内容と民族的性質、党性、人民性」を持つ文化、といった文化建設についてのスローガンを掲げ、一九五〇年代末以降、これらのスローガンは芸術活動の絶対的な方針となった（今井 二〇〇二：八九―九一）。一九五七年に結成された音楽家協会は、党の方針を音楽分野で実現するために「民族の現代音楽」の建設という任務を掲げ（Hội Nhạc sĩ Việt Nam 1963）、この体制のもとで、音楽家協会総書記を務めていた作曲家ドー・ニュアンはオペラ形式を取り入れた創作を実践していった。

ドー・ニュアンは一九二二年生まれで、正規の音楽教育を受けたことはなかったものの、革命前から作曲を行ない、独立後のベトナムの音楽活動において中心的な役割を担ってきた人物である。一九六〇年頃よりチャイコフスキー記念国立モスクワ音楽院に派遣されて作曲を学び、滞在中から帰国後にかけてオペラ創作に取り組み、一九六五年に《コー・サオ》を完成させた。この作品は脚本・音楽ともにドー・ニュアンが手がけており、一九四〇年代のベトナム西北地方を舞台とし、マジョリティの民族であるキン族と少数民族が団結してフランス・日本の支配に抵抗し、党の指導のもとでベトナムが独立を勝ち取るという国家の記念碑的出来事を描いている。音楽面では、オペラの形式的特徴に基づきながら、たとえば民謡の旋律や音階、革命歌曲などが導入された（Đỗ 1969b）。

この作品は独立二〇周年の記念事業として、一九六五年にベトナム交響・合唱・音楽舞踊劇場によってハノイ大劇場にて上演された。これは外国人の協力を借りずに自立した体制で実施された初めてのオペラ制作でもあり、同時に初めての国産オペラ作品の公演であるとみなされた。新聞『人民』では、作品の表象内容などについて問題点を指摘しつつも、同公演を「音楽芸術のなかの複雑なジャンルについての第一歩目の実験」であり、「社会主義的内容と民族的性質を持つ我々の現代音楽の建設過程における新しい発展を刻印する」ものとして、評価、歓迎しており（Văn 1965）、北ベトナムにおける正当な地位を得たことがうかがえる。一九六五年以降、ベトナム戦争（革命側はこれを「抗米救国戦争」と呼んでいる）が本格化するなかでも新たな作品が創作、上演され、トゥー・ゴック他（Tú et al. 2000）やグエン・ティ・トー・マイ（Nguyễn 2014）によれば、《コー・サオ》を含め一九八〇年代前半までに六作品が創作された。

　では、国家建設を進める上で、オペラを受容することにどのような意義が見いだされていたのだろうか。ドー・ニュアンはオペラを「音楽の頂点にいたる高度な芸術形式」とみなし、それを作っていくことは「その国の文化レベルがどこまで来ているか」を示すものであると述べている（Đỗ 1961）。ここには、自国のオペラ作品を持つことで国家の文化レベルを国際的基準に到達させるという認識がみられる。ただしドー・ニュアンは、オペラ創作は他国の「模倣」ではないことを強調し、《コー・サオ》の創作実践を建築に喩えながら、伝統的な家屋や西洋式の教会の建設ではなく「新しい形式の文化の家を設計する作業」であると述べている（Đỗ 1969a）。オペラの国際性とベトナムの独自性を兼ね備えた文化を立ち上げようとする姿勢には、オペラの国産を通して、対外的に独立国家としての威信を高めることが日指されていたことが読み取れる。

　一九七五年四月三〇日に南ベトナムの首都サイゴンが陥落し、革命側の勝利で戦争が終結すると、その直後に北ベトナムの文化省は国立の各芸術団体を南部に派遣し、各地で上演活動を展開した。交響・合唱・音楽舞踊劇場は、サイゴン市内で交響曲の演奏会などを行ない、そのなかのプログラムのひとつとして《彫刻家》を公演した（Nguyễn 2000: 351, 353）。《彫刻家》は一九七一年にハノイで初演されたドー・ニュアンの二つ目のオペラ作品で、中部高原の少数民族の村を舞台とし、兵士や村人の英雄像とアメリカや南ベトナム軍に対する革命側の勝利を描きだした物語であった（Đỗ 1972）。文化省による一連の事業は、北ベトナムの文化レベルの高さを南ベトナムにおいて誇示する行為であるといえ、《彫刻家》という北ベトナム側のプロパガンダ表象を南部で上演することは、統一後のベトナムにおける革命側のナラティヴの優位性を予期する出来事であったとみることもできるだろう。

4 統一後のベトナムにおけるオペラ政策——多極化する拠点、多様化する担い手

一九七六年、南北が統一されてベトナム社会主義共和国が成立した。首都ハノイでは新たに国立の交響楽団の設立が進められ、従来のベトナム交響・合唱・音楽舞踊劇場はベトナム音楽舞踊劇場へと改名された。その後、一九八六年にドイモイ路線を採択し、一九九一年に社会主義陣営に限定しない全方位外交に方針転換すると、西側諸国からも支援を得ながら外国作品の制作が活発に行なわれるようになった。また、一九八〇年代半ば以降、音楽舞踊劇場は自国のオペラ作品の上演を行なっていなかったが、近年再び活発な様相を見せている。

国産オペラ事業の再興は、共産党の政策と密接に結びついている。ドイモイ以降、ベトナム共産党は、文化政策において文化的な多様性を認める一方で、政治的な多元性については厳重な態度を継続させ、文化に対する強い関心を払っており（今井 二〇〇二）、文学・芸術における教育機能の低下と娯楽機能の高まりなどを問題視し、その統制を図ってきた（Bộ Chính trị 2008）。党中央のこの方針を

うけた演説のなかで、作曲家で音楽家協会主席を務めるドー・ホン・クアンは「娯楽音楽」に傾倒する現状を克服するために、過去の「革命音楽の黄金時代」を代表するジャンルのひとつとしてオペラに着目し、外国のオペラやバレエ作品だけでなく自国の作品も上演すること、「アマチュア化の危機」から脱却し、「正統な音楽をその軌道に返し、地域と国際〔東南アジア地域と国際社会〕においてかつて持っていたふさわしい地位を回復」すべきであることを主張している（Đỗ 2009）。このような背景をもって、二〇一二年に音楽家協会の主催と文化体育・観光省の協力によって《コー・サオ》の三度目の制作、上演が行なわれた(3)。

開演に先立つ司会者の言葉では、一九六五年に誕生した「革命音楽芸術」における「大きく、力強い音楽劇作品」が、「オペラ芸術の不死の生命力」によって一九七六年に再演され、そして二〇一二年には「人類のオペラ芸術を継承、保存、発揮する精神をもって」再演すると述べられた（Đỗ 2012）。これらの文言は、オペラ芸術に普遍的かつ不変的な価値なるものを見いだし、それを動員することで、《コー・サオ》の上演歴を軸とした一九六五年からの歴史的な連続性を強調している。この過去が「黄金時代」と見なされていたことを鑑みると、現代における過去の国産オペラ作品の再演は、過去を祝福し、その延長線上に現体制を位置づけ、その正当性を保証する行為であるように思われる。

《コー・サオ》はその後、二〇一四年、二〇一五年にも、さらに二〇一九年には《彫刻家》も再演され、過去のオペラ作品を参照する行為が繰り返されている。さらに、二〇一三年に文化体育・観光省はドー・ホン・クアンに「抗米戦争」を題材としたオペラ創作を委嘱し、《赤い葉っぱ》が創作された。《赤い葉っぱ》はベトナム戦争期に南北ベトナムをつなぐ要路の修理に従事していた若者八名が、爆撃で犠牲になったという実話をもとにしている。二〇一六年五月にハノイ大劇場において、音楽舞踊劇場と交響楽団によって初演された（Dàn nhạc Giao hưởng Việt Nam and Nhà hát Nhạc vũ kịch Việt Nam 2016）。この作品は初演後も、ハノイや地方都市、特に物語と関連のある土地で繰り返し上演されている。新たな作品の創出には、過去へのまなざしにより演出される歴史的連続性が、未来へのベクトルも働かせている様子がうかがえる。

ハノイを拠点とする中央組織の動きに対し、統一後の南ベトナムではどのような政策、事業が実施されてきたのだろうか。統一国家は北部の体制が南部を包摂する形で成立し、旧南ベトナムの首都サイゴンはホーチミン市と改名された。旧南ベトナム政権下のサイゴン音楽劇芸国家学校には、南北分断期に北部に「集結」[4]していた南部出身の音楽家たちが配備され、社会主義体制に従う音楽教育機関を整備した。オーケストラやオペラ団はすぐには設立されなかったが、ホーチミン市は同市文化情報局のもとに、一九九三年に交響・室内楽劇場の結成を決定し、その後ホーチミン市交響・舞踊劇場に再編され、そして二〇〇六年にホーチミン市交響・音楽舞踊劇場が誕生した（Nhà hát Giao hưởng – Nhạc vũ kịch Thành phố Hồ Chí Minh 2021）。

ホーチミン市におけるオペラ団の設立は、ベトナム国内におけるオペラ事業の拠点の複数化をもたらしたといえる。国産オペラに関しては、たとえば二〇一〇年に同劇場によって、作曲家カー・レー・トゥアンによる新作《小島の守り人》が上演された（Ca 2014）。これは南部のカントー市を舞台に、老人が、かつて「救国戦争」にゲリラとして参加していた日々を振り返る物語である。オペラをつくり、発信する拠点が多極化し、南部においても物語の語り手が生まれている点において、ベトナムのオペラ受容史における新たな局面が生まれているといえる。

同様の変化は、国産オペラをめぐる言説においても現われている。二〇〇〇年に文化情報省のプロジェクトとして編纂、出版された音楽史の文献『ベトナム新音楽――過程と成果』では、ベトナムにおける国産オペラを「国家規模のプロ芸術組織の『独占権』的産物」（Tú et al. 2000: 462）と特徴づけており、国家の中央の占有物であるという言説が学術書において生産されていた。そこで取り上げられるのは、ハノイを拠点に国立の音楽舞踊劇場が上演してきた諸作品であった。それに対し二〇一七年にホーチミン市の国学研究センターと音楽院のもとで出版された『ベトナム音楽の歴史』では《小島の守り人》など、ホーチミン市交響・音楽舞踊劇場が上演したベトナムのオペラ作品も言及されている（Thế 2017: 360）。

第三節で見たように、分断期の北ベトナムは、オペラを受容することで対外的な文化的独立の達成を図っており、このことはベトナム国内において、ハノイを拠点とする中央の支配者層によるオペラの占有という状況を生みだした。それに対し、統一後に中央政府主導で遂行された南部における音楽政策を背景として、ドイモイ後のベトナムではオペラ事業の拠点の多極化、担い手の多様化が起こっており、実践においても言説においても、国家（中央）が占有してきたオペラ事業に脱中心化の動きをみることができる。

5　現代の非ヨーロッパ世界におけるオペラの動向

ここまでで、近年のベトナム国内におけるオペラ事業の拠点の多極化、担い手の多様化という視点を提示した。本節ではこれを念頭に置きつつ、ベトナムにおけるオペラ劇場に関する政策と、国産オペラのナラティヴという二つの視点を切り口として、現代の非ヨーロッパ世界におけるオペラの動向についてのグローバルな視座を示したい。

まず前者について、ドイモイ後のハノイとホーチミン市におけるオペラ劇場をめぐる政策の動向には違いが見られる。まずハノイを拠点とする中央政府は、ハノイ大劇場を積極的に活用している。植民地時代にドゥメール総督下で建設が提案され、一九〇一年に着工、一九一一年に完成した同劇場は、植民地政権が新たに開発した西洋的な都市の中心に位置し、現地のフランス人の「富と権威を宣言」するものとなった（McClellan 2003: 156）。この建築は、独立後から現在に至るまで維持され、上述のようにオペラ上演の会場としても用いられてきた。

一九九七年開催の「フランス語圏サミット」の主催国を引き受けるにあたり、ハノイ大劇場の大規模改修が行なわれた。このとき当時の首相は「この建築を首都と全国の大きな文化的中心」にするという展望を述べたと記録されている（Nguyễn 2011: 31）。さらに竣工百周年を迎える二〇一一年には記念式典が開催され、百周年記念誌が発行された。この本では、オペラを含む芸術活動の場として、さらに一九四五年の八月革命の象徴的舞台となったことをはじめとした政治的な場として、独立後のハノイ大劇場を意味づけている。文化体育・観光省が寄せた序文では、ハノイ大劇場が「首都の、ベトナムの建築として、大規模な文化的中心として」ふさわしく、また「永遠の我が民族の永遠の価値」にふさわしい（Nguyễn 2011: 9）という文言がみられる。さらに百周年を機に、文化体育・観光省はハノイ大劇場と八月革命広場を[5]「国家遺跡（歴史遺跡・芸術建築）」として認定した（Bộ Văn hóa, Thể thao và Du lịch 2011）。

このように、中央政府はハノイ大劇場を、首都や国家を象徴する文化的、歴史的建築物として重視している。なお、近年の新たな動きとしては、二〇一七年にベトナムの不動産会社がハノイを拠点に、独立後のベトナムで初めての企業オーケストラとしてインターナショナル・オーケストラを設立し、それにあわせてイタリアの建築家を招待したオペラハウスの建設計画を発表したが（Sun Group 2017）、二〇二二年一月現在、その後の進展は確認できていない。

一方、ホーチミン市では、市の主導で新しいオペラ劇場の建設事業が進行中である。ホーチミン市には植民地政権下で建設されたホーチミン市劇場があり、現在も使用されているが、一九九〇年代末より新たな劇場建設が計画されてきた。具体的な計画が二転三転した後、都市開発中のトゥーティエム地区の一等地に、市の予算約一兆五〇〇〇億ベトナムドン（約六五〇〇万ドル）で一七〇〇席を収容できるオペラ劇場を建設することが、二〇一八年に決定された。市民からの反対や疑問の声を受けながらもプロジェクトは進行しており、建築デザインの国際コンペティションの開催も予定されている。ホーチミン市によれば、経済、科学だけでなく「文化、社会的価値」が交流する「文明的で現代的な都市」であるために、オペラ劇場が「必要かつ緊急」であるという（Hữu 2020; Thiên 2018）。

先にも触れたように、近年、世界各地でオペラハウスや大劇場が建設されている。この背景には、一九七三年に完成したシドニー・オペラハウス、一九八九年のパリのオペラ・バスティーユや一九九七年に開館したスペインのビルバオ・グッゲンハイム美術館など、文化的ランドマークを用いた欧米圏での都市開発の動きがあった。シュエ・チャーリー・チウリーによれば、このような動向は、改革開放後の一九八〇年代の中国に刺激を与え、経済発展と都市化を追求し、新しい都市の建設、古い都市の再構築が進められるなかで、中国各地での劇場建設を促してきた（Xue and Li 2019: viii）。

文化的なグローバル都市の構築を目指して劇場を建設する状況は、シンガポールや台湾など、アジアの他の地域でもパラレルにみられる。中東や北アフリカにおいても、シリアやオマーン、クウエート、ドバイなど、二一世紀に入ってから約十の劇場が建設されてきた（Petrocelli 2019: 3）。また、釜山（プサン）やサウジアラビアでは現在建設中である（African News 2018, Moo-jong 2018）。それぞれの国や都市が互いを参照し、競い合いながら、文化的なグローバル都市の構築のための戦略として、オペラ劇場を建設している様子がうかがえる。

このような動向のなかで注目に値するのは、外国の援助によるもの、特に中国による援助形態の一つとして、いわゆる「第三世界」においてオペラ劇場が建設されていることである。中国はアジアやアフリカ、中東地域における劇場建設を積極的に進めており、第二節でとりあげたアルジェリアのほか、たとえばエジプトのルクソール市は、二〇一六年に中国の投資によるオペラ劇場設を承認している（Petrocelli 2019: 8-9, 65; Xue and Li 2019: xxii）。中国は国内におけるオペラ事業を活発化させると同時に、現代の国際社会における覇権拡大のための対外的な文化戦略としてオペラを活用しているといえる。

現代のベトナムにおいては、ハノイを拠点とする中央政府は、植民地時代の遺産に、民族や国家の歴史や文化、政治的な価値を見いだし、国家、首都の象徴として活用しているのに対し、ホーチミン市は近年グローバルに共有されている都市開発モデルを取り入れ、文化的、現代的な都市として確立しようとしている。ここには、ときに不均衡な力関係を孕（はら）む歴史的、同時代的なグローバルな環境のなかで、オペラ劇場が国家や都市によって活用されている様子を見ることができる。

このような、国家間、都市間のあいだのオペラ劇場をめぐる力学に加え、オペラの異なる側面をみると、国家内部の支配者層と被支配者層、権力者と被抑圧者といったアクターの関係性にも働きかける可能性が浮かび上がる。この側面を見るために、二つ目の視点として、オペラのナラティヴに着目する。ベトナムにおいて、近年創作された《小島の守り人》と《赤い葉っぱ》は、ベトナム戦争を物語の題材としている。今井昭夫によれば、文学・芸術は共産党や国家によって打ち出された「公式的な『戦争の記憶』が刻印され想起される装置」（今井 二〇〇〇：五五）としての役割を果たしており、オペラもまた、このひとつであるといえる。

第四節で見てきたように、オペラの担い手、すなわち公式的な「戦争の記憶」の語り手は多様化している一方で、ナラティヴの内容の多様性は依然として限定的である。たとえば南と北が対立するという側面をもつベトナム戦争を経たベトナムでは、旧南ベトナム政府軍側の「記憶」は抑圧されてきた（今井 二〇〇〇：六一）。近年では、旧南ベトナムの人々の戦中・戦後体験を取り上げた小説がベトナム国内で登場するといった変容も見られるものの（今井 二〇一七：二一）、オペラによってこの「記憶」が語られる日が来るのかといった問題は、政治体制にも大きく規定されるため、現時点での予想は困難である。

しかし世界に目を向けると、歴史的に抑圧されてきた人々が自らのナラティヴを伝える手段としてオペラが活用されている状況をみることができる。たとえばオーストラリアでは、イギリスから独立した後、オーストラリアの白人によるオペラ創作、活動が展開されてきたが、先住民の権利の拡大にともない、先住民による創作やパフォーマンスへの参加がみられるようになった。二〇一〇年には先住民自らが結成したカンパニーが自ら創作した作品《ピーカン・サマー》を初演し、先住民が一方的に表象された時代から、自らの声や身体で自らの物語を伝える時代を迎えている（佐和田 二〇一七：一五一―一六四）。南アフリカでは一九九四年にアパルトヘイトが廃止された後、黒人の作曲家や歌手がオペラの創作、制作に携わるようになった。二〇一一年には黒人の作曲家による南アフリカで初めての長編オペラとして、英語とコサ語（南アフリカの土着の言語のひとつ）を併用した《ウィニー――ジ・オペラ》が誕生し、その後も新しい作品が創作されている（André, Somma and Mhlambi 2016）。《ピーカン・サマー》は二〇一七年にシドニー・オペラハウスで上演され（Short Black Opera 2021）、《ウィニー――ジ・オペラ》は南アフリカ国家劇場で初演されるなど、国家や都市の文化活動の中心地で上演されている。すなわち、オペラという表現方法は、政治状況に大きく左右される形式であると同時に、抑圧されてきた声を公式的な物語として発信し、支配者層の領域に直接的に響きわたらせる可能性を多分に持っているといえるだろう。

6　オペラ受容の歴史と現在――文化戦略としてのオペラ

本章ではまず、オペラが、ヨーロッパを中心とする帝国主義的な構図のなかで非ヨーロッパ世界に持ち込まれたことを確認したうえで、ベトナムを中心に、地理的、歴史的に多様な複数の事例を概観し、それぞれの政府が近代的な国家建設のプロセスにおいてオペラに対する政策を決定し、時に戦略的に活用しながら、固有で多様なオペラ受容の歴史を形成してきた様相を捉えた。続いて現在の状況として、オペラ劇場をめぐって非ヨーロッパ世界を中心としたグローバルな共通性が形成されていくダイナミックな動きと、その内部で覇権を拡大している中国の存在、さらに、オペラを歴史的に受容してきた国々における、それぞれの土地における重層的で多様なナラティヴの響きや、未来において響きうる可能性を捉えることができた。

最後に、本章の取り組みをグローバル・スタディーズの実践という観点から整理し、その展望を示したい。まず、非ヨーロッパ世界において、地域横断的に、多様性をもってオペラが受容されてきた状況を概観したうえで（第二節）、ベトナムにおいて、オペラがローカルな政治と結びつきながら受容される具体的状況を捉えた（第三節、第四節）。これは、グローバルな事象にみられる多様性が、ローカルな文脈においていかに生成されているのかを実証的に示す作業でもあった。さらに第四節、第五節では、国家という枠組みの内部に、オペラの受容に参画する多様なアクターの存在を照らしだしたうえで、ローカルに根差した出来事が直接的、間接的にグローバルな文脈と連動している様相を描きだした。これにより、世界各地でみることのできるオペラの受容という行為に対し、国家、都市、支配者層と被支配者層など、オペラを戦略的に活用していく多様な担い手、およびそれらの力関係や相互連関を浮かび上がらせることができた。多様なアクターがオペラにいかに向き合い、オペラに関する政策、事業、活動に関与、参画していくのかを捉え、読み解いていくことは、過去において、現在において、そして未来において、それらのアクターがいかに世界を構成し、変容させていくのかを捉えるために有効な視点の一つであるだろう。

本章の作業は、非ヨーロッパ世界におけるオペラの受容や活用という、広範囲にわたる多様で複雑な事象を分析するための布石に過ぎない。本章を通して示されたグローバルな見取図を出発点として、グローバルとローカルの視座のあいだの往復運動をもって多層的、多角的に事象を読み解く実践を今後も継続していきたい。

◉注

（1）本研究の一部は、日本学術振興会特別研究員奨励費（課題番号19J11251）の助成を受けている。

（2）第三節、第四節の歴史叙述の内容は、断りのない限り、以下の二次文献、および新聞・雑誌、政府文書などの一次資料調査による二次文献の確認、訂正、補足作業の結果に基づいている。**二次文献**：音楽家協会による作曲家紹介集『現代ベトナムの音楽家』（Hội Nhạc sĩ Việt Nam 1997）、二〇世紀の音楽史をまとめた『ベトナム新音楽――過程と成果』（Tú et al. 2000）、「ベトナム・オペラ」についての研究書『ベトナム・オペラ』（Nguyễn 2014）。**新聞・雑誌**：ベトナム音楽家協会機関誌（『Âm nhạc（音楽）』、『Âm nhạc Việt Nam（ベトナム音楽）』、『Âm nhạc và Thời đại（音楽と時代）』）、『Âm nhạc Việt Nam Panorama（ベトナム音楽　パノラマ）』）、ベトナム文学芸術連合協会機関誌（『Tạp chí Văn nghệ（雑誌文芸）』、『Tuần báo Văn nghệ（週刊文芸）』）。**政府資料**：ベトナム第三国家文書館に所蔵されているPhong Bộ Văn hóa, Mục lục I（文化省目録I）、Phong Bộ Văn hóa - Thông tin（文化情報省目録）、Phong Bộ Văn hóa Thông tin- Vụ hợp tác quốc tế, Mục lục III（文化情報省・国際協力局目録Ⅲ）、Phong Minh Tâm（ミン・タム目録）、Phong Phủ thủ tướng（首相府目録）。本章での歴史叙述は概略となるため、直接の引用部分を除いて年・号・ページ数、アーカイヴ番号等の記載は省略し、詳細は別に論文としてまとめる。

（3）《コー・サオ》は一九六五年の初演に続き、一九七六年にも脚本の改編をともなって再制作されていた。

（4）一九五四年に南北が暫定的に分断された際、第一次インドシナ戦争（抗仏戦争）期に南ベトナムで活動していた党、ベトミン幹部・兵士の一部は北に移動した（白石　一九九三：五七）。このときの北部への移動のことを「集結（tập kết）」という。

（5）現在、ハノイ大劇場前の広場は「八月革命広場」と名付けられている（Nguyễn 2011: 30）。

◉参考文献

井口淳子、二〇一九、『亡命者たちの上海楽壇――租界の音楽とバレエ』音楽之友社。

石田麻子、二〇一八、「東アジアにおけるオペラの受容構造と創造活動――第二回国際アーツ・アドミニストレーション上海フォーラムから中国の動向を読み解く」『音楽芸術運営研究』第一二巻。

今井昭夫、二〇〇〇、「ドイモイ（Doi Moi）下のベトナムにおける『戦争の記憶』」『Quadrante：クヴァドランテ：四分儀』第二号。

――、二〇〇二、「ドイモイ下のベトナムにおける包括的文化政策の形成と展開」『東京外国語大学論集』第六四号。
――、二〇一七、「ドイモイ期における戦後処理と戦争の記憶」『アジ研ワールド・トレンド』第二五七号。
近藤宏一、二〇一七、「中国におけるオーケストラの展開――租界から『文化大革命』まで」『立命館経営学』第五五巻、第四号。
サイード、E・W、一九九八、『文化と帝国主義 1』大橋洋一訳、みすず書房。
佐藤寛、一九九五、「報告書・資料：八 イエメン、エジプトにおける経済協力評価」外務省・政府開発援助ODAホームページ。https://www.mofa.go.jp/mofaj/gaiko/oda/shiryo/hyouka/kunibetu/gai/h09gai/h09gai022.html（最終閲覧：二〇二一年一月二〇日）
佐和田敬司、二〇一七、『オーストラリア先住民とパフォーマンス』東京大学出版会。
白石昌也、一九九三、『東アジアの国家と社会5 ベトナム――革命と建設のはざま』東京大学出版会。
関根礼子著、昭和音楽大学オペラ研究所編、二〇一一、『日本オペラ史（下）一九五三〜』水曜社。
瀬崎久見子、二〇一八、「オペラで東アジア存在感 上海 音大でフォーラム」『日本経済新聞』一二月一五日。https://www.nikkei.com/article/DGKKZO38941350U8A211C1BC8000/（最終閲覧：二〇二一年二月七日）
パーカー、ロジャー編著、一九九九、『オックスフォード オペラ史』大崎滋生監訳、平凡社。
African News. 2018. “Centre Stage: Music in the Middle East, Past & Present.” April 20. https://www.africanews.com/2018/04/20/inspire-middle-east-centre-stage-music-in-the-middle-east-past-and-present/（最終閲覧：二〇二一年一月三一日）
André, Naomi, Donato Somma, and Innocentria Jabulisile Mhlambi. 2016. “*Winnie: The Opera* and Embodying South African Opera.” *African Studies*. 75, no.1: 1–9.
Lu, Xiangdong. 2019, “Development of Theaters and the City in Beijing: The 1950s and Post-1980s.” In *Grand Theater Urbanism: Chinese Cities in the 21st Century*, edited by Charlie Qiuli Xue, 1–30. Singapore: Springer.
McClellan, Michael E. 2003. “Performing Empire: Opera in Colonial Hanoi”, *Journal of Musicological Research*. 22: 135–166.
Melvin, Shelia, and Jindong Cai. 2004. *Rhapsody in Red: How Western Classical Music Became Chinese*. New York: Algora Publishing.
Moo-jong, Park, 2018. “Pusan Opera House.” *The Korean Times*. January 25. https://www.koreatimes.co.kr/www/opinion/2021/01/636_243040.html（最終閲覧：二〇二一年一月三一日）

Petrocelli, Paolo. 2019. *The Evolution of Opera Theatre in the Middle East and North Africa.* Cambridge Scholars Publishing.

Pitt, Charles, and Tarek H. A. Hassan. 2021. “Cairo.” In Grove Music Online. Oxford Music Online. Oxford University Press. https://doi.org/10.1093/gmo/9781561592630.article.O008701.（最終閲覧：二〇二一年一月二〇日）

Shin, Boram. 2017. “National Form and Socialist Content: Soviet Modernization and Making of Uzbek National Opera between the 1920s and 1930s.” *Interventions.* 19, no. 3: 416–433.

Short Black Opera. 2021. “Pecan-Summer.” https://www.shortblackopera.org.au/pecan-summer（最終閲覧：二〇二一年一月三〇日）

Xue, Charlie Qiuli, and Lin Li. 2019. “Introduction: Grand Theatres and City Branding: Boosting Chinese Cities.” In *Grand Theater Urbanism: Chinese Cities in the 21st Century*, edited by Charlie Qiuli Xue, vii–xxix. Singapore: Springer.

Bộ Chính trị 2008. Nghị quyết số 23-NQ/TW. Về tiếp tục xây dựng và phát triển văn học, nghệ thuật trong thời kỳ mới. June 16. https://tulieuvankien.dangcongsan.vn/he-thong-van-ban/van-ban-cua-dang/nghi-quyet-so-23-nqtw-ngay-1662008-cua-bo-chinh-tri-ve-tiep-tuc-xay-dung-va-phat-trien-van-hoc-nghe-thuat-trong-thoi-ky-269（最終閲覧：二〇二一年三月一日）

Bộ Văn hóa, Thể thao và Du lịch 2011. Quyết định số 3524/QĐ-BVHTTDL. Về việc xếp hạng di tích quốc gia. November 1. https://bvhttdl.gov.vn/van-ban-quan-ly/829.htm（最終閲覧：二〇二一年二月六日）

Ca Lê Thuần. 2014. *Người giữ cồn: Nhạc kịch*. Nhà xuất bản Văn hóa nghệ thuật thành phố Hồ Chí Minh.

Dàn nhạc Giao hưởng Việt Nam and Nhà hát Nhạc vũ kịch Việt Nam. 2016. Program booklet for the peformance conducted by Honna Tetsuji. Đỗ Hồng Quân, “Lá Đỏ.” Nhà hát lớn Hà Nội. May 25 & 26.

Đỗ Hồng Quân. 2009. “Những bức xúc trong đời sống âm nhạc hiện nay.” *Âm nhạc Việt Nam*. Số Xuân kỷ sửu.

Đỗ Nhuận. 1961. “Một thành công lớn trong việc giới thiệu nhạc kịch Épgênhi Oniêghin.” *Tạp chí Văn nghệ*. Số 12.

Đỗ Nhuận. 1969a. “Dạo đầu: Cộng hay không cộng?.” *Văn hóa*. Số 6.

Đỗ Nhuận. 1969b. “Từ ca khúc đến nhạc kịch. *Văn hóa*.” Số 8.

Đỗ Nhuận. 1972. *Người tạc tượng: Nhạc kịch ba màn*. Hà Nội: Nhà xuất bản Quân đội Nhân dân.

Đỗ Nhuận. 2012. *Cô Sao: nhà hát truyền hình: vở nhạc kịch*. DVD. Nhà hát Nhạc vũ kịch Việt Nam, Dàn nhạc Giao hưởng Việt Nam and Hợp xướng trường Đại học Văn hóa Nghệ thuật Quan đội, conducted by Honna Tetsuji. November 25, năm 2012. Hà Nội.

Hội Nhạc sĩ Việt Nam. 1963. “Báo cáo của Ban chấp hành Hội Nhạc sĩ Việt Nam trước đại hội lần thứ II họp ở Hà Nội.”（ベトナム第三国家文書館所蔵　Phong Bộ Văn hóa, Mục lục I, Hồ sơ 125. 未公刊資料）

Hội Nhạc sĩ Việt Nam. 1997. *Nhạc sĩ Việt Nam Hiện đại*. Hà Nội: Hội Nhạc sĩ Việt Nam.

Hữu Công. 2020. “Thi chọn thiết kế cho nhà hát giao hưởng Thủ Thiêm.” *Vnexpress*. July 1. https://vnexpress.net/thi-chon-thiet-ke-cho-nha-hat-giao-huong-thu-thiem-4123677.html（最終閲覧：二〇二一年一月三一日）

Nguyễn Thị Tố Mai. 2014. *Opera Việt Nam*. Nhà xuất bản Âm nhạc.

Nguyễn Thụy Kha. 2000. *Những gương mặt âm nhạc thế kỷ*. Hà Nội: Viện Âm nhạc.

Nguyễn Thụy Kha ed. 2011. *Nhà hát lớn Hà Nội: Vẻ đẹp tròn thế kỷ (1911–2011)*. Hà Nội: Nhà xuất bản Hội Nhà văn.

Nhà hát Giao hưởng – Nhạc vũ kịch Thành phố Hồ Chí Minh. 2021. “Giới thiệu về Nhà hát.” http://www.hbso.org.vn/GioiThieuChiTiet.aspx?CatID=5（最終閲覧：二〇二一年一月二〇日）

Sun Group. 2017. “Sun Group xây dựng nhà hát opera và dàn nhạc giao hưởng tư nhân đầu tiên tại Việt Nam.” Sun Group. October 17. https://sungroup.hanoi.vn/sun-group-xay-dung-nha-hat-opera-va-dan-nhac-giao-huong-tu-nhan-dau-tien-tai-viet-nam/（最終閲覧：二〇二一年一月三一日）

Thế Bảo ed. 2017. *Lịch sử âm nhạc Việt Nam*. Thành phố Hồ Chí Minh: Nhà xuất bản Thanh niên.

Thiên Ngôn. 2018. “20 năm hiện thực ý định xây Nhà hát Giao hưởng của TP HCM.” *Vnexpress*. October 9. https://vnexpress.net/20-nam-hien-thuc-y-dinh-xay-nha-hat-giao-huong-cua-tp-hcm-3821386.html（最終閲覧：二〇二一年一月三一日）

Tú Ngọc, Nguyễn Thị Nhung, Vũ Tự Lân, Nguyễn Ngọc Oánh, and Thái Phiên. 2000. *Âm nhạc mới Việt Nam: Tiến trình và Thành tựu*. Hà Nội: Viện Âm nhạc.

Văn Thanh. 1965. “Kết quả thể nghiệm bước đầu của nghệ thuật âm nhạc Việt Nam: Nhạc kịch Cô Sao.” *Nhân dân*. September 14. số 4180.

おわりに

グローバル・スタディーズは実に多様である。本書に収録されている各章の議題や問題意識も、執筆者によって大きく異なっている。グローバル・スタディーズを学んだことのない読者はそれに違和感を覚え、「これは一体何学なの?」と戸惑うかもしれない。一方、グローバル・スタディーズを知っている読者にとっては、章ごとに話題ががらりと変わることに心地よさを感じ、そのことが「当然」であり「普通」のことととと感じるであろう。

グローバル・スタディーズは、学問における縦割りの壁を乗り越える試みである。学問上の縦割りは、研究活動において避けられない。研究者があるテーマに関する研究を行なうことを決める際、そのテーマにはいろいろな側面があり、また、そのテーマは他の複数のテーマや問題と複雑に絡みあっていることは認識できていることだ。しかし、実際に研究を行なうため、自分が所属するディシプリンの枠組みに合うようなテーマのある側面を選び、その側面において、与えられている時間や予算で追及できる課題に絞る必要がある。研究プロジェクト設計の大部分は、このようにディシプリンの基盤の上に、削って削って、そして最後に、答えることができる「問い」を残すことである。似たような「削り方」をする研究者同士が知識共有のネットワークを組み、学会を作ったり、雑誌を発行したり、そして大学院や学部を設立する。これらの組織の中で、研究者たちは同じ削り方や組み立て方をする分野や学問を行なう人と時間を過ごすことが多い。それによって研究が進みやすくなり、研究成果を効率よく上げることができ、そして分野を指定して配分される研究助成を得ることが可能になり、そして特定の分野や学問からなる通常の学部を持つ大学にも就職もできる。

一方、このような専門化された組織で育った研究者たちのなかには、変わりつつある現代世界に強い好奇心を持ち、自分の専門以外の知的活動についても大きな関心を持っている人も少なくない。そして何より、現実世界の複雑な問題を把握・解決するには自分の専門知識だけでは足りないことを痛感し、他の分野で活躍している研究者の知識や知恵を生かす必要性を認めている。この認識を踏まえ、分野・学問横断的な研究の試みは頻繁に行なわれてきた。横断的な研究の試みのほとんどは期間限定的で、形式はいろいろあるが、参加者は自分の「元」の分野・学問を完全には捨て去ることなく、研究時間の一部を、異分野の研究者同士で問題意識をぶつけ合うことに使う。なかにはそこで費やす時間や問題意識の比重をより大きくし、場合によっては学際性、あるいは超分野性を強める傾向を共有する動きも生まれた。グローバル・スタディーズは一九九〇年代の世界的な急変をとらえるために浮上した、このような学問横断的、または学問分野超越的な研究の試みである。

冷戦直後の世界が遠い昔になった今日、数年で終わるほとんどの横断的な研究の試みと異なり、グローバル・スタディーズは各国で健在で、しかも大学院と学部まで組織化されてきた。グローバル・スタディーズの誕生は研究者によるものであったが、その後の目覚ましい普及は、知識を提供する（はずの）大学教員より、需要側にいる学生の果敢な挑戦と努力、勇気によっている。グローバル・スタディーズのコースや学位の人気は目立ち、それを見て他の大学も大学院や学部を新設してきた。私の知り合いが言ったことだが、「グローバル・スタディーズ学科で教えている先生たちの多くはグローバル・スタディーズの意味をよく知らないが、学生たちはその意味も意義もはっきりと認識している」。

多様な問題意識・理論・研究方法を使った研究の進め方をどのように教え、そしてその成果物である学位論文をどのように評価するか、という悩みはグローバル・スタディーズ学科の教員には付き物である。教員も学生に言葉で指導するだけでは不足であり、実際に自分の研究を編み上げ、学生に示していく責任がある。結局、学生はグローバル・スタディーズには、**issue-focused**（問題に焦点を当てること）、**solution-oriented**（解決を志向すること）、**de-Eurocentric**（脱西洋中心主義）という磁場を常に示す羅針盤(らしんばん)はあっても、自ら帆を張り、風を読み、航路を見つけ、そして地図を持たない旅に出なければならないことを知る。つまり、自分の研究に必要な理論や方法を自分で調べ、作り上げなければならない航海にすでに出ているのだという現実である。実は教員もそれぞれの航海に出ているのであり、学生と緩やかな船団を組んで大嵐を乗り越えようとしているのである。自分が手にしていた学問分野という古い海図にときには縛られ、ときには助けられながら。

学生は必要な場合には、伝統的な専門分野を学び、またその教員やほかの学生との意見交換のなかで成長していく。学生や教員がグローバル・スタディーズの視座がいかに他の専門分野でアカデミック訓練を受けてきた研究者や学生と異なるのか、それを痛感するのも、こうした交換や接触の場面においてである。学生一人一人のこの真摯な研究と教員の伴走、また教員自身の研究の共同作業として歩む道の跡にこそ、私たちが本書で提示した「グローバル・スタディーズ」があるといえよう。それがうまくいくと、意外なところから持ってきた概念の取り合わせや、通常では考えつかないツールを探り出し、結果として、非常に斬新で創造性の高い、貴重な研究を産むのである。

グローバル・スタディーズの大学院で学位を取得したのちに大学教員になった人たちはいわゆる「グローバル・スタディーズ・ネイティヴ」であり、このネイティヴの若手研究者が研究および教育において、学問分野間のハードルをほとんど気にしないこと、また古い学問世界の境界を飛び越えて、社会を変革するような活動をごく普通に、そして生き生きと行なっていることに、常々感心している。九〇年代の普遍的な理想主義は大きく失速したとはいえ、世界規模の課題は深刻になる一方である。この現実を鑑みるに、勇気を持って知識の垣根を取り払う、クリティカルでラディカルな研究者は極めて重要な存在である。そしてグローバル・スタディーズの大学組織内の役割、すなわちネイティヴであることを励まし、誇り、守り育てる役目は今後ますます重要となり、社会からより一層、必要とされることだろう。グローバル・スタディーズと既存の学問分野が相互に刺激を与え合うことは、なによりもアカデミズム全体の発展に大きく寄与するものだ。着実に力をつけつつある、グローバル・スタディーズ・ネイティヴのこれからの活躍を期待してやまない。

ジョナサン・ルイス

加納 遥香（かのう・はるか） 一橋大学大学院社会学研究科地球社会研究専攻博士後期課程、日本学術振興会特別研究員（DC2）／社会学修士

専門領域：地域研究、音楽文化研究

研究内容：音楽、芸術と政治の関係について領域横断的な研究に取り組む。ベトナムを主な対象地域とし、現在は西洋音楽、特にオペラの受容に注目している。

訳書：『東南アジアにおけるケアの潜在力――生のつながりの実践』（共訳、京都大学学術出版会、2019）

論文：「社会主義体制下のベトナムにおけるオペラ」（一橋大学大学院社会学研究科博士学位請求論文、審査中）

◉翻訳

吉濱 健一郎（よしはま・けんいちろう） 一橋大学大学院社会学研究科地球社会研究専攻博士後期課程／社会学修士、M.A. (Peace, Conflict and Development)

専門領域：文化人類学、グローバル・スタディーズ

研究内容：スリランカのポスト・コンフリクトの文化・社会・政治に関する諸問題に関心をもち、特に東部州をフィールドとして土地所有をめぐる争いについて研究している。

論文：「イントラ／ポスト・コンフリクトにおける対スリランカ国際支援をめぐる考察――東部州を中心に」（一橋大学大学院社会学研究科修士論文、2018）、*A Study on the Interrelationship between Land Issues and Post-Conoflict Peacebuilding in the Eastern Province of Sri Lanka*. unpblished master's thesis, University of Bradford, 2019.

梅垣 緑（うめがき・みどり） 一橋大学大学院社会学研究科地球社会研究専攻博士後期課程／社会学修士

専門領域：インドネシア現代文学、インドネシア政治

研究内容：フィクションと政治の関係を軸に、1990年代以降のインドネシア現代文学のうち、特にエカ・クルニアワンという作家の活動に注目して政治的暴力やジェンダーに関わる表象を研究している。

論文：「現代インドネシアにおける文学と政治の研究――エカ・クルニアワンと『美は傷』を中心に」（一橋大学大学院社会学研究科修士論文、2020）

根本 雅也（ねもと・まさや） 松山大学人文学部准教授／社会学博士
専門領域：社会学
研究内容：広島に投下された原爆という出来事を中心に、核兵器や戦争をめぐる戦後史研究、国内外の原爆被爆者調査に取り組む。地域は日本を中心として、北米、東南アジア等。
著書：『ヒロシマ・パラドクス――戦後日本の反核と人道意識』（勉誠出版、2018）、『原爆をまなざす人びと――広島平和記念公園8月6日のビジュアル・エスノグラフィ』（共編著、新曜社、2018）

山﨑 真帆（やまざき・まほ） 東北文化学園大学現代社会学部助教（21年4月1日～）／社会学修士
専門領域：災害研究、文化人類学
研究内容：フィールドワークを軸に、文化や地域社会といった観点から災害研究に取り組む。現在は東日本大震災の被災地を対象とし、津波被災自治体にありながらも直接的な津波被害を受けていない人々、地域に着目している。
著書：『全国データ SDGsと日本――誰も取り残されないための人間の安全保障指標』（共著、明石書店、2019）
論文：「住家への津波被害を免れた人々における東日本大震災からの『復興』――津波被災自治体南三陸町における『被災者だけど被災者じゃない』住民の経験から」（『日本災害復興学会論文集』第15号特集号（日本災害復興学会、2020）、「復興過程における『被災者』の自己認識に関する一考察――仮設住宅居住者と非津波被災者の語りに基づく『被災者』の構造と輪郭の分析から」（『日本災害復興学会論文集』第16号（日本災害復興学会、2020）

小野塚 和人（おのづか・かずひと） 神田外語大学外国語学部准教授／社会学博士
専門領域：地域開発論、移民政策論、社会学、観光学
研究内容：地域活性化（地方創生）はいかにして可能であるのかに関して、外国人労働者の受け入れと観光開発による方策を中心に、オーストラリアと日本を主たる事例として、研究を進めている。
論文：「外国人労働者としての難民認定者に対する住宅支援――西オーストラリア州の主要都市部における定住支援策と住宅事情を中心に」『都市住宅学』第110号（都市住宅学会、2020）、「オーストラリアの地方部における難民認定者の労働力登用――ビクトリア州ニルのカレン人招へいにみる受け入れ施策の考察」『グローバルコミュニケーション研究』第10号（神田外語大学、2021）

ジョナサン・ルイス（Jonathan Lewis） ◉編著者紹介参照

ヤセミン・ヌホグル・ソイサル（Yasemin Nuhoglu Soysal） イギリス・エセックス大学社会学部教授／Ph.D.

専門領域：社会学

研究内容：グローバル政治社会学、国民国家、シティズンシップ、人権、移民、高等教育等の展開と現代の形態について、新-制度主義的立場から理論化と実証研究を行なう。現在はシティズンと個人の制度のグローバル拡散をめぐり、シナリオと制度実践のパラドクスを研究。

著書：*Transnational Trajectories in East Asia: Nation, Citizenship, and Region*, edited. "Mapping the Terrain of Transnationalization: Nation, Citizenship, and Region", in it, Routledge, 2015.

論文："Citizenship, Immigration, and the European Social Project: Rights and Obligations of Individuality", *The British Journal of Sociology* 63(1), 2012. "Observing the Unobservable: Migrant Selectivity and Agentic Individuality Among Higher Education Students in China and Europe", with H. Cebolla Boado, *Frontiers*. 2020.

沢辺 満智子（さわべ・まちこ） ポリフォニープレス合同会社 代表／社会学博士

専門領域：文化人類学、養蚕史、グローバル・スタディーズ

研究内容：近代化過程における女性たちの民俗の変遷を、主に蚕糸絹業の産業化過程を通して研究。地域は日本、イタリア等。出版業、展覧会・文化イベント等の企画・運営。

著書：『養蚕と蚕神——近代産業に息づく民俗的想像力』（慶應義塾大学出版会、2020）、『VIVID 銘仙——煌めきの着物たち』（共著、青幻舎、2016）

本橋 弥生（もとはし・やよい） 国立新美術館主任研究員、一橋大学大学院社会学研究科地球社会研究専攻博士後期課程／文学修士

専門領域：デザイン史、文化史、服飾史、美術史、グローバル・スタディーズ

研究内容：異文化との接触による文化の創造が研究テーマ。地域は日本、ハンガリー、フィンランド等。

著書：『MIYAKE ISSEY 展——三宅一生の仕事』（共著、求龍堂、2016）、『ミュシャ展』（共著、求龍堂、2017）

論文：「田中千代とファッション・ショー——戦後から1950年代を中心に」『国立新美術館研究紀要』no.5（2018）

中村 寛（なかむら・ゆたか） 多摩美術大学美術学部准教授／社会学博士
専門領域：文化人類学、グローバル・スタディーズ
研究内容：アメリカと日本を当面のフィールドとし、暴力、社会的痛苦、反暴力の文化表現、脱暴力の社会的取り組み、ソーシャル・デザインなどのテーマに取り組む。
著書：『残響のハーレム――ストリートに生きるムスリムたちの声』（共和国、2015）、『芸術の授業――Behind Creativity』（編著、弘文堂、2016）
訳書：テリー・ウィリアムズ&ウィリアム・コーンブルム『アップタウン・キッズ――ニューヨーク・ハーレムの公営団地とストリート文化』（大月書店、2010）

ディエゴ・オルスタイン（Diego Olstein） アメリカ・ピッツバーグ大学歴史学部教授、歴史学学部長／ Ph.D.
専門領域：世界史、編纂史の歴史、スペイン中世史
研究内容：グローバルな覇権の歴史、経済のグローバル化、政権のグローバル・ヒストリーを専門とする。国や地域を越境し、枝葉の歴史の境界での交差を探る歴史的方法論を探究。中世スペイン史の研究では、イスラム教徒、キリスト教徒、ユダヤ教徒の間の経済対立、文化衝突、統合と文化変容を中心に分析した。
著書：*Thinking History Globally*, Palgrave Macmillan, 2015. *A Global History of Power: World Hegemony, Economic Globalization, and Political Regimes*, forthcoming, Palgrave Macmillan, 2021.
論文："Proto-globalization and Proto-glocalizations in the Middle Millennium", in *Cambridge World History. Volume 5: Expanding Webs of Exchange and Conquest, 500–1500 CE.*, co-ed. Benjamin Kedar and Merry Wiesner-Hanks. Cambridge University Press, 2015.

林 志弦（Lim Jie-Hyun） 韓国・西江大学歴史学部教授、トランスナショナル・ヒストリー、クリティカル・グローバル・スタディーズ研究所所長／ Ph.D.
専門領域：歴史学、メモリー・スタディーズ
研究内容：ナショナリズムとマルクス主義、ポーランド史、トランスナショナル・ヒストリー、グローバル・メモリー等の幅広い比較研究を行なう。パルグレイヴ・マクシミリアン社から叢書「Mass Dictatorship in the 20th century」5巻の編集者（2011–16）、"Naming Forced Laborers" (Seoul Museum of Art, 2021) 等の共同キュレーター担当。
著書：*Memory War: How could perpetrators become victims?* Humanist, 2018. *Mnemonic Solidarity-Global Interventions*, co-edited with Eve Rosenhaft, Palgrave, 2021. *Victimhood Nationalism-A Global History*, forthcoming, Humanist. 2021.

◉執筆者（執筆順）・翻訳者紹介◉

足羽 與志子（あしわ・よしこ） ◉編著者紹介参照

デヴィット・L・ワンク（David L. Wank）上智大学国際教養学部教授、グローバル・スタディーズ研究研究科長／ Ph.D.

専門領域：社会学、グローバル・スタディーズ

研究内容：グローバル・スタディーズ、地域研究、社会科学間の学際研究についての理論と方法論の研究を行なう。中国、アジア、北米等の政治、経済、宗教を専門とする。権力、価値、ネットワーク、制度、国家と社会、宗教、経済社会学が主題。

著書：『グローバル社会のダイナミズム——理論と展望（地域立脚型グローバル・スタディーズ叢書 第1巻）』（共編、上智大学出版社、2007）、*The Space of Religion: Temple, State, and Buddhist Communities in Modern China*, with Yoshiko Ashiwa, forthcoming, Columbia University Press, 2021.

論文：“The Rise of Global Studies in East Asia: Institutions and Ideology in National Education Systems”, with James Farrer, *global-e* 10(3), 2017.

伊藤 毅（いとう・たけし） 上智大学国際教養学部・大学院グローバル・スタディーズ研究科教授／ Ph.D.

専門領域：ポリティカル・エコノミー、ポリティカル・エコロジー、グローバル・スタディーズ

研究内容：農村・環境変化、自然と資本主義、パワー・支配・抵抗。地域は東南アジア、日本、北米、北欧など。

論文：“Oysters and Tsunami: Iterative Learning and Nested Governance as Resilience in Post-Disaster Aquaculture in Hokkaido, Japan”, with Takehiro Watanabe, *Society and Natural Resources* 32(4), 2019. “How Transboundary Processes Connect Commons in Japan and Thailand: A Relational Analysis of Global Commodity Chains and East Asian Economic Integration”, with Carl Middleton, *Asia Pacific Viewpoint* 61(2), 2020. “Political Economy: Capturing the Wholeness of Social Relations and Ecological Contexts”, *Journal of Asian Studies*, forthcoming, 2021.

◉編著者紹介◉

足羽 與志子（あしわ・よしこ）一橋大学大学院社会学研究科教授／社会学博士

専門領域：文化人類学、グローバル・スタディーズ

研究内容：価値生成、表象と制度、感情を主題に、宗教、暴力、平和、アート、政治、文化政策等の広い分野で研究。先駆的な中国の現代仏教研究で知られる。地域はスリランカ、中国、北米等。

著書：*Making Religion, Making the State: The Politics of Religion in Modern China*, co-ed. with David Wank, Stanford University Press, 2009.『平和と和解の思想をたずねて』（共編著、大月書店、2010）, *The Space of Religion: Temple, State, and Buddhist Communities in Modern China,* with David Wank, forthcoming, Columbia University Press, 2021.

ジョナサン・ルイス（Jonathan Lewis）一橋大学大学院社会学研究科教授／Ph.D.

専門領域：政治学、メディア研究、グローバル・スタディーズ

研究内容：ソーシャルメディアを使って各国の政治情勢や社会問題を研究。ナイジェリア・フィリピン・コロンビアの国会議事録のテキスト分析。

著書："Language, location and gender in Ukrainian Twitter networks", with Bogdan Pavliy, *Japanese Slavic and East European Studies* 38, 2018.「準民主主義国議会の議事録の実証分析——ナイジェリア上院の政治的暴力への反応を例に」大林一広・飯田連太郎共同執筆『一橋法学』第17巻第1号（2018）

グローバル・スタディーズの挑戦（ちょうせん）——クリティカルに、ラディカルに

2021年3月31日 初版第1刷発行　　定価はカバーに表示してあります

編著者　**足羽與志子／ジョナサン・ルイス**

発行者　**河野 和憲**

発行所　株式会社 **彩流社**

〒101-0051 東京都千代田区神田神保町3-10 大行ビル6階

電話 03-3234-5931 FAX 03-3234-5932

http://www.sairyusha.co.jp

sairyusha@sairyusha.co.jp

印刷　明和印刷㈱

製本　㈱村上製本所

装幀　ナカグログラフ（黒瀬章夫）

落丁本･乱丁本はお取り替えいたします

ISBN978-4-7791-2751-9 C0036

移民・難民・マイノリティ

978-4-7791-2727-4 C0031(21.03)

欧州ポピュリズムの根源　　羽場久美子編著

今世紀最大の社会対立を引き起こしている移民・難民問題の本質を問う。欧州各国での多人種・多民族共生の実態、ポピュリズムとゼノフォビア（外国人嫌い）に揺れる各国、マイノリティ包摂の困難等を検証する多角的論集。　四六判並製　3600円＋税

石斧と十字架

978-4-7791-1179-2 C0039(06.07)

パプアニューギニア・インボング年代記　　塩田光喜著

文明との接触から30年のニューギニア高地に一人の人類学者が入った。石器時代に生まれ、成人した語り部たちと暮らした2年間の記録と聞き書き。その人々の行動と心性、文明との遭遇、それに呑みこまれる精神の変容の姿を描く。　A5判上製　4700円＋税

ハワイ日系人の強制収容史

978-4-7791-2662-8 C0022(20.03)

太平洋戦争と抑留所の変遷　　秋山かおり著

太平洋戦争開戦を受けハワイで始まった日系人戦時強制収容。抑留所の開設から終戦後の閉所まで、抑留対象者の変化と、サンドアイランド、ホノウリウリ抑留所の機能の変容を、一次資料、回顧録、オーラルヒストリー、写真等、多様な資料を組み合わせて検証する。　A5判上製　4500円＋税

アメリカにおけるヒロシマ・ナガサキ観

978-4-7791-2607-9 C0022(19.08)

エノラ・ゲイ論争と歴史教育　　藤田怜史著

1990年代、合衆国では、広島と長崎に原子爆弾を投下したB29戦略爆撃機「エノラ・ゲイ号」の展示をめぐって論争の嵐が吹き荒れた。なぜ論争は巻き起こったのか。米国人が抱える原爆投下認識を、合衆国の歴史教育から紐解く一冊。　A5判上製　3600円＋税

ナノ・ソート

978-4-7791-1299-7 C0070(08.01)

現代美学、あるいは現代美術で考察するということ　　杉田敦著

現代の美学のために――現代美術についてではなく、現代美術で考える、ひとつの実践としての極小の思考（ナノ・ソート）。アーティストだけでなく、キュレータ、観衆について、そして日常生活から発言するための方法としてのアートを考える。　四六判上製　2800円＋税

「リトルサイゴン」

978-4-7791-2707-6 C0022(20.09)

ベトナム系アメリカ文化の現在　　麻生享志著

世界で注目を集める現代ベトナム系アメリカ文化。ベトナム系アメリカ人コミュニティ、リトルサイゴンから拡がる文化・文学を取り上げ、そこに描かれる難民の過去と現在を、小説、映像芸術、グラフィックノベルから論じる。カラー口絵付。　四六判並製　3000円＋税